AGNÈS MARTIN-LUGAND

Après six ans d'exercice en tant que psychologue clinicienne dans la protection de l'enfance, Agnès Martin-Lugand se consacre désormais à l'écriture. Elle fait aujourd'hui partie des auteurs les plus lus en France. Son premier roman, *Les gens heureux lisent et boivent du café* (Michel Lafon, 2013), a connu un immense succès auprès du grand public. Il est suivi de *Entre mes mains le bonheur se faufile* (2014), *La vie est facile, ne t'inquiète pas* (2015), la suite de son premier roman, *Désolée, je suis attendue* (2016) et *J'ai toujours cette musique dans la tête* (2017) chez le même éditeur. Son nouvel ouvrage, *À la lumière du petit matin*, paraît en 2018 aux Éditions Michel Lafon.

Retrouvez l'auteur sur sa page Facebook :
Agnès Martin-Lugand auteur

J'AI TOUJOURS
CETTE MUSIQUE
DANS LA TÊTE

AGNÈS MARTIN-LUGAND

J'AI TOUJOURS CETTE MUSIQUE DANS LA TÊTE

© Éditions Michel Lafon, 2017
ISBN : 978-2-266-28288-8
Dépôt légal : avril 2018

Pour Guillaume, Simon-Aderaw et Rémi-Tariku,
mon coin de paradis...

*Autrui joue toujours dans la vie
de l'individu le rôle de modèle, d'un objet,
d'un associé ou d'un adversaire.*

Sigmund FREUD

True Sorry,

Ibrahim MAALOUF

Prologue

Il était venu là pour se faire une idée de leur travail. Savoir s'il pouvait confier à ce cabinet d'architectes, dont il entendait de plus en plus parler, la rénovation totale de l'immeuble délabré dans lequel il avait récemment investi. Un seul des deux associés, celui qui lui faisait face, monopolisait la parole. L'autre paraissait bien fade à côté ; il l'occulta totalement. D'habitude, il préférait les personnes qui parlent peu et vont à l'essentiel, mais le discours de cet homme volubile le fascinait et le rendait admiratif. Il avait un sens inné du pratique tout en ayant un esprit vif et créatif. Il semblait fourmiller d'idées toutes plus intelligentes les unes que les autres. Peut-être cette impression tenait-elle à son assurance, à son aisance ? Une forme d'insolence, dénuée toutefois d'arrogance. Sans trop comprendre pourquoi, il avait envie de découvrir ce qui se cachait derrière ce type, de gratter la surface pour savoir d'où lui venait ce charisme exceptionnel.

Après deux heures d'échange, les trois hommes se levèrent. Il serait bien resté plus longtemps, mais il leur serra la main, sans oublier de défier du regard celui qui aiguisait sa curiosité et dont il n'avait pas réussi à percer le secret. Ce n'était ni le moment ni le lieu. L'agenceur lui renvoya un sourire confiant, encourageant et sûr de lui.

Il sortit, conscient que la balle était dans son camp ; il était le potentiel client et eux les prestataires. Reviendrait-il vers eux ? Il n'en savait strictement rien. Il fit une dizaine de mètres sur le trottoir, le cerveau en ébullition, retourné par ce premier rendez-vous. Ça ne lui arrivait jamais d'être déstabilisé par une rencontre. Les rencontres, il les provoquait, demeurant maître de toutes les situations, c'était sa réputation dans le monde des affaires. Mais, là, tout l'avait dérouté. Cette soirée du mois de mai s'avérait belle, lumineuse, le soleil n'était pas encore couché. Pourtant, si en sortant de ces bureaux il avait été parachuté en pleine soirée brumeuse et froide d'un mois de janvier, il n'en aurait pas été étonné. Rien n'était comme d'habitude. Son regard fut aimanté par un quatuor joyeux, exubérant même, qui arrivait en face de lui. Une femme en robe rouge à gros pois blancs, entourée de trois enfants, marchait en sautillant, elle semblait si légère, touchant à peine le sol. Combien avait-elle de mains ? Plus de deux, c'était certain, pour les tenir tous si près d'elle, si tendrement. Alors même qu'il était encore loin d'eux, il entendait les piaillements des enfants qui chantaient. Il se demanda s'il n'était pas tombé dans une dimension parallèle. Il se sentait bousculé ; l'agenceur puis cette femme avec ses enfants le perturbaient, lui donnaient l'impression de perdre le contrôle. La petite famille le croisa sans lui offrir le moindre regard, à lui l'homme transparent en costume-cravate noir. Ce fut plus fort que lui, il traversa, et fit demi-tour. Il devait les suivre.

Il voulait en savoir plus ; satisfaire sa curiosité coûte que coûte. La frustration de n'avoir pu en apprendre davantage sur l'homme l'avait contrarié. Qu'au moins il sache où se rendaient cette fée Clochette et ses enfants ! Il ne les pista pas longtemps ; la femme poussa la porte du cabinet d'architectes. Les enfants se détachèrent d'elle et coururent vers l'agenceur. Le même. Toujours lui. La fillette lui sauta dans les bras, et l'homme échangea des bourrades affectueuses avec les deux garçons. Puis il le vit les lâcher pour les laisser courir vers l'homme renfrogné. Il se renfonça un peu plus dans l'ombre sans quitter la vitrine des yeux, il ne voulait pas en rater une miette. Ce qu'il pressentait arriva. L'homme avança vers la femme, qui fit elle-même quelques pas dans sa direction, toujours aussi aérienne. Il l'attrapa, la souleva légèrement, la fit tournoyer. Elle se laissa faire en riant, la tête renversée. Après l'avoir reposée, il l'embrassa puis frotta son nez contre le sien. Demeurant à couvert, il scruta à droite et à gauche. Ne pas se faire repérer. Le prisme de la vitrine conférait une dimension onirique à la scène à laquelle il assistait en retrait. Il ne pouvait s'empêcher de guetter encore et encore les sourires, les rires, les mains qui s'enlacent, qui s'effleurent, les regards de promesse d'une bonne soirée. La femme alla déposer une bise sur la joue de l'homme sérieux, qui se fendit d'un sourire. Ils étaient donc proches. Peut-être une famille ? Cette impression se fit plus forte encore lorsqu'il vit les enfants courir partout, comme chez eux, grimper sur les tabourets de travail des deux associés. L'agenceur fit place nette sur la grande table à laquelle il l'avait reçu. Des assiettes, des verres, une bouteille de soda et une autre de vin apparurent comme par magie.

De son poste d'observation, il ricana. Il se dit qu'il aurait dû faire traîner en longueur le rendez-vous. Il aurait pu étancher sa curiosité insatiable. Tant pis pour lui. Tant pis pour cette fois. Un dernier coup d'œil à l'agenceur et à la femme à la robe rouge à pois blancs, puis il quitta sa cachette, prenant à regret le chemin du retour vers sa réalité.

1

Comme chaque fois que nous dînions au cabinet, les enfants étaient déchaînés. Yanis ne faisait rien pour les calmer, bien au contraire. Pendant que je coupais les pizzas avec la roulette magique, il courait en slalomant dans l'open space avec Violette, notre petite dernière de quatre ans, sur les épaules. Joachim et Ernest, nos deux grands, les pourchassaient entre les bureaux en imitant le bruit de sabres laser.

Assise à la table de réunion centrale qui faisait office de table de salle à manger ces soirs-là, je croisai le regard de mon frère Luc, à la fois assommé par le boucan et amusé par le spectacle. Ça avait beau lui taper sur le système, il en redemandait. Jusqu'à un certain point, tout de même.

— Véra, s'il te plaît. Dis-leur de venir…

Je pouffai, avant de me retourner vers eux.

— On mange ! Vous jouerez après.

Yanis me regarda avec un immense sourire, j'articulai en silence, du bout des lèvres : « Luc va piquer une crise, viens ! »

— Allez, les monstres, répondit mon mari. Tonton s'énerve.

Il était incorrigible.

— Yanis, tu fais chier, l'invectiva mon frère. J'ai l'air débile quand tu m'appelles comme ça.

Fier de son coup, Yanis s'installa à son tour, Violette sur ses genoux, sur le tabouret à côté de moi. Joachim et Ernest encadrèrent Luc, qui se chargea de les servir. À partir de là, on ne s'entendit plus parler. Ça fusait de tous les côtés ; les trois enfants, la bouche pleine, racontaient leur journée d'école à leur père tandis que Luc demandait – en vain – un peu de silence, et Yanis, tout en gardant une oreille attentive pour notre progéniture, évoquait avec moi son envie soudaine d'embarquer les enfants en camping sauvage cet été. Nous n'avions encore jamais fait ça, même si nous partions toujours à l'arrache – fait assez étrange pour moi, puisque je travaillais dans une agence de voyages depuis une quinzaine d'années. Lui comme moi aimions partir à l'aventure, sans rien prévoir. En revanche, je lui réservais une surprise pour l'année suivante – celle de son quarantième anniversaire et de nos dix ans de mariage –, je remplissais consciencieusement une cagnotte chaque mois depuis déjà longtemps pour lui offrir un road trip de trois semaines en famille à l'autre bout du monde. Depuis que les enfants étaient nés, nous nous contentions de l'Europe. Nous étions des routiers et n'avions pas peur d'enchaîner les kilomètres avec nos trois loupiots.

— Ça ne te dit pas qu'on dorme sous la tente ? me proposa-t-il l'œil coquin.

— Si on met les loustics dans une autre, alors ?

— Oh non, épargnez-moi vos projets, nous interrompit Luc. Si vous ne le faites pas pour moi, évitez au moins les allusions devant vos enfants !

— Mais quel rabat-joie ! lui rétorquai-je en riant.

Luc leva les yeux au ciel. Quant à Yanis, il installa Violette à sa place et vint se mettre derrière moi. Il passa ses mains autour de ma taille, cala son menton sur mon épaule, sans oublier de déposer un baiser sur ma peau.

— On ne va pas avoir honte de s'aimer devant nos enfants ! lui déclara Yanis.

Mon frère soupira, tout en esquissant un sourire.

— Quelle idée j'ai eue de vous présenter ! Si j'avais su… je me serais abstenu.

— C'était inévitable, tu le sais ! Et, sans nous deux, tu aurais une vie mortellement ennuyeuse, lui balançai-je.

Luc éclata de rire. Fait si rare qu'il fallait le noter !

Je venais de fêter mes vingt-cinq ans quand Luc s'était enfin décidé à me présenter son nouveau meilleur ami, en qui il voyait l'associé de ses rêves. J'avais fini par ne pas lui laisser le choix, puisqu'il rechignait à me mettre en sa présence. À l'époque, j'entendais parler de Yanis dès que je voyais mon frère. Ils s'étaient rencontrés sur un chantier dont Luc était l'architecte. Yanis, lui, y jouait le rôle du « bricole-tout », il était sur tous les postes, et mon frère avait été épaté par ce type enthousiaste, autodidacte, sans prise de tête et doué de ses mains. Même si tout les opposait, ils s'étaient entendus comme larrons en foire. Quelques cuites post-chantier y avaient largement contribué. De mon côté, à cet âge-là, je pensais à tout sauf à me caser. Je bossais depuis déjà deux ans dans une agence de voyages comme testeuse de séjours, j'adorais ça, et quand je n'étais pas à l'autre bout du monde à vérifier le confort des matelas des hôtels, j'allais m'encanailler dans les bars en compagnie de Charlotte, mon acolyte et maître en la matière. Forcément, avec la vie que je menais, celle de mon frère, marié à une psychorigide et déjà père de jumeaux à trente-deux ans, représentait le comble de l'horreur. Le fait qu'il me parle d'un type marrant avec qui il passait tout son temps et faisait des projets avait éveillé ma curiosité. Entraînant Charlotte avec moi, j'avais provoqué les choses et proposé à Luc de boire un verre avec nous et son pote. Il avait cédé. J'avais convoqué tout ce petit monde dans un bar de la rue Oberkampf. Luc était arrivé de son côté, avait à peine dit bonjour à Charlotte, qui le terrifiait depuis leur première rencontre, s'était vautré sur une chaise et avait commandé une pinte de bière, en me scrutant étrangement, d'un air désespéré auquel je n'avais rien compris. Soudain ma meilleure amie s'était mise à siffler avec cette vulgarité dont elle était capable quand elle entrait en chasse. Mon frère avait marmonné « Voilà le début des emmerdes », avant d'aller serrer la main du type qui approchait de notre table. J'avais devant moi le fameux Yanis, sale comme un cochon, en jean troué et tee-shirt maculé de peinture. Il nous avait fait la bise et s'était assis en face de moi. Le quart d'heure qui avait suivi, je n'avais cessé de le détailler sous toutes les coutures ; ses yeux bleus, le teint mat de celui qui travaille souvent en extérieur, ses cheveux mal coupés, son rire communicatif, la profonde gentillesse qui émanait de chacune de ses paroles, ses mains abîmées et pas de la plus grande propreté. Puis j'avais croisé son regard, je lui avais souri. Ensuite, nous n'avions fait que nous observer. Lorsqu'un peu plus tard Charlotte m'avait proposé de partir en goguette et de changer de bar, j'avais refusé.

— Je crois bien que j'ai perdu ma copine de bringue, m'avait-elle glissé à l'oreille. Ne sois surtout pas sage.

« À la prochaine, les trésors ! », avait-elle lancé en nous quittant. Durant de longues minutes, je n'avais plus ouvert la bouche. Je me sentais totalement perdue et pourtant très confiante en l'avenir. J'écoutais Yanis et Luc parler boulot, sans chercher à comprendre le sens de leurs paroles. Régulièrement, Yanis tournait le visage vers moi, sans interrompre sa conversation avec mon frère, qui pourtant ne manquait pas de remarquer son petit manège. Luc s'était soudain souvenu de sa femme, seule avec les jumeaux, alors il nous avait laissés. Nous étions enfin en tête à tête. À partir de là, nous n'avions pas cessé de nous parler, il s'était raconté, je m'étais racontée. Les serveurs du bar avaient fini par éteindre les lumières de la terrasse pour nous déloger. Nous avions marché une partie de la nuit en arpentant Paris. Nous étions entrés dans une petite boîte de nuit, juste pour voir si nous étions accordés pour danser un rock ensemble, l'harmonie avait été immédiate, au point que nous avions enchaîné deux autres danses sur des rythmes latinos. Vers 6 heures du matin, en passant à Saint-Michel, près d'une brasserie qui ouvrait, face à Notre-Dame, nous avions commandé un petit déjeuner complet ; café, jus d'orange, tartine avec du beurre et de la confiture, que Yanis avait pris un malin plaisir à tremper dans sa tasse. Puis nous avions pris le métro. En dépit des places libres dans la rame vide, nous étions restés debout, accrochés à la barre centrale, sans nous quitter des yeux. Yanis changeait à Châtelet, il nous restait peu de temps.

— Tu finis à quelle heure, ce soir ? m'avait-il demandé.

— 18 heures. Tu…

— Je passe te prendre. Je te promets d'être propre.

J'avais éclaté de rire. Le métro avait ralenti. Il avait planté ses yeux dans les miens.

— Véra… J'ai comme une musique dans la tête.

— Moi aussi…

Le métro s'était arrêté. Et il m'avait embrassée. Ce n'était plus une simple musique que j'avais dans la tête. C'était un concert philharmonique. Le bip de fermeture des portes avait retenti. Yanis avait tout juste eu le temps de sauter de la rame. Je l'avais regardé disparaître sur le quai, sans lâcher la barre. Et j'avais su à ce moment-là que mes plans d'avenir venaient de changer irrémédiablement. Il n'y aurait plus que lui. La suite m'avait donné raison.

Le crissement singulier d'une bague sur une fenêtre me fit revenir au temps présent. Charlotte était incapable d'arriver à l'heure et discrètement. Il fallait toujours qu'elle fasse des entrées de diva. Son physique à la Monica Bellucci l'encourageait à cultiver la légende. Yanis alla lui ouvrir la porte. Elle tendit la joue pour recevoir sa bise de bienvenue. Puis elle prit une pose de star :

— Bonsoir, les trésors, ronronna-t-elle d'une voix chaude.

Les enfants coururent vers elle. Elle les stoppa d'un geste de la main et les passa à l'inspection. Elle dut être satisfaite de leur état car, bien que perchée sur des plateformes, elle plia gracieusement ses genoux pour se mettre à leur niveau.

— Pour une fois, vos parents ont pensé à vous débarbouiller. Bisous, maintenant, leur ordonna-t-elle en posant un doigt verni rouge sang sur sa joue.

Quand elle estima qu'elle avait reçu sa dose d'affection, elle les fit dégager sans ménagement. Ni Yanis ni moi, et encore moins les enfants, n'étions choqués. Nous connaissions notre Charlotte. Elle avait réglé le problème d'une potentielle maternité de façon radicale, puisqu'elle s'était fait ligaturer les trompes. Elle savait qu'elle serait incapable de s'occuper de *rejetons*, « la fibre maternelle ne s'est pas arrêtée chez moi », disait-elle. Pourtant, parfois, je croisais son regard triste sur les nôtres. En général, peu de temps après, elle nous demandait de les lui prêter quelques heures ou un week-end. Elle avança vers nous, féline.

— Salut, sauterelle, me dit-elle.

— Ça va, panthère ?

— Libérée, j'ai largué Thierry.

— Je ne le connais pas, celui-là.

— Trop barbant pour l'évoquer.

Elle partit d'un grand éclat de rire. De l'autre côté de la table, Luc soupira profondément.

— Ça lui pose un problème au p'tit vieux ? l'apostropha Charlotte avant de se diriger vers lui.

Même si Luc avait fini par dépasser le stade de la terreur, Charlotte lui inspirait encore de l'exaspération, et elle en jouait avec un malin plaisir. Yanis, pendant ce temps, reprit sa place dans mon dos et étouffa un rire. Au lieu de lui dire bonjour normalement, Charlotte pinça la joue de mon frère.

— Tu es vraiment pénible, lui dit-il un sourire au coin des lèvres.

— C'est comme ça que tu m'aimes, trésor !

Il se dégagea, et lui servit un verre de vin.

— Merci pour la piquette !

Il s'apprêtait à l'envoyer bouler lorsque son téléphone sonna. À sa mine, je sus que son ex-femme l'appelait. Il s'isola. Yanis le suivit des yeux, désabusé.

— À ton avis, c'est quoi aujourd'hui ? Un problème de pension ou une énième connerie des jumeaux ? lui demandai-je.

Yanis me serra contre lui.

— Je ne sais pas, elle l'a harcelé toute la journée… Ça me semble tellement hallucinant qu'on puisse se déchirer à ce point-là après s'être aimés, avoir fait des enfants.

— Ça n'a jamais été l'amour fou entre eux, intervint Charlotte.

— Ce n'est pas une raison, lui rétorquai-je. Ça fait des années que ça dure…

— Vous êtes terribles, tous les deux. Tout le monde n'a pas votre chance. Les crises, vous les traversez sans trop de conséquences.

— Bah oui, on parle, on communique ! N'imagine pas que ce soit facile tous les jours, on a nos problèmes comme tout le monde, m'énervai-je.

— Attends, là, je dois me faire du souci ou quoi ? me susurra Yanis.

Je me tournai vers lui en riant.

— Charlotte, laisse tomber ! nous coupa Luc en revenant vers nous. Ils sont insolents de bonheur et ils ne s'en rendent même pas compte. C'est peut-être mieux comme ça, tu me diras…

Il enfila sa veste et attrapa son éternel cartable en cuir.

— Je m'en vais.

Je me détachai de mon mari, sautai de mon tabouret et m'approchai de mon frère.

— Qu'est-ce qui se passe ?

— Il faut que j'aille voir les enfants. Il paraît que c'est ma faute s'ils sèchent les cours la semaine où je ne les ai pas !

Il semblait vraiment dépité.

— Tu viendras dîner à la maison avec eux quand tu les auras, j'essaierai de leur parler.

— Ce serait pas mal…

J'avais beau en avoir envie, je ne pris pas mon frère contre moi. Il y avait une espèce de pudeur infranchissable entre nous, et ce depuis que nous étions petits. Nos sept ans de différence devaient y être pour beaucoup. La seule fois où nous avions fait plus que nous claquer une bise fraternelle fut le jour de mon mariage. À mes trois accouchements, il était tellement gêné qu'il n'avait pas franchi la porte de la maternité. Je ne lui en voulais pas ; il était comme ça, un peu sergent-major, un peu le plus grand timide et le plus renfermé de la Terre. Il n'y avait que mon mari qui arrivait parfois à le décoincer. Il fit un signe de la main à Charlotte, dit « À demain » à Yanis, et quitta les lieux, le dos voûté, sans se retourner. Violette s'était endormie sur un canapé. Quant aux garçons, ils piquaient de plus en plus du nez sur leurs consoles de jeux. En moins de dix minutes, tout fut rangé et à peu près propre. Mon frère ne démarrerait pas la journée en poussant une gueulante sur Yanis.

— Désolée, dis-je à Charlotte. Tu es venue pour pas grand-chose.

— T'inquiète. Allez coucher vos mioches. On se retrouve pour déjeuner demain ?

— Quelle question !

Qu'il pleuve, qu'il vente ou qu'il neige, même avec une fièvre de cheval, Charlotte et moi déjeunions tous les mardis ensemble. Nous buvions notre verre de blanc en parlant des hommes, d'ongles cassés, et du jour où nous finirions par nous inscrire dans une salle de sport. Nous avions pris très rapidement cette habitude à partir du jour où elle avait décrété que j'étais sa sauterelle. L'origine de notre amitié remontait à un voyage que je lui avais organisé. Avant d'être mon amie, Charlotte avait été une cliente de l'agence de voyages, une épouvantable cliente, qui changeait d'avis toutes les deux minutes. J'avais coupé court à ses hésitations en lui promettant le voyage de ses rêves, chargé de surprises. Elle avait été plus que satisfaite. Le lendemain de son retour – un mardi –, elle avait franchi la porte de la boutique, et m'avait invitée à déjeuner.

Avant de sortir, elle nous embrassa en nous écrabouillant dans ses bras et fila.

– Ciao, ciao, les trésors, brailla-t-elle en claquant la porte.

Yanis souleva Violette dans ses bras, je soutins les garçons pour qu'ils se lèvent. Nous rejoignîmes la voiture, garée dans une rue à côté. Après avoir attaché notre fille dans son siège auto, Yanis récupéra une contravention sur le pare-brise, et prit place derrière le volant. Il passa le bras au-dessus de mes jambes, ouvrit la boîte à gants et y fourra l'amende, au milieu de toutes les autres. Avant de mettre le contact, il m'embrassa délicatement.

— C'était bizarre, ce soir, lui fis-je remarquer.

— C'est Luc, il est chiant en ce moment.

Il alluma le moteur, qui fit un bruit épouvantable, au point qu'un piéton sursauta. Un jour, il faudrait qu'on dise adieu à notre vieux break Volvo au kilométrage honteusement élevé.

— C'est à cause des enfants et de la sorcière, lui dis-je.

— S'il n'y avait que ça. Au boulot, il est vraiment pénible.

— Que se passe-t-il, encore ?

— Toujours les mêmes choses… Des broutilles, on est de plus en plus souvent en désaccord. Enfin… je le connais. Ne t'inquiète pas, ça passera, conclut-il avec un sourire.

Vingt minutes plus tard, nous nous tassions tous les cinq dans le petit ascenseur de notre immeuble pour monter au sixième étage. Violette n'avait pas ouvert les yeux, elle dormait la bouche ouverte et du haut de ses quatre ans bavait sur l'épaule de son père. Joachim et Ernest titubaient en s'accrochant à mes mains. Yanis ouvrit la porte ; à peine entré, il se prit les pieds dans un train électrique qui traînait au milieu du salon. Là où certains se seraient mis en colère, lui ne manqua pas de féliciter ses fils pour l'ingéniosité de leur trafic ferroviaire.

— Chapeau, les garçons ! Demain, je rentre plus tôt du travail pour qu'on joue ensemble !

Le brossage de dents fut zappé sans réticence. Yanis déposa Violette dans son lit ; elle ne broncha pas pendant que je la déshabillais et lui enfilais son pyjama. Puis, je passai voir les garçons, qui s'étaient contentés d'enlever jean et tee-shirt avant de s'enrouler en slip dans leur couette. Je fermai les portes des deux chambres et rejoignis dans le séjour Yanis, déjà pieds nus. Dès qu'il rentrait chez nous, il balançait chaussures et chaussettes.

Assis en tailleur par terre, il bloquait encore sur le train des garçons, j'allai derrière lui, me penchai sur son dos et m'accrochai à son cou. Il me saisit par le bras et m'attira sur ses genoux. Puis il se concentra de nouveau sur les rails. Contre lui, j'observai l'état post-tremblement de terre qui régnait autour de moi. Depuis bien longtemps déjà, j'avais intégré qu'il ne servait à rien de prévoir des caisses de rangement – d'aucune utilité –, et que je ne rentrerais jamais dans un appartement net, rangé, dans lequel rien ne dépasse. Yanis était capable de créer un parc d'attractions dans le salon en deux temps, trois mouvements.

— Tu vas bientôt nous mettre dehors ? me demanda-t-il.

— C'est fort probable ! Ça devient du grand n'importe quoi !

Il éclata de rire. De temps en temps, j'avais mes coups de sang, je les mettais tous les quatre dans la voiture et leur demandais de disparaître pour la journée. Je faisais du rangement par le vide et un vrai nettoyage de printemps. Ils n'obtenaient l'autorisation de rentrer que lorsque j'avais pu m'asseoir une demi-heure sur le canapé et profiter de la sensation de propre et rangé. Sauf que mes organisations pouvaient être remises en cause dès que Yanis mettait le pied chez nous. Redécouvrir l'espace lui donnait toujours des idées et des envies de réaménagement. Même s'il n'avait pas besoin de ça pour se lancer dans une avalanche de travaux.

Nous habitions au dernier étage de l'immeuble. Notre appartement était le résultat d'un regroupement de quatre chambres de bonne. À l'époque, cela se faisait encore très peu. Nous avions pu les acquérir pour une bouchée de pain qui avait malgré tout englouti nos économies et mis sur notre dos un prêt à un taux exorbitant pour vingt-cinq ans. Yanis avait évidemment tout fait lui-même, et notre chez-nous était sublime. Oui, mon mari avait des mains en or, et du courage à revendre. Son grain de folie n'y était pas étranger non plus. Rien ne lui faisait peur, et il réussissait tout ce qu'il entreprenait. Nous avions deux chambres, une pour les garçons – Violette n'était même pas fabriquée à l'époque –, une pour nous, et une très grande pièce de vie avec une cuisine ouverte. Même pas peur d'abattre des murs ! Yanis avait réussi à obtenir l'autorisation ou plutôt un passe-droit pour agrandir les fenêtres – je préférais ne pas savoir comment –, aussi la lumière était-elle omniprésente, y compris lorsque le ciel d'hiver de Paris était gris. Nous ne pouvions être que satisfaits et nous estimer plus que chanceux de vivre dans un endroit tel que celui-ci. Sauf que, durant une soirée où nous avions un peu (beaucoup) abusé du ti-punch, j'avais eu le malheur ou la chance – tout dépend du point de vue – de remarquer quelque chose de bizarre. Nous dansions une salsa fiévreuse, pieds nus dans le salon. Au vu de notre rapprochement et de la chaleur de nos corps, nous n'allions pas tarder à changer de danse. Yanis avait fini par m'allonger sur le canapé après avoir fait voler mon top et mon soutien-gorge. Alors qu'il avait le visage entre mes seins, mon regard embrumé par l'alcool s'était fixé sur un détail.

— C'est quoi ce truc au plafond ? avais-je réussi à articuler après un soupir de plaisir.

— Ça s'appelle une suspension, m'avait-il répondu en riant. Dis ? Ça ne te plaît pas ce que je te fais ?

Il avait alors remonté ma jupe en caressant mes cuisses.

— Oh… si, avais-je encore soupiré. Mais je voulais juste te prévenir que le plafond est troué.

Yanis avait encore ri, puis jeté un coup d'œil au-dessus de sa tête. Il avait alors bondi hors du canapé, était monté sur une chaise pour inspecter le plafond, jean déboutonné. Et j'avais compris qu'il allait me laisser pantelante, à moitié nue et totalement frustrée. Après tout, c'était ma faute. J'étais allée me coucher en l'entendant pousser des cris et des rires d'excitation pendant qu'il fouillait dans sa caisse à outils. Les enfants et moi avions l'habitude de dormir malgré le bruit. Lorsque je m'étais levée le lendemain matin, le salon était bâché, un trou béant de la taille d'un homme avait remplacé le petit interstice dans le plafond et Yanis se trouvait dans les combles. J'avais Ernest d'à peine un an dans les bras, et Joachim était accroché à la jambe de mon pyjama. Nous nous tenions tous les trois au milieu des gravats et Yanis, l'air déchaîné, tout sourires, sa tête sortant du trou au-dessus de nous, m'avait lancé :

— Mon amour, ça te dit d'avoir une chambre avec vue sur le ciel ?

— Mais Yanis, c'est quoi ce bordel ?

— Viens voir ! Ça va être génial ! On agrandit gratis ! C'était un faux plafond.

— Tu es malade ? On ne peut pas faire ça !

— Mais si, je vais bidouiller un truc, je suis dans le métier, fais-moi confiance.

— On a déjà une chambre !

— Je croyais que tu voulais un troisième.

Effectivement, Yanis avait bidouillé et construit à la seule force de ses mains notre chambre et une salle de bains. Nous frôlions l'illégalité. Aussi, par mesure de précaution, avait-il installé un escalier escamotable ; l'accès à notre nid pouvait donc être camouflé. Comme il était le gentil voisin, qui rendait service à tout le monde et qui s'occupait gratuitement de tous les travaux de l'immeuble, la copropriété avait fermé les yeux sur notre extension. Le seul pour qui la pilule avait été dure à avaler, ç'avait été Luc. Plus droit que lui, ça n'existait pas.

— On va se coucher, me dit Yanis en m'embrassant sous l'oreille. Je te vois fixer l'escalier. Ça me donne des idées.

— Encore des travaux ? le charriai-je tout en me levant.

J'esquissai deux, trois pas de danse en direction de l'escalier. Yanis, tout en me dévorant des yeux avec un sourire irrésistible, se mit debout à son tour et avança vers moi.

— J'avais plutôt autre chose en tête.

— Ah…

Je soulevai mes cheveux avec mes mains, puis montai les premières marches en continuant à rouler des hanches.

— Je devrais t'interdire de sortir avec cette robe.

— Oh, non, je l'adore !

Nous étions arrivés dans notre chambre. Yanis me bascula sur le lit.

— C'est un pousse-au-crime.

— Pourquoi crois-tu que je l'ai mise ?

Je l'attirai à moi, victorieuse. Je connaissais l'effet qu'avait sur lui ma robe rouge à gros pois blancs.

2

Merci, mon Dieu, la journée était enfin terminée. Nous étions deux à tenir l'agence de voyages, sauf que de temps en temps – comme aujourd'hui – le grand patron venait passer une journée avec nous, histoire de s'assurer que nous faisions autre chose que papoter et nous limer les ongles. Pourtant, notre boutique tournait, j'en avais la responsabilité officieuse depuis plusieurs années, et même si, crise oblige, nos commandes de voyages avaient légèrement diminué, nous n'avions pas à avoir honte de notre chiffre et encore moins de la satisfaction de nos clients. Le réel problème de ces jours-là était l'heure à laquelle je partais. En temps ordinaire, Lucille, ma collègue, fermait et me couvrait ; je quittais le boulot un quart d'heure avant la fermeture pour m'éviter de courir dans le métro et être à l'heure pour récupérer les enfants.

En arrivant en nage devant la porte de l'école, je découvris que Joachim, Ernest et Violette étaient les derniers à attendre dans le couloir. Ça n'arrivait presque jamais et n'était donc pas un drame, mais je ne supportais pas ça ; j'avais l'impression d'être une mère indigne. Joachim, en frère aîné responsable, tenait sa petite sœur par la main, pendant qu'Ernest cherchait une bêtise à faire. Ma fille fut la première à me repérer.

— Maman !

Ce fut le signal de départ, les trois me sautèrent dessus, même mon grand de huit ans. Sauf que, lui, ce n'était pas pour un câlin :

— Tu faisais quoi ?

— Eh ! Jojo, ce n'est pas la mort.

— Tu es presque en retard !

— Presque, tu viens de le dire.

Le portrait craché de son oncle, celui-là !

— Rentrons à la maison, les loustics.

J'avais prévu de faire un petit plein de courses chez Monoprix, je renonçai en apercevant le monde aux caisses. Tant pis, on mangerait les restes. En arrivant chez nous, le grand show débuta. Je mis Violette et Ernest devant un dessin animé, ce qui, évidemment, déclencha les hostilités entre les deux : *La Reine des neiges* versus *Thunderbirds*. Malgré les cheveux tirés, les hurlements, sans m'énerver – question d'habitude –, je vérifiai les devoirs de Joachim, qui me faisait toujours la tête. Ensuite, alors que la Troisième Guerre mondiale était sur le point d'éclater devant la télé, je déblayai le terrain dans leurs chambres et constatai dans la salle de bains que la chaîne du linge avait été rompue. J'avais oublié de mettre la machine à tourner avant de partir au boulot le matin. Je réglai le problème et enchaînai avec les douches.

À 19 h 45, je n'en pouvais plus, je n'attendais qu'une chose : coucher les enfants, ne plus les entendre brailler et m'écrouler sur le canapé. Pourtant, il me restait le problème du dîner à régler. J'ouvris la porte du frigo : le découragement s'abattit sur moi. Pour avoir des restes, ça, j'en avais. Des quantités astronomiques de petits Tupperware, mais aucun susceptible de fournir un repas équilibré à une seule personne. Mon téléphone sonna : Yanis.

— Ça va ? lui demandai-je. Tu rentres dans combien de temps ? C'est infernal, ce soir.

— Oh… je serai là d'ici une demi-heure.

— Tu veux manger quoi ?

Qu'il me propose de passer chez le chinois…

— Je compte sur tes idées, me répondit-il à mon plus grand désespoir. Et… euh… on a un invité.

— Luc ?

— Non, un client.

— Tu te moques de moi, là ? hurlai-je. Il est hors de question qu'un inconnu, un client, vienne à la maison ce soir ! Je n'ai rien, c'est le bordel, les enfants sont épouvantables…

Je m'arrêtai de parler, Yanis ne m'écoutait plus, mais discutait avec quelqu'un : « Pas de problème, non, mais sérieux, ma femme fait des miracles. »

— Yanis ! criai-je. Tu parles à qui, là ?

— Bah, Tristan, notre client.

— De mieux en mieux. Si je suis de trop, dis-le-moi, et je raccroche.

— Mais non, tu ne vas pas raccrocher, me rétorqua-t-il, enjôleur.

— Yanis, je t'en prie, dis-moi que c'est une blague ? Tu ne ramènes personne ?

— Tu fais des miracles, je viens de le dire. Tristan est cool. À tout'.

Je fixai mon téléphone, hébétée durant quelques secondes. Ernest me ramena à la réalité.

— Qu'est-ce qu'on mange, maman ?

Un estomac sur pattes, celui-là.

Je devais faire vite et efficace, oublier mes prétentions nutritionnelles pour ce dîner.

— Purée, jambon… à la condition que vous soyez sages à partir de maintenant. Papa a invité un monsieur.

— OK, maman !

Avec ça, j'avais la garantie d'avoir la paix le temps de fourrer au fin fond d'un placard tout ce qui traînait, tout en réfléchissant au miracle culinaire que Yanis attendait de moi. Ça faisait longtemps qu'il ne m'avait pas fait un coup pareil.

Quarante minutes plus tard, j'entendis la porte d'entrée s'ouvrir alors que j'étais devant le plan de travail de la cuisine, totalement désespérée. En dehors d'un bol de cacahuètes et de quelques olives pour l'apéro, je ne savais toujours pas ce que j'allais mettre dans les assiettes. En revanche, les enfants ressemblaient à des petits anges, assis tous les trois sur le canapé, propres, dents lavées, c'était limite si je ne leur avais pas fait une raie sur le côté. Le calme ne dura pas longtemps puisqu'ils bondirent en criant dès que leur père apparut. J'avançai à mon tour. Yanis, Violette dans les bras, déposa un baiser sur mes lèvres. Je le trucidai du regard, il me fit un grand sourire. Puis il se tourna vers notre invité, que je ne découvris véritablement qu'à ce moment-là. C'était un grand type brun, très fin, assez pâle, avec des yeux d'un noir profond, au visage de premier de la classe d'environ quarante-cinq ans.

Il portait un pantalon de costume noir, avait fait tomber la veste et remonté sur ses avant-bras les manches d'une chemise bleu ciel.

— Entre, Tristan ! Que je te présente Véra.

Il fit quelques pas.

— Bonsoir, Véra. Pour me faire pardonner de m'imposer chez vous d'une façon si cavalière, dit-il en me tendant un immense bouquet de fleurs.

— Merci beaucoup, Tristan. Vous n'aviez pas besoin.

Il balaya mes remerciements d'un sourire et se tourna vers les enfants.

— Ça, c'est pour vous ! dit-il en leur brandissant un paquet de bonbons sous le nez. Mais je laisse votre maman décider si vous pouvez en prendre ou non.

Trois paires d'yeux se braquèrent sur moi.

— C'est bon, cédai-je, préférant éviter une crise devant un inconnu. Venez avec moi. Yanis, je te laisse servir un verre à notre invité.

Mon troupeau me suivit jusqu'à la cuisine, récupéra des bonbons, et disparut ensuite. Je m'occupai du bouquet tout en gardant une oreille et un œil attentifs sur le salon. Ce Tristan dégageait beaucoup d'aisance, malgré son allure rigide. En l'observant évoluer dans la pièce, j'avais presque l'impression qu'il connaissait les lieux. Rien à voir avec quelqu'un qui viendrait pour la première fois chez des inconnus et qui serait un peu gauche. Alors même qu'il semblait ne rien avoir en commun avec nous, il se fondait dans le décor avec un naturel déconcertant. Il écoutait Yanis parler, et accepta d'un signe de tête le verre de vin rouge qu'il lui proposa. En général, Yanis ne ramenait jamais les clients à proprement parler chez nous.

Les invités-surprise étaient plutôt des artisans avec lesquels il avait sympathisé sur un chantier dont il s'occupait. Je n'avais dans ces occasions pas de gêne à proposer un repas à la bonne franquette, et les fleurs étaient remplacées par une bonne bouteille, ce qui me convenait parfaitement. Là, c'était une tout autre histoire avec ce type, d'une élégance certaine et assez indéfinissable. Sauf que si Yanis le ramenait à la maison, ça ne pouvait signifier qu'une chose : il était très important. J'allais devoir prendre sur moi. Armée de mon bol de cacahuètes et de mes olives, je les rejoignis et m'assis sur le canapé. Yanis me servit un verre de vin et mit de la musique, *Buena Vista Social Club*, avant de se poser à côté de moi. Tristan était installé en face de nous, dans notre vieux fauteuil club.

— Merci encore de m'accueillir. Je sais que ça ne se fait pas de venir à l'improviste. Yanis a insisté… j'espère que ça ne vous pose pas de problème, Véra.

J'étais trop méfiante, ça ne servait à rien de me prendre la tête, lui n'avait pas l'air de s'en faire ni d'attendre quoi que ce soit de la soirée, sinon de pouvoir discuter avec Yanis. Tout se passerait bien. Je lui souris, plus détendue.

— C'est bon, je vous l'ai dit. Et puis, avec mon mari, je m'attends à tout !

— Eh, Tristan, tu es d'accord avec moi, c'est quand même plus sympa de continuer ici notre échange sur tes projets que le cul vissé sur un tabouret au bureau.

C'était ce que j'adorais chez Yanis, il était à l'aise et naturel avec tout le monde. Pour le moment, ça ne semblait pas choquer son interlocuteur, qui rit de sa remarque.

— Pourquoi n'as-tu pas proposé à Luc de venir ? C'est mon frère, précisai-je à Tristan.

— Yanis me l'a dit. Je l'ai rencontré il y a peu. Un homme charmant, d'ailleurs.

Charmant ? Il doit faire des efforts avec ses clients, alors.

— Ton frère était sur un chantier toute la journée, reprit Yanis. On ne s'est pas parlé une seule fois aujourd'hui.

— C'est dommage que je ne l'aie pas vu, nous coupa Tristan.

— On ira visiter le bâtiment la semaine prochaine ensemble, je vais organiser ça, compte sur moi, lui apprit Yanis, un grand sourire aux lèvres.

Violette arriva à cet instant, pouce dans la bouche et doudou à la main. En traînant les pieds, elle vint jusqu'à moi et grimpa sur mes genoux pour se lover dans mes bras.

— Tu es fatiguée ?

Elle hocha la tête.

— On va aller faire dodo, il y a école demain. Va dire au revoir.

Elle alla se planter devant Tristan.

— Merci pour les bonbons.

— De rien, petite princesse.

Fière de son statut princier, elle se redressa pour aller embrasser son père. Je m'excusai et partis m'occuper des enfants.

Nous passâmes à table. Je déposai mon saladier de pâtes... alphabet. Seul menu possible pour que nous puissions manger la même chose tous les trois. Il avait intérêt à avoir de l'humour, ce Tristan.

De toute manière, s'il voulait vraiment travailler avec Yanis, il devait être mis au parfum. J'avais, malgré tout, bien fait les choses : jambon mouliné proposé dans un ramequin, tomates cerises pour mettre de la couleur, et un fond de parmesan pour assaisonner le tout. Impassible et assumant parfaitement mon plat, je mis le même soin à le servir que si cela avait été du homard. Du coin de l'œil, je voyais Yanis se retenir de rire. Pourtant ni lui ni Tristan ne firent une remarque sur le contenu de leur assiette, trop occupés par leur discussion boulot. Tout en me régalant – j'adorais les menus enfant –, je finis par comprendre ce que faisait Tristan dans la vie et pourquoi il avait atterri au cabinet de Luc. Après avoir exercé le métier de notaire durant quelques années, il s'était reconverti en marchand de biens, et pouvait donc devenir un client très important. Comme il était en train de le préciser à Yanis :

— Je n'ai aucun doute sur le fait que vos propositions vont me plaire pour cet immeuble. Mais si ça fonctionne, j'en ai d'autres en vue, sans compter certains biens dont la rénovation ne m'a pas satisfait.

— On va se défoncer, fais-nous confiance.

— C'est ta perception de l'environnement et des choses qui me plaît. J'ai confiance en vous deux, mais... c'est ton travail à toi qui m'intéresse particulièrement.

Tristan se tourna vers moi, main levée, en signe d'apaisement.

— Je n'ai rien contre votre frère, Véra.

Je hochai la tête pour l'assurer que ça ne me posait pas de problème. Il me sourit puis accorda de nouveau son attention à Yanis.

— Franchement, j'admire vraiment les idées que tu m'as déjà présentées sans même avoir vu les lieux. Je ne sais pas d'où tu sors ça, mais… bravo !

Je lançai un regard à Yanis, qui dissimulait tant bien que mal sa fierté – ce n'était pas tous les jours qu'il recevait de tels compliments.

— Quelle école as-tu faite pour développer ces compétences ?

Patatras !… Pourquoi fallait-il toujours qu'on lui pose la question qui tue ?

— Euh… je n'ai pas fait d'école. Ce que je sais, je l'ai appris sur les chantiers, en observant, en demandant des conseils… Tu vois, rien d'extraordinaire.

— Justement ! Tu te trompes. Tu n'es pas un type qui reste derrière son bureau, et c'est ce que je cherche.

— C'est bon ! s'exclama Yanis en riant et en passant la main dans ses cheveux. N'en jetez plus, la coupe est pleine ! En revanche, moi, je félicite ma femme… tu vois que c'est une magicienne. Nos assiettes sont vides !

— Effectivement, Véra, vous sublimez les pâtes alphabet ! enchaîna Tristan, très sérieusement.

Deux possibilités : soit il le pensait vraiment, soit il se moquait royalement de moi.

— N'en faites pas trop, tout de même, lui lançai-je.

On éclata de rire tous les trois.

— En toute sincérité, ça m'a fait plaisir de manger ça. Ça me rappelle mes filles lorsqu'elles étaient petites.

— Vous avez des enfants ? lui demandai-je, à moitié surprise.

Son attitude avec les nôtres prouvait que les enfants n'étaient pas de drôles de petits animaux rares pour lui. Il savait comment les conquérir.

— Deux ados de treize et quinze ans.

— Oh, ça ne doit pas être facile tous les jours.

— Je ne les ai qu'un week-end sur deux.

— Je suis désolée, Tristan, je ne voulais pas…

— Ne vous en faites pas, Véra. Ça fait plusieurs années que nous sommes séparés avec leur mère. Nous avons eu le bon goût de ne pas nous entretuer. Donc, tout va bien. Bien sûr, elles me manquent, mais je sais qu'elles sont mieux avec elle au quotidien qu'avec moi.

— Je te tire mon chapeau, le félicita Yanis. Je n'imagine pas une seule seconde ne pas voir mes enfants.

Discrètement, je posai une main rassurante sur la cuisse de Yanis. Notre famille représentait tout pour lui, il aurait été capable du pire crime pour nous protéger. Je savais très bien que s'il avait invité Tristan à venir dîner chez nous, c'était pour voir les enfants avant de dormir, ne serait-ce que pour échanger deux mots avec eux et leur faire un bisou.

— Malheureusement ou heureusement, on se fait à tout, lui répondit Tristan.

Pour le dessert, je m'abstins de proposer des Danette périmées de plusieurs jours. Un café et un carré de chocolat feraient l'affaire. Yanis avait ouvert une seconde bouteille de vin, et nos verres étaient de nouveau pleins. Ils avaient quitté la table. À présent mon mari montrait à Tristan les détails de la rénovation de notre appartement. Ce n'était pas la première fois que notre domicile servait de show-room. J'aimais lorsqu'il partait dans son monde. Tristan l'écoutait avec attention, toujours aussi fasciné, semblait-il, par son enthousiasme. Les choses étaient bien entamées pour une collaboration entre eux, j'en étais heureuse, je sentais que ça tenait à cœur à Yanis de réussir à épater ce type. Ils vinrent me rejoindre autour de la table basse.

— Ça doit être agréable de vivre dans un endroit pareil, me fit remarquer Tristan.

— Vous n'imaginez même pas !

D'une simple gorgée, Yanis avala son café. Puis il me regarda avec son air de conspirateur.

— Quoi ?

— On met Tristan dans la confidence ?

— Comme si je pouvais te dire non.

Notre invité nous regardait, totalement perdu, se demandant visiblement ce qui allait lui tomber dessus. Il le fut encore plus lorsque Yanis se leva, attrapa une perche camouflée près d'une fenêtre et l'éleva jusqu'au plafond dans un angle de la pièce. Quand il baissa l'escalier escamotable, Tristan perdit la bienséance qui le caractérisait depuis son arrivée chez nous en s'avachissant au fond de son fauteuil. Il ouvrit grand les yeux, me lança un regard halluciné, puis se mit debout à son tour et s'approcha de Yanis.

— Qu'y a-t-il là-haut ?

— Le paradis !

Je pouffai de rire.

— Notre chambre, traduisis-je.

— Incroyable.

— Viens voir.

— Non, Yanis. Je m'impose déjà bien assez comme ça. C'est votre intimité.

— Ne vous gênez pas pour moi, Tristan.

— Vous êtes certaine, Véra ?

— Si je vous le dis. Et ne me faites pas croire que vous n'êtes pas curieux d'y aller.

Il me sourit et suivit Yanis qui grimpait déjà en lui conseillant de faire attention à ne pas se cogner. Je l'avais encouragé à monter, mais j'espérais tout de même ne rien avoir laissé traîner ! Pour qui allions-nous passer ?!

J'eus le temps de boire mon café en paix, de tout débarrasser, de lancer le lave-vaisselle, et même de préparer les affaires des enfants pour le lendemain matin. L'appartement avait rarement été aussi bien rangé – du moins en surface – que ce soir. Finalement, ça avait du bon qu'il ramène des invités-surprise. Leurs voix étouffées et le rire de Yanis au-dessus de ma tête parvenaient jusqu'à mes oreilles. Je venais d'aller vérifier que nos petiots dormaient profondément lorsqu'ils redescendirent de notre perchoir. Tristan refusa le verre de vin que lui proposa Yanis.

— Je vais vous laisser. Je connais les réveils matinaux des enfants. Merci pour votre accueil, Véra. J'ai passé une excellente soirée.

— Je vous en prie. Si vous avez pu avancer dans votre réflexion pour travailler avec Yanis, j'en suis ravie.

Il eut un rictus qu'on pouvait interpréter comme un sourire et que j'espérai rassurant pour Yanis. Nous le raccompagnâmes jusqu'à la porte d'entrée.

— Je vois avec Luc le planning pour que tu nous fasses visiter, lui dit Yanis sur le seuil.

— J'attends ton appel.

Il se tourna vers moi et me tendit la main.

— Au revoir, Véra, et merci encore.

— Peut-être à une prochaine.

— Je l'espère.

Yanis et lui échangèrent une poignée de main virile, et il dévala l'escalier. Une fois la porte refermée, mon mari avança jusqu'au milieu du séjour en passant les mains dans ses cheveux à de nombreuses reprises. Puis il balança chaussures et chaussettes. Je m'approchai de lui. Il fit volte-face et m'attrapa par la taille, il me fit tournoyer autour de lui, je m'accrochai à son cou en riant.

— Tu as l'air heureux !

— C'est *le* client qu'on attendait, je le sens !

Il était survolté.

— Repose-moi, tu me donnes le tournis.

Il m'obéit pour aussitôt me broyer dans ses bras.

— Au moins, lui, il aime ta façon de travailler, il n'a pas tari d'éloges sur toi. Ça devait arriver, j'en étais sûre. Je suis tellement fière de toi.

— J'ai une idée… un coup de poker… Il ne faut pas que je me plante…

J'attrapai son visage entre mes mains et le regardai droit dans les yeux.

— Je te fais confiance, tu vas y arriver.

— Tu penses quoi de Tristan ?

— Ce n'est pas moi qui vais travailler avec lui ! Mais si tu veux mon avis, il a l'air sérieux, et surtout il croit en toi. Moi, tu sais, c'est tout ce que je lui demande, à ce type.

Il appuya son front contre le mien en souriant. J'aurais donné n'importe quoi pour qu'il garde toujours cette expression de confiance en lui et en l'avenir.

— Monte, je te rejoins.

Je finissais de me démaquiller lorsque Yanis arriva dans la salle de bains. Il se mit derrière moi, me prit par la taille, posa son menton sur mon épaule et me regarda droit dans les yeux à travers le reflet du miroir. Il avait un pli soucieux sur le front.

— À quoi penses-tu ?

— J'espère que ton frère va comprendre l'importance de ce projet.

— Pourquoi voudrais-tu qu'il ne comprenne pas ?

— Tu le connais… Dès que tu le sors de sa zone de confort, il se rétracte.

— Tu trouveras les arguments.

— Oui, sûrement.

L'espace d'un instant, je me demandai s'il ne se forçait pas à sourire. Mais Yanis était incapable de mentir ni de simuler quoi que ce soit. Je savais que ce n'était pas tous les jours rose entre eux, j'espérais de toutes mes forces qu'ils réussiraient à s'entendre sur ce projet. Je me mis au lit et le regardai balancer ses affaires aux quatre coins de la chambre. Puis il se glissa sous la couette en éteignant la lumière, m'attira contre son torse, et soupira de contentement dans mes cheveux. Quelques minutes plus tard, il ronflait. Je serrai plus étroitement son bras autour de ma taille, et finis par sombrer.

3

Yanis

Voir ma femme jolie comme un cœur dans sa robe vert pomme sautiller autour de nous pendant le petit déjeuner me mettait de bonne humeur. Le trajet du matin pour l'école avec les enfants : c'était ma partie. Pour Véra, c'était un peu de temps pour elle, tranquille à la maison. Et moi, ça me donnait l'occasion de discuter avec mes garçons et d'avoir Violette dans les bras pour la câliner sans que Véra me remonte les bretelles en me disant que je la couvais trop. Elle pouvait parler, elle qui les couvrait toujours de baisers avant le départ à l'école.

Je sautai de mon tabouret.

— Allez, on se grouille les enfants ! On va être en retard.

Joachim, notre sérieux/studieux, était déjà dans l'entrée, cartable sur le dos. Ernest courait partout ; je l'attrapai au vol et le chatouillai.

— Arrête, Yanis ! Tu vas l'énerver, me sermonna Véra pendant qu'elle recoiffait Violette.

Comment avait-elle fait pour se défaire une couette en l'espace de cinq minutes pendant qu'elle buvait son

chocolat ? Les petites filles, comme les femmes, reste-
raient un mystère. Et j'aimais ça.

Avec Véra, on finit par réussir à mettre nos trois
enfants sur le palier. Je me tournai vers elle, appuyée
contre le chambranle de la porte. Elle me regardait, un
grand sourire aux lèvres.

— Bonne journée, me dit-elle de sa voix douce.

— Tu déjeunes avec Charlotte ?

— On est mardi !

— Évidemment… À ce soir.

Je l'embrassai, un peu plus intensément que les
autres matins, j'avais besoin de courage aujourd'hui.
Puis je lui glissai notre « J'ai toujours cette musique
dans la tête » à l'oreille. Elle riait encore lorsque la
porte de l'ascenseur se referma sur nous quatre.

Ce jour-là, je ne pris pas la voiture, j'avais besoin
de slalomer avec ma vieille moto. Je m'étais fait ce
cadeau avec un de mes premiers salaires. Cadeau,
c'est vite dit pour une carcasse que j'avais retapée.
J'étais incapable de m'en séparer. Pourtant, elle ne
me servait plus à grand-chose depuis la naissance de
Joachim. Les rares fois où j'avais émis l'hypothèse
de la mettre en vente, Véra m'avait fait renoncer –
sans trop de difficulté –, elle savait que j'y tenais. Je
ne prenais mon deux-roues que lorsque j'avais une
journée de vadrouille sur différents chantiers. C'était
la bonne excuse. Aujourd'hui, c'était pour mes nerfs.
Je sus que j'avais eu dix mille fois raison en poussant
la porte du bureau. Je ne savais pas comment faisait
Luc pour se lever, mais les semaines où il n'avait pas
les jumeaux, il arrivait toujours à 7 heures le matin
pour bosser, ou plutôt devrais-je dire plonger le nez

dans sa paperasse adorée. C'était son truc à lui, l'administratif, les lois, le cadastre et tutti quanti ! Ça me dépassait. Il ne réagit pas à mon arrivée. *Bonjour l'ambiance.* Je rêvais de dépoussiérer le cabinet, impossible, je n'avais pas mon mot à dire. Je me fis un café soluble. Mon beau-frère était tellement radin qu'il avait refusé d'investir dans une machine à expresso, j'avais eu beau lui expliquer que, question image auprès des clients, c'était mieux, il n'y avait rien eu à faire. « On n'est pas payés pour servir des cafés. »

— Salut, Luc ! lui lançai-je d'un ton enjoué en m'asseyant à ma table de travail, en face de la sienne.

— Ouais, marmonna-t-il. Bonjour.

La journée allait être longue. Son humeur était de plus en plus difficile à supporter, tout comme son étroitesse d'esprit. Il ne prenait aucun risque, se contentant de ce qu'on avait, sans chercher à étendre nos champs d'action. La dernière fois qu'il m'avait envoyé sur un projet bandant où j'avais pu m'exprimer remontait à des lustres. Très peu intéressé par l'agencement de commerce, il m'avait missionné pour la création d'un bar à vin. Il pensait petit, il voyait petit. Je déroulai presque sous son nez les plans de l'immeuble que nous avions visité la veille. Il n'avait pas dégoisé un mot de toute l'entrevue, ça m'avait mis en rogne, et vraiment gêné vis-à-vis de Tristan qui avait déplacé un autre rendez-vous pour satisfaire les exigences de Luc. Une fois de plus, j'avais meublé, en avais fait des caisses pour pallier son mutisme et son manque d'entrain. J'espérais malgré tout que notre futur client avait bien perçu que ce n'était pas feint chez moi. J'étais relativement confiant vu le dîner que nous avions passé ensemble à la maison. Occasion encore une fois pour mon cher beau-frère de me tomber dessus, lorsqu'il l'avait appris : « On ne fait pas copain-copain avec les clients, Yanis ! Combien de fois va-t-il falloir que je te le dise ? Ton manque de professionnalisme me fatigue à la longue ! », m'avait-il balancé comme si j'étais un gamin de quatre ans qui enchaînait les conneries à longueur de temps.

— Je te laisse travailler en solo sur ces projets, m'annonça-t-il sans se fendre d'un regard.

J'ouvris les yeux comme des billes. C'était trop beau pour être vrai.

— Tu ne veux pas qu'on s'y mette tous les deux ?

— J'ai des choses plus importantes sur le feu. Tu en es capable, je crois. Et puis, ce ne sont que des propositions. Si tout ça se concrétise, j'affinerai les projets à ta place. Enfin, je compte sur toi pour ne pas perdre trop de temps avec ça.

C'était bien ce que je pensais. Une fois de plus, il me rabaissait. Sa condescendance était insupportable, je serrai les poings. Nous travaillions ensemble depuis plus de dix ans, je crois pouvoir dire que je n'avais jamais démérité. Il attendait de moi la créativité qu'il n'avait pas et mes compétences d'artisan, je lui donnais tout, sans souci. Mais ces derniers temps, il ne cessait de me rappeler que c'était lui le patron, celui qui me versait un salaire, le diplômé, celui qui avait le savoir. Moi, j'étais bon pour filer des coups de main sur les chantiers, faire le suivi et m'assurer que les plans de *monsieur* étaient respectés à la lettre. Et lorsque je gérais un projet, ce n'était jamais de A à Z, Luc trouvait toujours le moyen de le modifier, en écoutant de moins en moins mon avis. J'avais toujours été loyal jusque-là, je m'étais toujours interdit d'aller voir ailleurs.

— Il y a un problème, Yanis ? me demanda-t-il.

— Aucun, lui répondis-je en serrant les dents.

Au lieu de lui mettre mon poing dans la gueule – Dieu sait que ça me démangeait –, j'allais utiliser mon énergie pour me défoncer. Le projet de Tristan était l'occasion que j'attendais pour prouver à Luc que j'étais capable, que je savais faire et que nous devions prendre de l'ampleur.

Le reste de la semaine, je bossai comme un âne. Les journées n'étaient pas assez longues. Résultat des courses : le soir, je travaillais sur le projet de Tristan à la maison. Ce n'était pas l'idéal pour Véra et moi, mais ça évitait que Luc ne vienne fourrer son nez dans mes plans avant même que j'aie terminé et qu'il entende mes conversations téléphoniques. Je me méfiais, il était capable de me casser à tout instant. Véra m'apportait son soutien indéfectible. Et même si je n'étais pas partisan du travail à la maison, je ne boudais pas mon plaisir de l'avoir à deux mètres de moi, un peu plus et je me serais pris pour un artiste avec sa muse. Elle m'observait, un magazine dans les mains, alanguie sur le canapé. Et puis, de temps en temps, elle se levait pour venir s'asseoir sur mes genoux et scruter mon travail :

— C'est hallucinant ce que tu prépares. Tu vas l'épater, ce type !

— Je croise les doigts.

— Luc en dit quoi ? Tu lui as montré ? Il doit être bluffé !

Je détournai le regard. Ça faisait des mois que je lui mentais, en lui affirmant que la relation entre son frère et moi s'améliorait. Je détestais l'inquiéter, surtout pour des gamineries d'ego entre mecs. Je prenais sur moi, en jouant le béni-oui-oui, content de tout, alors que je rongeais mon frein.

— Je n'en sais rien, finis-je par sortir, gêné.

— Comment ça, tu n'en sais rien ?

— Il n'en a rien à foutre du contrat avec Tristan, ni de mon avis, et encore moins de mon boulot. Ou alors, il me flique, lâchai-je sans m'en rendre compte.

Elle attrapa mon visage entre ses mains et me força à la regarder.

— Non, mais tu plaisantes ou quoi ? Pourquoi tu ne m'en as pas parlé ?

— Ce n'est pas bien grave, soufflai-je.

— Si, c'est grave !

Elle bondit de mes genoux et se mit à tourner en rond, les bras gesticulant dans tous les sens. Un vrai spectacle, de voir Véra s'énerver ! Elle déversait un flot continu de paroles, elle râlait, pestait, faisait des mimiques improbables avec sa bouche. Cela eut le mérite de me détendre, tandis que je regrettais déjà d'avoir trop parlé. Quel con j'étais ! Je venais de lui mettre la puce à l'oreille. Véra était pire qu'une lionne niveau protection de ses enfants, et je faisais partie du lot ! Ce qui, dans une certaine mesure, n'était pas pour me déplaire.

— Il n'a pas le droit de se comporter comme ça avec toi ! Mon frère se prend pour un petit caporal ! Tu n'es pas son larbin ni son sous-fifre. Non, mais attends ! Il va m'entendre !

— Oh, là, là ! On se calme !

— Je ne me calmerai pas !

J'allai me poster en face d'elle et posai mes mains sur ses bras pour qu'elle arrête de remuer. Elle prit sa moue boudeuse.

— Il est hors de question que tu te mêles de ça. Ce ne sont pas tes histoires, ce n'est pas ton problème ! Je n'ai pas besoin de toi pour me défendre. Je suis un homme, un vrai, finis-je en me donnant un coup de poing sur le torse, espérant la faire rire.

— Mais...

— Pas de *mais*. Laisse-moi faire. Demain, je prends un café avec Tristan, il est impatient de découvrir ce que je prépare. Je vais lui donner un os à ronger en attendant. S'il mord à l'hameçon, ce sera un argument de plus pour que ton frère me prenne au sérieux et ait un peu plus de considération pour moi.

Elle se jeta à mon cou et me serra fort.

— Promets-moi que tu ne me cacheras plus rien. Tu aurais vraiment dû m'en parler.

— Oui... promis. Mais ce n'est rien, je te jure.

— Yanis, je ne plaisante pas ! On est toujours partis du principe que le jour où on arrête de se parler, c'est le début des emmerdes. Qui plus est pour des problèmes de boulot !

Je garai ma moto, définitivement beaucoup de sorties en ce moment, sur le parvis de la gare Saint-Lazare. Je devais retrouver Tristan entre deux rendez-vous dans le coin, au Starbucks sous les arcades – j'aurais évidemment préféré un bistrot –, mais le client est roi et il n'avait que très peu de temps devant lui. Il m'attendait devant l'entrée. Ce type, malgré son côté austère, un peu froid au premier abord, homme d'affaires, costard-cravate, me plaisait. Il était sympa, et je devinais qu'il avait de l'humour, il fallait juste trouver la clé pour le décoincer. Les gens qui passaient à côté de lui l'observaient. Rien d'étonnant, il sentait le pouvoir à plein nez, sans que ce soit pour autant désagréable ni déplacé. Je remarquai aussi quelques femmes qui le zieutaient discrètement, il en gratifia certaines d'un coup d'œil appréciateur. Puis il finit par me remarquer.

— Bonjour, Yanis, dit-il en me serrant la main. Je te remercie d'être venu comme ça, au pied levé.

— Je t'en prie, c'est normal que tu sois impatient. On le boit, ce café !

Il eut un petit sourire et me précéda dans ce temple du mauvais café au prix de gros. Il commanda pour sa part une boisson au nom imprononçable qui se voulait d'origine italienne – ce qui me fit beaucoup rire, sans qu'il comprenne pourquoi. Je n'allais tout de même pas lui dire que je n'avais jamais mis les pieds dans cet endroit. Je découvris avec bonheur qu'ils servaient un expresso. En revanche, je ne lui laissai pas la possibilité de s'installer à l'intérieur. J'allais étouffer entre ces quatre murs ! Il me suivit et je trouvai une table disponible sur la pseudo-terrasse.

— Alors, tu avances ? Que peux-tu déjà me dire ?

— Je valide tout avec Luc d'ici demain soir, et lundi, dernier délai, tu reçois notre proposition de contrat.

— Luc ne travaille pas dessus avec toi ? s'interrogea-t-il, à juste titre.

Que répondre à ça ?

— Pour le moment, il m'a confié la mise en route du bébé, mais sois rassuré, il validera tout avec son expertise.

— Je ne m'inquiète pas. L'avis de Luc m'importe peu, c'est le tien qui m'intéresse. Que tu t'en occupes me convient parfaitement !

Ça faisait du bien de tomber sur quelqu'un prêt à me faire confiance. Il me sourit.

— Tu me fais languir, donne-moi quelques précisions sur ce que tu comptes me proposer. Je mise énormément sur cet immeuble.

— J'ai bien saisi.

Je me lançai. Je connaissais depuis de nombreuses années deux associés à la recherche d'un bâtiment pouvant servir de concept store. Ces types venaient du monde de la nuit et cherchaient à se ranger. Ils avaient la folie des grandeurs et n'avaient peur de rien, un peu comme moi, argent en plus, puisque selon la légende leur compte en banque était plus que fourni. Forcément, nous avions accroché, au grand désespoir de Luc, qui avait toujours fait en sorte de ne jamais travailler pour eux. Dès que Tristan avait entamé la description de son acquisition, j'y avais pensé. Lorsque j'avais pénétré dans les lieux, j'avais su que j'avais trouvé le bon endroit. Je les avais mis au courant, leur avais présenté les possibilités du bâtiment, depuis, ils étaient dans les starting-blocks, ayant déjà en tête une ouverture en septembre ou octobre, donc déjà prêts à signer le bail avec Tristan, et lancer les travaux. Ils m'avaient glissé à l'oreille le montant exorbitant de l'enveloppe pour la rénovation du lieu. Voilà sur quoi je travaillais comme un fou. Durant la demi-heure où je lui exposai les choses, Tristan ne pipa mot. En même temps, je ne lui laissai pas la possibilité d'en placer une. Je me connaissais, quand je démarrais, mon enthousiasme devenait envahissant au point que moi-même je ne pouvais pas lutter contre. Sur le trajet, pour me canaliser, j'avais préparé ce que je comptais lui expliquer, et pourtant, voilà que je divulguais déjà trop d'informations, tant ce projet me survoltait. Son air se fit de plus en plus sérieux, ce qui finit par me couper la chique.

— Voilà les grandes lignes…

Il s'enfonça un peu plus dans sa chaise, regarda au loin, et ne dit rien. Son attitude me stressa tellement que j'eus envie de m'allumer une cigarette. Ça faisait bien longtemps que ça ne m'était pas arrivé. Depuis cinq ans, ni Véra ni moi n'avions touché à une clope. C'était parti d'un délire entre nous, et nous avions remporté le pari, non sans difficulté !

— Yanis, finit par dire Tristan.

Il planta ses yeux dans les miens.

— Tu peux considérer que c'est toi qui as décroché le contrat face à tous les autres.

J'étais en train de rêver.

— Attends, attends, ne va pas trop vite. On a encore quelques formalités à régler.

— Tu sembles déjà avoir bien avancé dans la négo avec tes partenaires. Me voilà avec un projet très ambitieux et des locataires acceptant de prendre en charge le coût des travaux. Je ne vois pas ce qui pourrait me faire revenir sur ma décision. Tu m'as conquis.

Il jeta un coup d'œil à sa montre.

— Il faut que je file, Yanis. On s'appelle lundi pour les détails. J'ai hâte de commencer à bosser avec toi, et Luc, bien entendu. Programme très rapidement un rendez-vous pour préparer le bail.

Il se leva, j'en fis autant, totalement sonné tout de même.

— Merci de ta confiance.

— Salue ta femme de ma part.

— Je n'y manquerai pas.

Déjà que je trépignais à l'idée de lui annoncer la nouvelle.

— Quand tout sera lancé, enchaîna-t-il, vous viendrez dîner chez moi, c'est la moindre des choses.

— Avec grand plaisir. Bonne fin de semaine.

Il tourna les talons et partit d'un pas vif. Je me retins de pousser un cri de victoire. À la place, je courus jusqu'à ma moto. L'agence de voyages était tout près, je n'allais pas me priver du plaisir de l'annoncer à Véra en avant-première.

Dix minutes plus tard, je poussai la porte. Je ne dis même pas bonjour à la collègue de Véra, encore moins à ses clients. J'allai directement derrière son bureau.

— Yanis ! Qu'est-ce que tu fais là ?

Sans prendre la peine de lui répondre, j'attrapai ses mains pour la mettre debout. Ensuite, en la prenant par la taille, je la soulevai et la fis tourner autour de moi. Elle éclata de rire.

— Quoi ? Explique-moi ?

— J'ai décroché le contrat !

Je la reposai.

— Non ? C'est vrai ? insista-t-elle avec des larmes perlant au coin de ses yeux.

— C'est qui le plus fort ?

Elle se jeta sur moi, m'étrangla presque tant elle me serrait fort, mais je m'en moquais. Elle couvrit d'innombrables baisers ma joue, mon cou, en répétant « je t'aime, je t'aime ». Puis nous entendîmes un raclement de gorge. Je ris dans ses cheveux.

— Je vous la rends, annonçai-je à ses clients.

Fou de joie, rempli d'excitation, je lui lançai un dernier regard amoureux.

— Champagne, ce soir !

Le lendemain, en fin de journée, j'étais toujours aussi déchaîné. Il était près de 19 heures, et Véra n'allait pas tarder à venir me chercher. Elle m'avait envoyé un SMS dans la journée me demandant de ne pas rentrer à la maison, qu'elle passerait au bureau. J'avais une petite idée de ce qu'elle nous avait concocté : une soirée en tête à tête, sans enfants, à la garçonnière.

La garçonnière avait été mon domicile de mes dix-neuf ans jusqu'à l'achat de notre appartement avec Véra. Un peu comme ma moto, je n'avais jamais pu me résoudre à m'en séparer, et encore moins à la louer à un étranger. Ces quelques mètres carrés dans la cour de l'immeuble où j'avais grandi étaient l'atelier de bricolage de mon père lorsque j'étais enfant et ado. Mes parents, n'ayant pas les moyens de s'acheter leur appartement, s'étaient rabattus sur le débarras de l'immeuble, mon père étant convaincu que ça valait le coup. Il m'avait fallu atteindre ma majorité pour comprendre qu'ils avaient placé toutes leurs économies là-dedans pour moi. Ils m'avaient eu sur le tard, et j'étais fils unique. Mes parents avaient été merveilleux, compréhensifs et encourageants avec moi. Si j'en étais là aujourd'hui, c'était grâce à eux. Je m'ennuyais à mourir à l'école, encore plus au lycée, j'y allais parce qu'il fallait y aller. Un jour, ils m'avaient convoqué dans la cuisine, ils étaient attablés, ma mère me souriait tendrement comme toujours et mon père avait pris la parole pour me dire d'arrêter de perdre mon temps et de faire ce que je voulais vraiment ; il m'avait précisé qu'ils feraient tout pour m'aider, seuls mon bonheur et mon épanouissement comptaient pour eux.

Je lui avais demandé s'il pouvait me pistonner pour entrer sur des chantiers, peu importait lesquels, je voulais apprendre à me servir de mes mains, même si à l'époque je savais déjà pas mal les utiliser. Quand je n'étais pas enfermé dans l'atelier de mon père, je passais mon temps à rénover l'appartement familial et à construire des meubles. Les années suivantes, j'avais enchaîné les chantiers sans jamais m'arrêter, je trouvais toujours un gars sympa pour m'apprendre une nouvelle discipline, je réussis même à ce qu'un architecte – qui avait remarqué que j'avais déjà une vue assez précise de mon environnement – m'apprenne dans les grandes lignes la technique pour dessiner des plans, et comment encore mieux envisager l'espace. Trois ans plus tard, papa m'avait donné les clés de son atelier pour que j'y vive et que je prenne mon indépendance. Je l'avais retapé, créant de toutes pièces un petit appartement, en faisant tout moi-même, l'électricité, la plomberie, les placos, les meubles, et je l'avais baptisé « la garçonnière ». Véra était pourtant la seule femme qui y ait passé une nuit. Je l'y avais emmenée pour notre toute première nuit. Lorsque nous avions décidé d'habiter ensemble, elle était venue s'installer avec ses valises. Nous ne l'avions quittée qu'au moment de la naissance d'Ernest. Aujourd'hui, la garçonnière nous servait de garde-meubles. Et, de temps en temps, comme je le supposais pour ce soir, Véra y allait, y remettait un peu d'ordre, et nous y passions la nuit, juste tous les deux. C'était notre sanctuaire et un terrain de jeux pour les enfants lorsque je les y emmenais.

Du coup, je trépignais de la voir arriver. Ne me restait plus que la validation de Luc pour envoyer avec quarante-huit heures d'avance les contrats à Tristan. Le matin même, en bon petit soldat, je lui avais donné le dossier complet pour relecture. Sûr de mon coup, le mail était prêt à partir.

— Yanis, tu as deux minutes ? me demanda-t-il de l'autre côté de la table.

Je levai le nez de mon ordinateur. Sa tête des mauvais jours me crispa.

— Écoute, j'ai parcouru le dossier que tu as monté… c'est pas mal.

Je me levai de mon tabouret. Ce fut plus fort que moi, je fis craquer mes poings.

— Pas mal ? Le client est d'accord pour signer sans avoir étudié le rendu final, et tu me dis que c'est pas mal !

— Il est peut-être prêt à signer, mais pas moi.

— Serait-il possible que tu sois plus clair ?

Il se mit debout, fit le tour de la table de travail pour venir se poster devant moi. Je préférai reculer. Il fronça les sourcils.

— Attends, Yanis. Comment sais-tu qu'il est prêt à signer ?

— Je l'ai vu hier. On a pris un café ensemble.

Il secoua la tête.

— Ce n'est vraiment pas sérieux…

— C'est bon ! m'énervai-je. Réponds à ma question. Pourquoi me dis-tu que tu ne signes pas ?

— On ne peut pas prendre en charge le projet que tu as préparé pour ce type, c'est trop lourd pour nous. Alors oui, tu as abattu du boulot, pas trop mauvais, assez sérieux, je dirais pour une fois… Mais de toute manière, son chantier ne m'a jamais emballé. Je ne veux pas bosser pour lui et encore moins avec les deux escrocs que tu pensais mettre sur le coup.

Comme si de rien n'était, il retourna s'asseoir tranquillement et se pencha sur ses plans.

— Tu te fous de ma gueule, Luc ? Rassure-moi, c'est une blague ?

— Pas le moins du monde, me rétorqua-t-il sans daigner me regarder.

C'en était trop.

4

Véra

– Tu n'es qu'un connard fini ! entendis-je Yanis
hurler alors que je poussais la porte du cabinet.

Je me précipitai à l'intérieur, Luc se levait de sa
chaise, furibard. Mon mari avançait vers lui, les poings
serrés.

— Mais que se passe-t-il ici ? criai-je à mon tour.

Sans attendre de réponse, je me dirigeai vers Yanis,
sur le point de frapper mon frère. Yanis pouvait être
sanguin. Je posai ma main sur son torse pour le retenir.
Il la regarda avant de river ses yeux aux miens. La douleur, la rage, la déception que son visage affichait me
terrifièrent. J'eus mal pour lui. Jamais je ne l'avais vu
ainsi. Ce que je craignais depuis si longtemps, sans
vouloir me l'avouer, était en train d'arriver.

— Yanis, parle-moi.

— Ton frère est une enflure !

Sa voix d'ordinaire douce malgré son timbre grave
n'avait jamais été aussi dure, aussi tranchante.

— Tout de suite les insultes et les grands mots,
ricana Luc. Grandis un peu ! Sois professionnel, pour

une fois ! Et dis-toi une chose, je suis peut-être une enflure, mais moi, j'ai un peu de jugeote, contrairement à toi.

— Comment peux-tu dire ça ? lui rétorquai-je tout en continuant à retenir Yanis, de plus en plus difficilement.

— Véra, ne t'en mêle pas. C'est une question de travail entre ton mari et moi, me répondit-il durement.

Je sentis sous mes mains les muscles de Yanis se tendre.

— Laisse-moi régler ça, me souffla-t-il.

Comment avaient-ils pu en arriver là, sans trouver de compromis ? Luc et Yanis étaient comme frères, certes très différents, et avec parfois des prises de bec, mais pas au point d'en venir aux mains. Il y a quelques jours, Yanis avait fait une allusion à un conflit sous-jacent entre eux, mais il avait étouffé l'affaire. Pourquoi ne m'en avait-il pas parlé davantage ? Depuis combien de temps cette situation pourrissait-elle ?

— On court à l'échec avec ce projet, enchaîna Luc, sans plus se préoccuper de moi. Mais toi, avec ta folie des grandeurs, tu ne vois rien, tu ne te rends compte de rien ! Tu es irresponsable, Yanis. Tu l'as toujours été, tu le seras toujours.

— Et toi, tu es quoi ? Un gratte-papier ! Petit et pingre. Tu es incapable de te lancer des défis ni de faire preuve d'imagination !

— J'ai une boîte à faire tourner et des salaires à verser, dont le tien !

— En plus, tu es mesquin. Tu crois que j'ai bossé comme un dingue sur le projet de Tristan pour quelle raison ? Je ne vais pas te mentir, je voulais te montrer que j'en étais capable. Mais ce qui comptait le plus, c'était le cabinet, parce que ça nous donnerait du crédit, de l'importance face à la concurrence ! Essaie de voir un peu plus loin que le bout de ton nez ! Comme d'habitude, tu as dû te contenter d'un pauvre coup d'œil à ce que j'ai fait.

— Tu te trompes ! Je te l'ai dit, c'est pas mal, mais irréalisable. Tu vois trop grand !

— Tu n'as pas de couilles ! Aie un peu de courage ! Merde !

— Le courage n'a rien à voir là-dedans, et de toute façon, je n'ai jamais été intéressé par ce que nous demandait ce type.

— Alors pourquoi m'as-tu laissé bosser dessus comme un malade ?

— Je ne t'ai rien demandé. Mais tu t'es emballé, comme toujours, et tu n'as pas daigné m'écouter ni en parler avec moi avant de te lancer bille en tête dans cette histoire.

Yanis fit un pas en arrière pour se dégager de mon étreinte. Je restai pétrifiée, main tremblante sur la bouche ; mon mari et mon frère s'entre-tuaient sous mes yeux, sans que je puisse rien faire ; ça ne me concernait pas, ils me l'avaient bien précisé l'un comme l'autre. Je nageais en plein cauchemar. Mâchoires serrées, Yanis fit le tour de la pièce, prenant garde de rester éloigné de mon frère. Il attrapa sa veste, récupéra ses clés et son téléphone sur son bureau. Puis, toujours le visage fermé, il revint vers moi et m'agrippa par le bras.

— Sortons d'ici, j'étouffe.

— Mais…

— Ne dis rien, s'il te plaît.

Il me tira vers la sortie, je jetai un coup d'œil par-dessus mon épaule : Luc retournait à son bureau, le visage grave. Yanis ouvrit la porte, mais juste avant de quitter les lieux, il suspendit son geste et interpella mon frère :

— Si tu as un tant soit peu de respect pour mon travail et notre collaboration depuis toutes ces années, laisse-toi encore deux jours de réflexion.

Mon frère, dont je cherchais désespérément à accrocher le regard, secoua la tête, désappointé.

— Tu n'as rien compris, marmonna-t-il avant de nous tourner le dos.

Yanis, toujours en me tenant par le bras, nous entraîna vers la voiture. Il ouvrit ma portière et me fit monter sans ménagement. Je ne le quittais pas des yeux : tandis qu'il contournait notre Volvo pour gagner le siège du conducteur, il rencontra une benne sur son chemin, qu'il démolit à coups de pied. Puis il finit par prendre place derrière le volant. Il démarra sans desserrer les dents. Ça devenait intenable.

— Dis quelque chose. Je t'en prie, parle-moi…

— Je ne peux pas.

Il prit le chemin de la garçonnière. Évidemment, qu'il avait deviné que tout y était prêt pour notre soirée. Quelque part, ça tombait bien. Nos joies, nous allions les y fêter, nos peines, nous les pansions là-bas. Et il valait mieux que les enfants soient protégés de ces soucis, au moins pour une soirée et une nuit.

Moins de vingt minutes plus tard, nous nous garions à proximité de l'immeuble. Dès que Yanis m'eut rejointe sur le trottoir, il prit ma main dans la sienne, et l'étreignit. Sans me lâcher, il ouvrit la porte cochère puis celle de la garçonnière. Plus tôt dans la soirée, avant de venir le chercher, j'étais passée pour tout préparer, me changer. J'avais même laissé quelques lumières allumées pour que tout soit chaleureux à notre arrivée. Les flûtes de champagne nous attendaient sur la table basse que j'avais réinstallée au milieu de la pièce, le canapé était dépoussiéré, le couvert avec notre vieille vaisselle dépareillée dressé sur la table fabriquée par ses mains. Notre lit, avec son matelas à même le sol, était fait pour notre nuit d'amour dans notre nid. Cette soirée devait être une fête, et nous nous retrouvions sans pouvoir échanger deux mots, Yanis prêt à taper sur n'importe quoi, moi désarmée face à la blessure que mon frère venait de lui infliger. Il me lâcha, retira son blouson, ses chaussures, et balança le tout dans un coin. Il fit le tour des lieux avant d'aller ouvrir la porte du frigo où il récupéra la bouteille de champagne. Il fit sauter le bouchon, remplit nos flûtes.

— Ton frère me pourrit la vie au boulot, sa connerie ne va pas foutre en l'air notre soirée.

Je m'approchai de lui. Sans m'attendre, il fit tinter sa coupe contre la mienne toujours sur la table, et avala d'un seul trait son champagne. Il s'en resservit une deuxième qu'il avala tout aussi sec. Pour finir, il s'ébroua en fermant fort les yeux. Je lui caressai la joue, et il me prit dans ses bras en enfouissant sa tête dans mon cou.

— Pardon, je ne voulais pas que tu assistes à ça.

— Ne t'excuse pas, je préfère avoir été là.

— Pour m'éviter de démolir Luc ?

— Non, parce que je pense que j'aurais pu participer au massacre.

Il étouffa un rire, ça me fit un bien fou. Puis il se releva et prit mon visage entre ses mains. Son regard triste me détailla.

— Qu'est-ce que je ferais sans toi ? Si toi et les enfants vous n'étiez pas là, je ne serais rien.

— Ne dis pas de bêtises.

— Je veux tellement que vous soyez fiers de moi tous les quatre.

— On l'est… Comment peux-tu imaginer le contraire ?

Il s'éloigna, tourna dans la pièce comme un lion en cage.

— Je ne vous donne pourtant pas beaucoup de raisons de l'être. L'année prochaine, j'aurai quarante ans, et tu peux me dire ce que j'ai fait de ma vie jusque-là ?

— Nous, murmurai-je, plus blessée que je ne le laissais paraître.

— Évidemment ! me rétorqua-t-il, agacé. Mais ce n'est pas de ça qu'il est question.

— Je sais.

— Tu te rends compte qu'à mon âge je suis toujours à la solde de ton frère, qui me considère parfois encore moins bien qu'un stagiaire. Je n'ai aucune reconnaissance professionnelle de sa part, il ne me laisse rien gérer. Avec Tristan, je croyais que ça allait être bon, mais non, encore une fois, il me coupe les ailes, remet en question mes compétences. J'étouffe !

Il donna un grand coup dans le mur, je sursautai. Depuis combien de temps vivait-il avec cette frustration ? Jamais je n'aurais imaginé qu'il puisse en être arrivé quasiment au point de non-retour. Il dissimulait tout son mal-être par sa joie de vivre permanente. Je croyais – assez bêtement, je le reconnaissais – qu'avec

Luc, ils se complétaient. Yanis apportait un grain de folie à la rigidité de mon frère, et inversement, mon mari gagnait en sérénité avec l'organisation millimétrée de Luc. Et c'était tout le contraire… L'ampleur de la situation venait de m'exploser à la figure. Je m'en voulais terriblement de n'avoir rien vu. En réalité, j'avais fait l'autruche. Désormais, je m'en mordais les doigts.

— Vous étiez énervés et fatigués ce soir, lui dis-je doucement. Lundi matin, ça ira peut-être mieux, vous arriverez à vous parler… Tu ne crois pas ?

— J'espère, marmonna-t-il en passant la main sur son visage. S'il ne se calme pas… je ne pourrai plus tenir encore très longtemps. Que Luc soit ton frère ne changera rien. Tu comprends, hein ?

Je m'approchai de lui, et l'attirai contre moi.

— Je suis avec toi, je l'ai toujours été et je le serai toujours. Luc le sait, s'il te perd, il me perd et il perd les enfants. Tu sais très bien que je te fais confiance, tu prendras la bonne décision.

Il embrassa mes cheveux.

— Passons à autre chose. Je n'ai plus envie de penser à ça.

Il alla récupérer la bouteille de champagne et nos coupes. Je n'avais pas encore touché à la mienne. Lui se servit sa troisième avant que nous nous installions par terre près de la table basse. Après avoir parlé un peu des enfants, de leur journée et du programme du week-end, Yanis revint sans même s'en rendre compte sur le dossier qu'il avait monté pour son client, Tristan. Tout en finissant méticuleusement la première bouteille de champagne avant d'entamer la seconde, il ressassait l'accrochage avec Luc, son enthousiasme pour une collaboration avec Tristan. Durant toute la soirée, je n'intervins pas, il faisait les questions et les réponses, je le laissai se défouler. Il attendait simplement de moi que je reste dans ses bras. Je ne l'avais jamais vu mal à ce point. Il changeait ; en tout cas, il exprimait très clairement son envie de plus grand. J'avais eu beau verbaliser mon espoir que la situation s'apaise entre eux, si je voulais être honnête avec moi-même, j'avais de sérieux doutes. Yanis et Luc étaient aussi butés l'un que l'autre. Et lorsque mon frère prenait une décision, il revenait rarement dessus. D'ailleurs, ses derniers mots au moment de notre départ n'allaient pas dans le sens d'une amélioration. L'inquiétude, accompagnée d'une colère sourde contre Luc, enflait en moi, et je n'y pouvais pas grand-chose.

Le lendemain, nous fûmes réveillés par le téléphone de Yanis qui sonnait à l'autre bout de la garçonnière, j'eus un mauvais pressentiment.

— Tu crois que ça peut être pour les enfants ? ronchonna-t-il.

— Charlotte aurait d'abord essayé de m'appeler.

À contrecœur, il s'extirpa de la couette et récupéra son portable qui traînait sur la table basse.

— C'est Tristan, annonça-t-il d'une voix d'outre-tombe.

Il se redressa et fit craquer son cou avant de décrocher.

— Salut, Tristan, le salua-t-il d'une voix qui se voulait joyeuse. Que me vaut ton appel de si bon matin, un samedi ?

Je m'assis dans le lit alors qu'il commençait déjà à faire les cent pas dans la garçonnière.

— Quoi ? gueula-t-il brutalement en serrant son poing libre. Quand t'a-t-il envoyé le mail ?

Sans quitter Yanis du regard, je me levai en m'enroulant dans le drap. Il me tournait le dos. Je vins me coller à lui, en passant mon bras autour de sa taille, la tête calée entre ses omoplates. Je compris que mon salaud de frère l'avait doublement trahi, il n'avait pas daigné prendre quarante-huit heures de réflexion et avait joué au patron. Tristan avait reçu un mail dans la nuit pour l'avertir que Luc ne donnerait pas suite au projet. Tristan exigeait des réponses, ne comprenant pas ce revirement de situation. Yanis se contenait, se voulant rassurant. Il s'excusa, lui promit de réfléchir à des contacts qui pourraient prendre le relais. Tristan insista pour que Yanis reste dans la course, il ne croyait qu'en son projet. Je mesurais combien ça devait être douloureux pour mon mari de trouver des arguments plausibles à la fin brutale et prématurée de cette collaboration. Pour une raison que je ne m'expliquais pas, Yanis avait accroché avec ce type, il le respectait, et son avis avait beaucoup de valeur pour lui alors qu'ils ne se connaissaient que depuis quelques semaines, et ça semblait réciproque.

— Désolé encore, lui répéta-t-il. Oui… On reste en contact. À bientôt.

Il balança son portable. Puis il soupira en caressant mon bras toujours agrippé à lui.

— Il est vraiment tombé bas, murmura-t-il. C'est un coup de poignard dans le dos qu'il vient de me donner.

Le message était clair.

— Tu ne vas plus pouvoir travailler avec lui.

— Non, et encore moins *pour* lui. Prends la voiture et va chercher les enfants, me dit-il en se détachant de moi. Je vous retrouve à la maison après.

Il alla vers la kitchenette et mit de l'eau à bouillir pour notre cafetière à piston.

— Pourquoi ? Et toi, tu vas faire quoi ?

— Je vais passer au bureau.

— Je ne suis pas sûre que ce soit une bonne idée.

Il esquissa un petit sourire, malgré sa tristesse flagrante.

— Ne t'inquiète pas. Je ne vais pas lui taper dessus, il ne sera même pas là, il récupère les jumeaux ce matin. J'ai simplement deux, trois petites choses à régler. Viens par là, me dit-il en m'ouvrant ses bras.

J'allai me blottir contre lui.

— On prend un café d'abord.

Une heure plus tard, je perçais les défenses de l'immeuble bunker dans lequel vivait Charlotte. Après avoir passé quatre portes, composé trois codes différents, j'arrivai enfin devant l'entrée. Elle m'ouvrit au bout de quelques minutes et m'accueillit enveloppée dans un long peignoir en satin noir, chaussée de mules à talons avec de la fourrure sur le dessus. Sa dégaine m'arracha un sourire. En revanche, elle grimaça.

— Oh les cernes ! Vu ta tête, vous avez dû faire de sacrées folies de vos corps toute la nuit. Je pouvais garder vos microbes quelques heures de plus. Pourquoi n'es-tu pas restée plus longtemps au lit ?

Je levai les yeux au ciel.

— Tu te fourres le doigt dans l'œil… Paie-moi un café.

Elle perdit son air provocateur.

— Ça ne va pas ?

— Pas vraiment. Pas de questions devant les enfants, s'il te plaît.

Elle s'effaça pour me laisser entrer dans son musée. Charlotte vivait dans un appartement ultramoderne, plein à craquer d'œuvres d'art à mon sens toutes plus horribles et clinquantes les unes que les autres. Elle aimait ce qui brille, ce qui se remarque, plus c'était doré et voyant, plus elle en raffolait. Je découvris mes enfants vautrés sur le canapé, scotchés devant le télé-achat. Charlotte avait encore joué à la poupée avec Violette dont les ongles étaient vernis ; elle l'avait transformée en son clone, seule différence : le noir du peignoir était rose bonbon pour ma fille. Après les câlins de retrouvailles de rigueur, je laissai mes enfants s'abrutir face à l'écran de télé, et rejoignis Charlotte sur le balcon de sa cuisine. Un café m'attendait sur la table. Je m'écroulai sur une chaise.

— Qu'est-ce qui se passe, ma sauterelle ? Vous ne vous engueulez presque jamais avec Yanis. Ça ne va pas durer, ça ne dure jamais avec vous.

— Non, ce n'est pas ça. Mon frère est un con, je ne pensais pas qu'il puisse être nocif et jaloux à ce point.

— Luc ? Il est incapable de faire du mal à une mouche.

— Grossière erreur. Accroche-toi.

Je lui racontai dans les moindres détails les événements jusqu'à notre réveil. Lorsque j'arrêtai de parler, elle soupira et s'enfonça dans son fauteuil.

— Écoute, je ne peux pas croire ce que tu me racontes. On ne parle pas du même type. Il devait avoir un problème, il a encore dû se prendre la tête avec la sorcière. Ça ne peut pas être autrement.

— Non, rien de tout ça ! Et en réalité, ça fait des mois que c'est tendu entre Yanis et lui. Il est insupportable. Je te jure, je ne sais pas ce qui me retient d'aller lui dire ses quatre vérités ni de foutre le feu à son cabinet de merde.

Elle écarquilla les yeux, horrifiée par mes propos.

— Attends, mais tu réalises ce que tu dis ? Tu souhaites du mal à ton propre frère ?!

— Oui, parce qu'il a trahi Yanis, il l'a fait passer pour un con devant Tristan.

— Ce n'est pas une raison. C'est complètement dingue, cette histoire… Mais au fait, Tristan, c'est qui, celui-là ?

— Son client !

— Je suis certaine que ça va s'arranger. Il faut que Yanis se calme, il est trop explosif.

— Ne compte pas trop là-dessus, lui balançai-je d'une voix pincée.

Je me levai brusquement. Je n'aimais pas du tout la réaction de Charlotte. Qu'est-ce qui lui prenait ? Je ne la reconnaissais pas. J'étais convaincue qu'elle se rangerait de notre côté. Elle, qui aux dernières nouvelles ne supportait pas Luc, n'était pas loin de le défendre et de rendre Yanis responsable de la situation. J'avais mon lot d'engueulades pour un temps, et je ne voulais surtout pas me brouiller avec ma meilleure amie.

— Ne prends pas la mouche, Véra !

Elle me connaissait par cœur, aussi ne fus-je pas étonnée par sa remarque.

— Je ne prends pas la mouche, je dois y aller. Yanis va nous attendre à la maison.

En moins de vingt minutes, les enfants étaient habillés et disaient au revoir à Charlotte.

— On déjeune, mardi ? me demanda-t-elle avec précaution.

— Bien sûr.

— Je suis certaine que tu auras de bonnes nouvelles à m'annoncer.

— Ou pas.

Malgré l'inquiétude et la sensation d'avoir un poids sur les épaules – pas près de s'évacuer –, je pris sur moi et mis la musique à fond dans la Volvo, au grand désespoir des enceintes grésillantes. J'allais faire rire les enfants et me défouler par la même occasion. Je n'avais jamais donné dans les chansons enfantines et les comptines, je partais du principe qu'il fallait que je fasse leur éducation musicale dès le plus jeune âge, et la voix de crécelle de Tchoupi ne correspondait pas vraiment à mes goûts. Ça en choquait certains. Surtout quand je racontais de bon cœur que la berceuse pour endormir et calmer Joachim en voiture quand il était petit était *Supermassive Black Hole* de Muse. Dès les premières notes, il arrêtait de brailler et, avant la fin du premier refrain, il dormait du sommeil du juste. C'était magique. Combien de fous rires avions-nous partagés avec Yanis ? Aujourd'hui, ça ne le calmait plus, encore moins son frère et sa sœur, mais ça nous le décoinçait, notre Jojo. Mes trois enfants faisaient les chœurs phonétiquement, et moi je secouais la tête comme une ado à son premier concert de rock.

La musique eut les effets escomptés ; les enfants étaient de très bonne humeur et moi un peu moins crispée lorsque je poussai la porte de notre appartement.

— Hé ! Je vous attendais, claironna Yanis en fonçant droit sur les enfants qui lui sautèrent dessus.

Avec Ernest et Violette dans les bras, Yanis vint m'embrasser, complètement détendu, en apparence.

— Tu m'as manqué, me glissa-t-il à l'oreille.

— Ça va ?

— Oui…

Il posa son fardeau et avança dans le séjour. Nous le suivîmes, et j'eus une surprise de taille en trouvant en plein milieu de la pièce des dizaines de rouleaux de plans et une énorme pile de dossiers.

— C'est quoi…

— Ça vous dit d'aller voir la mer ? esquiva-t-il en s'adressant aux enfants. Il fait beau et j'ai envie de manger des moules-frites. Pas vous ?

Un concert de oui retentit. Sauf moi, qui restai parfaitement silencieuse. Yanis riva ses yeux aux miens, et me sourit, sûr de lui.

— On va s'en sortir. Amusons-nous aujourd'hui. Pas de sinistrose. OK ?

Simulait-il ? En faisait-il trop ? Je n'en savais strictement rien, mais son regard bleu me suppliait de rentrer dans son jeu, d'y croire, et de nous laisser porter par la journée, les enfants, et nos envies.

— D'accord. Tu nous laisses le temps de nous changer ?

— Tout ce que tu veux.

Joachim enfila une marinière, Ernest son déguisement de pirate, Violette une de ses tenues de princesse, et moi une robe blanche avec des tournesols, un peu de lumière et de gaieté pour me mettre dans l'ambiance.

Pour parfaire ma tenue, Yanis fit une halte en passant devant un Monceau fleurs, il quitta la voiture quelques minutes et revint avec une belle pâquerette qu'il me tendit. J'en cassai la tige et piquai la fleur dans mes cheveux. J'adorais faire ça, il le savait, et lui adorait que je le fasse.

La journée sur la Côte normande fut un enchantement. Tout le monde se régala de moules-frites le midi, et avec Yanis on siffla notre bouteille de blanc sans une once de culpabilité. L'après-midi sur la plage nous permit de dessoûler, mes trois hommes inventèrent le foot sur galets, pendant que Violette faisait une sieste dans mes bras, occasion d'une petite séance de bronzage pour moi. Puis Yanis eut envie d'aller à l'eau, il était fou. J'étais frileuse, je ne supportais pas de me baigner dans une mer à moins de vingt-trois degrés, alors la Manche fin mai : pure science-fiction. Violette me protégea des assauts de son père qui voulait à tout prix que je vienne avec lui. Ses fils le suivirent. L'image d'eux trois en caleçon pour le père et slip pour les petits me fit rire, et ma fille les applaudit. Quand ils émergèrent quinze minutes chrono plus tard, Yanis, fier de lui, joua les beaux gosses ; torse nu et dégoulinant d'eau salée, il alla chercher des crêpes au sucre pour toute la famille. Nous étions tellement bien que d'un regard on se comprit. Les affaires de plage furent remballées. Notre étoile veillait sur nous puisqu'il nous fallut moins d'une heure pour trouver une chambre d'hôtes pouvant nous accueillir. Nous avions même le luxe d'avoir deux chambres communicantes, chacune dotée de sa salle de bains. Quand Yanis ressortit triomphalement de la maison d'hôtes, il ouvrit le coffre et en tira deux sacs de voyage, un pour les enfants avec pyjama, culotte de rechange et doudou, et un pour nous, sans pyjama pour moi, mais de la lingerie fine et une robe bleu canard avec mes salomés en daim assortis. Il avait prévu son coup.

— Merci, lui soufflai-je, émue.

— Je voulais qu'on rattrape la soirée gâchée d'hier… On le mérite, non ?

Yanis était déraisonnable, savait combattre les soucis avec légèreté, et il embarquait sa famille avec lui. Ce qui était merveilleux, c'était son aptitude à ne jamais se laisser abattre. Ce matin, au réveil, il aurait pu démolir de rage tout ce qui se trouvait sur son passage. Là, il avait improvisé un week-end au bord de la mer pour nous cinq. Nul n'aurait pu imaginer qu'il puisse avoir des soucis, à part moi. Et encore, il réussissait même à me les faire oublier.

— Je vais m'occuper des enfants, me dit-il une fois installés dans nos chambres. Prends ton temps.

Il effleura mes lèvres des siennes. Puis il attrapa ses affaires dans le sac et rejoignit les enfants dans leur chambre. Plongée dans une baignoire débordante de mousse, je les entendais derrière la cloison, ça riait, ça chantait, ça s'éclaboussait : eux aussi prenaient leur bain. Et une fois de plus, j'eus la certitude que notre famille était plus forte que tout, nous gagnerions toutes les batailles.

Pour le dîner, notre choix se tourna vers une pizzeria presque déserte. Les enfants étaient épuisés, affamés, mais pas énervés. Les pizzas et les glaces furent dévorées, savourées. Le restaurateur offrit des sucettes aux petits et le digestif aux grands. Cette journée et cette soirée s'assimilèrent à de véritables petites vacances. J'avais l'impression que nous avions quitté l'appartement depuis plusieurs jours. Je sentais que ça avait ressourcé chaque membre de la famille, et nos enfants avaient été préservés du clash avec leur oncle.

— N'y pense pas, me souffla Yanis.

Je tournai le visage vers lui. Il me connaissait par cœur, d'un simple regard, il suivait les méandres de ma réflexion. Il caressa le bout de mon nez.

— Serait-ce un coup de soleil ?

— Peut-être bien.

— On va les coucher.

Ernest me retint par la main après que j'eus éteint toutes les lumières de leur chambre. Joachim lisait à l'aide d'une veilleuse et Violette dormait déjà, le pouce pas loin de tomber de sa bouche. La tête de mon deuxième dépassait de la couette, et il me fixait avec difficulté, les yeux mi-clos.

— C'était bien, maman, aujourd'hui.

— Oui, mon bébé, une merveilleuse journée.

— On recommencera ?

— Bien sûr. Fais de beaux rêves, je t'aime.

— Moi aussi, maman.

Je me relevai, et croisai le regard de mon aîné qui me fit un grand sourire avant de lâcher son livre et d'éteindre à son tour. Je fermai très doucement leur porte. Une seule lampe de chevet était allumée dans notre chambre. Yanis vint dans mon dos et posa ses mains sur mon ventre. Il embrassa mon épaule.

— Ils dorment ?

— Violette, oui. Joachim et Ernest, c'est une question de secondes…

Ses mains disparurent pour se faufiler dans mon dos, il baissa la fermeture Éclair de ma robe lentement. Elle tomba à mes pieds. Puis, il me souleva dans ses bras pour me déposer sur le lit. Il retira mes chaussures et resta de longues secondes à me détailler, un sourire aux lèvres et dans les yeux.

— Viens, finis-je par lui dire.

Nous connaissions chaque parcelle de nos corps, nous savions quel geste, quelle caresse ferait frémir l'autre, et pourtant, chaque fois que nous faisions l'amour, nous explorions une nouvelle facette, un nouveau plaisir. Nous redécouvrions la connaissance que nous avions de l'autre et de ses désirs. La peau chaude des mains de Yanis, alliance de callosité et de douceur, me faisait toujours tressaillir, trembler, ses baisers provoquaient toujours autant de musique dans ma tête et mon cœur. Il regardait avec un mélange d'adoration et d'admiration mon corps marqué par mes trois grossesses. Pour lui, mon ventre qui ne serait plus jamais plat, mes hanches plus larges, les quelques vergetures et mes seins moins volumineux depuis que j'étais maman m'avaient rendue plus attirante encore à ses yeux, plus sexy. Il me rendait belle.

Repus d'amour, somnolents, dans les bras l'un de l'autre, nous luttions contre le sommeil. Comme pour faire durer la magie de la journée. Pourtant, je finis par lui poser la question qui me brûlait les lèvres depuis le matin.

— C'est quoi, tout ce que tu as rapporté ?

— Petite curieuse !

— On en reparlera après le week-end, je suis bête, ça va tout gâcher.

— Pas du tout. Et puis, moi, je trouve que c'est plutôt le bon moment pour en parler. Première chose à t'annoncer : ton frère trouvera sur son bureau lundi matin ma lettre de démission.

Ça en aurait affolé certaines, moi, ça me rendait fière de lui. J'avais toujours su que ça finirait ainsi.

— Ensuite, le bordel que j'ai rapporté à la maison, ce sont mes plans et les quelques dossiers que j'ai menés seul, il n'y en a pas beaucoup, mais je refuse de lui laisser tout ça. Je ne veux pas que Luc mette la main non plus sur mes plans pour Tristan, ça ne me servira à rien, puisque je ne les utiliserai jamais, mais hors de question de lui abandonner mon boulot et qu'un jour ou l'autre il s'en serve.

— Tu as eu raison.

Je me redressai et m'appuyai sur son torse en le regardant.

— On va faire quoi, maintenant ?

— Eh ! Toi, pas grand-chose. C'est à moi de chercher une solution et surtout de retrouver du boulot.

— Yanis, on est dans le même bateau, tu as un souci, j'ai un souci.

Il caressa ma joue en souriant.

— Tu as déjà des pistes en tête ? lui demandai-je.

— Non, pas vraiment.

Je devais lui faire une suggestion qui m'obsédait depuis la veille au soir. L'envie d'indépendance rongeait Yanis de l'intérieur, je l'avais enfin réalisé – il m'en avait fallu, du temps –, il était doué, travailleur, il avait tout pour réussir. Je savais que j'allais lâcher une bombe, mais comme je n'avais aucune idée de ce qu'il avait en tête, je devais me lancer. Ça me démangeait trop.

— Pourquoi tu ne te mettrais pas à ton compte ?

Il regarda le plafond en soupirant. Absolument pas étonné par ma question.

— J'y réfléchis, je n'arrête pas d'y réfléchir. Si tu savais depuis combien de temps j'y pense.

J'avais donc visé juste.

— Et alors, tu en as envie ?

— Dans notre situation, ce n'est pas possible.

— Pourquoi dis-tu ça ? N'aie pas peur, je suis certaine que tu réussirais.

— Tu crois en moi à ce point-là ?

— Plus encore, et tu le sais. Qu'est-ce qui t'empêche de te jeter à l'eau ?

Il tourna le visage vers moi, un petit sourire aux lèvres.

— En vrai, sincèrement, ce qui me retient c'est le fric.

— Explique-moi.

Immédiatement, je pensai à ma cagnotte secrète pour ses quarante ans et nos dix ans de mariage. S'il fallait la lui donner pour qu'il se lance, il n'y avait pas à réfléchir bien longtemps. Nous avions notre vie pour voyager.

— Combien te faut-il pour y aller ?

— Beaucoup. Le problème, c'est qu'on n'a pas un centime de côté, je n'ai pas de cash pour assurer les transitions. Aucune banque ne me suivra. Pour certains chantiers, j'aurai besoin d'avancer le paiement des travaux pour mes clients, et donc de creuser un découvert pouvant parfois être de plusieurs dizaines de milliers d'euros.

Je pouvais me rhabiller avec ma cagnotte.

— Autant ? m'étranglai-je.

— Rien que ça… et je n'ai pas de carte de visite ni de réputation qui me précède parce que j'ai toujours travaillé pour ton frère. Je n'ai plus qu'à me mettre à jouer au Loto ou au poker !

Il avait beau rire, je pouvais sentir l'immense déception dans ses intonations.

— Ne t'inquiète pas. Je vais vite retrouver un boulot, et puis si je ne décroche pas une place d'agenceur, je retournerai travailler sur les chantiers.

— Mais…

— Chut… ce n'est pas une régression pour moi, si je dois me salir les mains, ça ne me dérange pas, j'aime ça. Tu le sais ?

— Oui…

Je me retournai sur le dos en laissant s'échapper un profond soupir ; j'étais de nouveau envahie par la colère, j'en voulais tellement à Luc pour ce qu'il avait fait et dont il ne devait pas encore mesurer les conséquences. Il venait de détruire notre famille, nos liens avec lui, son amitié vieille de quinze ans avec Yanis.

— Ne t'énerve pas. Ça ne sert à rien. Je sais que ça va être dur pour toi et les enfants, cette cassure avec Luc, je suis désolé, mais je n'ai pas le choix. Il est allé trop loin…

— Je ne t'en veux pas. Je suis d'accord avec toi, je te l'ai déjà dit. Et… ça ne va pas être facile pour toi non plus, Luc est ton meilleur ami…

— C'était plus que ça, je le considérais comme mon frère. Mais justement je considère qu'on n'agit pas de cette façon entre frères. Si Joachim ou Ernest se traitent comme ça quand ils seront adultes, je peux te promettre qu'ils auront affaire à leur père, et

79

qu'une bonne paire de claques leur remettra les pendules à l'heure.

— Je ne crois pas qu'on aura ce genre de problème… enfin, je l'espère.

— Ne broie pas du noir, s'il te plaît. On va s'en sortir.

— Je n'en doute pas, lui répondis-je en bâillant.

— Il serait peut-être temps de dormir, tu ne crois pas ? Quelque chose me dit que nous aurons des envahisseurs demain matin !

Je ris, puis je l'embrassai. Je me tournai sur le côté, Yanis vint se coller à mon dos, et me serra contre lui.

— Merci pour le week-end, lui dis-je presque endormie. On a rechargé les batteries.

— On en refera plein d'autres, des virées improvisées.

— J'ai toujours notre musique dans la tête, Yanis.

— Moi aussi.

– 5 –

Véra

Le lundi matin, même si Yanis emmena les enfants à l'école comme d'habitude, ce fut un début de journée spécial. Je sursautai quand il revint à l'appartement après les avoir déposés. Il nous servit un nouveau café et s'installa avec son ordinateur portable.

— Tu commences tes recherches ?

— Oui, je n'ai aucune raison d'attendre. Luc n'est pas du genre à venir me supplier de rester, et quand bien même, ma décision est prise, le cabinet, c'est fini pour moi.

— Bon… bah…

J'étais complètement gauche, je ne savais plus ce que je faisais habituellement ni où me mettre. Je restai plantée debout sans bouger, en regardant mes pieds. Il sauta de son tabouret et s'approcha de moi.

— Ne change pas tes habitudes… fais comme si je n'étais pas là. Et ne t'inquiète pas, je vais passer une très bonne journée.

— Excuse-moi.

Un quart d'heure plus tard, je l'embrassai et partis pour ma journée de boulot, rongée par l'appréhension. Je n'avais jamais vu Yanis sans travail. Il était toujours par monts et par vaux, du bureau à un chantier, en contact permanent avec les autres.

Je passai une partie de la matinée les yeux rivés sur mon téléphone, attendant de ses nouvelles et me retenant de lui en demander. Je ne voulais pas qu'il s'imagine que je lui mettais une quelconque pression, j'avais simplement besoin d'être rassurée sur son état d'esprit. Faisait-il semblant ? Me cachait-il quelque chose ? Je m'étais fixé la pause déjeuner, ça me semblait honorable comme délai.

La délivrance de 13 heures arriva enfin. Lucille et moi déjeunions ensemble, je l'abandonnerais quelques minutes pour appeler Yanis. Au moment de baisser le rideau de l'agence de voyages, je me fis interpeller par une voix qui me raidit immédiatement. Je me tournai aussitôt vers ma collègue :

— Je suis désolée, je crois que je ne vais pas pouvoir manger avec toi ce midi.

— Pas de problème ! Rendez-vous à 14 h 30 !

Elle partit de son côté, je soupirai un grand coup puis fis face à Luc, qui avait sa tête des mauvais jours. La mienne ne devait pas être plus aimable.

— Que fais-tu là ?

— Ton mari est malade ou quoi ? aboya-t-il.

— Déjà, tu vas tout de suite te calmer ! C'est toi le malade qui me tombes dessus au travail sans me dire bonjour ! Tu te crois où ?

— Bonjour, chère petite sœur… Ça te convient si je m'adresse à toi de cette façon ?

— Tu es vraiment con quand tu t'y mets !

— Je t'offre un café ?

— Non, c'est moi qui te le paie, et à l'agence de voyages.

— Comme tu veux.

Parce qu'il croyait peut-être que je lui laissais le choix ! Je savais que notre discussion allait être plus que houleuse, je refusais qu'une des brasseries du quartier où je me rendais régulièrement serve de théâtre à une guerre fratricide. Je remontai le rideau et le fis passer devant moi. Une fois à l'intérieur, je nous enfermai et laissai les lumières éteintes – ce qui ne fit que renforcer la froideur de nos premiers échanges. Luc s'installa sur la chaise face à mon bureau. Sans lui laisser le choix une fois de plus, je lui servis un soluble, il ne méritait pas mieux. Quant à moi, je ne pris rien et m'assis à ma place.

— De quoi veux-tu me parler ?

— De Yanis ! Où est-il ? Depuis ce matin, j'essaie de le joindre, et il ne me répond pas !

— Qu'as-tu à lui dire ?

— Tu te moques de moi, Véra ?

— Absolument pas, lui rétorquai-je d'un ton glacial.

— Ton mari m'a déposé une lettre de démission dans le week-end.

— Ça t'étonne ?

— Il ne peut pas me planter comme ça ! Il est sur plein de dossiers.

— Un peu tard pour réaliser qu'il bossait !

— C'est un tel manque de professionnalisme. Il n'a pas le droit !

— Tu peux me dire pourquoi il s'en priverait ? Tu l'as trahi ! hurlai-je en tapant du poing sur mon bureau.

— Trahi ! Mais arrête donc, ironisa-t-il. Tout ça parce que je ne veux pas prendre un projet ?

— Bien sûr. Et en plus tu l'as fait passer pour un incapable en contactant Tristan, *son* client, pour refuser de bosser pour lui.

— Tristan ! Tu l'appelles par son prénom ? Ah oui, c'est vrai que vous avez fait amis-amis avec lui !

— Et alors ? Nos fréquentations ne te regardent pas. Ce ne sont pas des méthodes, ce que tu as fait. Tu ne laisses pas Yanis s'exprimer ! Tu…

— Tu ne vas quand même pas revendiquer un statut d'artiste pour ton mari ! Ne sois pas ridicule.

— Tu es pourtant bien content de le trouver quand tu n'as pas une idée ! Mais en réalité, je crois que tu es jaloux, jaloux de lui, de son talent, de notre vie, de notre couple alors que tu as foiré le tien ! Et tu as décidé de lui pourrir l'existence !

Il bondit de sa chaise.

— Jaloux de ton mari ? Et puis quoi, encore ?

— Pourquoi tu lui coupes les ailes, alors ?

— À ton avis ? La question n'est pas de savoir si Yanis a du talent, le problème c'est qu'il faut le canaliser, il part dans tous les sens, et le mot responsabilité, il n'en connaît pas la signification ! Le jour où tu réaliseras à quel point ton mari, que tu idolâtres, est immature, ça te fera mal, très mal.

Je me levai, et tout en le pointant du doigt, je contournai mon bureau.

— Je t'interdis de parler de lui comme ça ! Je croyais que c'était ton ami, pour ne pas dire le meilleur. Et je te rappelle que tu parles du père de mes enfants !

Je l'attrapai par le bras pour le pousser violemment vers l'entrée de l'agence.

— Fous le camp, je ne veux plus jamais te voir !

— Je savais que tu réagirais comme ça, Véra, me dit-il arrivé sur le seuil de la porte, subitement plus calme. Tu prendras toujours sa défense, ce qui en un sens est normal. J'espère que tu ne le regretteras pas. Mais… es-tu aussi en train de me dire que je ne verrai plus mes neveux et ma nièce ? Tu sais que je les aime, autant que mes propres enfants.

Mon Dieu, jamais je n'aurais pu imaginer que mon frère soit aussi vicieux. Il essayait de me faire flancher avec mes enfants.

— Tu peux les oublier tant que tu n'auras pas présenté d'excuses à leur père. Quant aux jumeaux, ils sont grands, ils ont un portable, ils peuvent m'appeler n'importe quand. Ils n'ont aucune raison de souffrir de la nocivité de leur père.

— Si c'est comme ça que tu vois les choses… Je vais te laisser, puisque tu veux que je m'en aille… mais je reste ton frère. Fais attention à toi.

— Dégage ! criai-je plus fort, tout en ravalant mes larmes.

Il me lança un dernier regard, je refusai d'y voir de la tristesse. Il ne m'attendrirait pas. C'était lui, le responsable de notre rupture. Pourtant, je ne le quittai pas des yeux jusqu'à ce qu'il disparaisse. Je hoquetai une première fois. Je n'avais pas pensé que ça ferait si mal. J'avais perdu mon frère, le dernier membre de ma famille qui me restait. Nos parents étaient décédés depuis déjà de nombreuses années. Nous n'étions plus que tous les deux, Luc et moi. Désormais, j'étais seule. De toutes mes forces, je retenais mes sanglots, tout en sachant que je n'y arriverais plus très longtemps. La sonnerie de mon téléphone me fit sursauter. Yanis.

Je papillonnai des yeux pour m'éviter de pleurer puis soufflai un grand coup avant de décrocher.

— J'allais t'appeler, lâchai-je directement.

— Qu'est-ce qui t'arrive ?

Ma voix enrouée venait de me trahir.

— Rien, lui répondis-je en toussotant. Je viens d'avaler de travers. Comment vas-tu ?

— Pas mal. Dis-moi, j'ai eu Tristan au téléphone.

— Ah bon ? Il te voulait quoi ?

— Il a encore insisté pour qu'on prenne son contrat.

— Il y tient vraiment, il doit être déçu. Il t'en veut ?

— Non, je n'ai pas l'impression, il semble avoir plutôt compris qu'il y avait un contentieux entre ton frère et moi.

Un peu plus qu'un contentieux, même...

— Et figure-toi qu'il nous invite à dîner chez lui ce soir.

— Hein ?

— Bah oui. Sympa, non ? J'ai appelé Charlotte pour savoir si elle pouvait garder les enfants, elle ne peut pas. D'ailleurs, je n'ai même pas eu le temps de lui annoncer pour moi, elle avait l'air très pressée. Tu lui diras à votre déjeuner demain ?

— Oui, oui, je le ferai. Du coup, on ne peut pas ce soir.

Pour être honnête, ça m'arrangeait pour plusieurs raisons. D'abord, je n'avais aucune envie de sortir. Et ensuite, j'avais peur que ça remue trop le couteau dans la plaie pour Yanis.

— Mais si, on peut. Je suis allé voir la concierge, sa fille Caroline n'est pas contre un petit billet pour faire du baby-sit'. Il nous attend pour 20 heures.

— Très bien.

— Tu es sûre que ça va ? Je te trouve étrange.

— Ça roule ! Juste un petit coup de mou, je n'ai pas encore déjeuné.

— Pourquoi ? Ça fait plus d'une demi-heure que tu es en pause.

— Je sais, je n'ai pas vu le temps filer, je regardais des conneries sur Internet.

— File t'acheter un sandwich au moins. Si tu es fatiguée, je peux annuler le dîner.

— Non ! Allons-y, ça me fait plaisir, il est sympa ce mec.

— Si tu le dis. Va manger. Ne te dépêche pas ce soir, je m'occupe des enfants. Je t'embrasse.

— Moi aussi…

Je raccrochai, rongée par le remords. Je venais de mentir à Yanis, ça ne m'arrivait jamais. Je ne supportais pas ça. Même si je m'étais tue pour le protéger des horreurs de mon frère, ça n'était pas une raison. Je n'avais aucune excuse. Pourquoi avais-je fait ça ?

Je consacrai l'après-midi à tout mettre en œuvre pour occulter mon frère et me concentrer uniquement sur Yanis. À ceci près que je savais qu'il serait forcément question de Luc au dîner chez Tristan. D'ailleurs, pourquoi nous avait-il invités, celui-là ? J'espérais que ce n'était pas un traquenard tendu à Yanis pour lui reprocher la perte de temps et le manque de sérieux du cabinet. Après tout, on ne le connaissait pas, Yanis un peu plus que moi, mais bon… Parfois, les gens sont tordus. Ayant déjà mauvaise conscience de lui avoir menti, je n'avais pas voulu lui faire part de mes réserves alors qu'il semblait content de son appel et de l'invitation.

Nous laissions les enfants, heureux comme tout d'être gardés par la fille de la concierge ; la fête en pleine semaine. Pourvu qu'elle réussisse à les coucher pas trop tard… À 20 heures précises, nous sonnions à la double porte de l'appartement de Tristan. Il vivait dans un quartier froid du XVIe, sans vie, sans commerce, un alignement d'immeubles magnifiques, mais dénués d'âme. J'imaginais facilement qu'il ne se prenait pas la tête pour se garer en rentrant après sa journée de travail, il devait avoir un parking surgardé à proximité. Yanis n'arrêtait pas de me lancer des regards plus ou moins inquiets, il fallait croire que la dispute du midi avait laissé quelques traces sur mon visage.

— Tu es sûre que ça va ? me demanda-t-il pour la énième fois alors que nous attendions toujours que Tristan nous ouvre.

— Mais oui ! Je te promets ! Je me demande simplement comment ça va se passer pour les enfants.

— Je connais la réponse : parfaitement. Ça va nous faire du bien cette soirée. OK ?

Je hochai la tête. Yanis me sourit et se pencha pour m'embrasser. Au moment où il s'éloignait de moi, la porte s'ouvrit. C'était moins une. Un peu plus, on se faisait prendre comme deux ados en train de se bécoter en cachette. Tristan, dont la pâleur me frappa comme le jour où je l'avais rencontré, nous accueillit chaleureusement :

— Bonsoir, Véra, Yanis, merci d'avoir accepté mon invitation. Entrez donc. Faites comme chez vous.

Il me serra la main, puis celle de Yanis, qui lui tendit la bouteille de vin qu'il avait achetée pour l'occasion.

— Puis-je vous débarrasser ? me proposa-t-il.

— Merci.

Je lui donnai ma veste, qu'il rangea précautionneusement dans la penderie de l'entrée. Puis, il nous fit signe d'avancer vers le séjour, assez froid au premier abord avec son sol de béton ciré et ses murs sombres, et suffisamment gigantesque pour accueillir un piano à queue. Deux canapés en tissu, séparés par une table basse en verre, se faisaient face. Un mur entier était consacré à la bibliothèque, les autres étaient ornés de tableaux modernes dont le sens m'échappait totalement. Aux quatre coins de la pièce se trouvaient disséminées de petites enceintes qui diffusaient du jazz. Heureusement, le volume n'était pas trop élevé, ce genre de musique avait tendance à m'écorcher les oreilles au bout d'un moment, au grand désespoir de Yanis qui, lui, adorait. Il avait d'ailleurs transmis sa passion à Joachim, en l'inscrivant à des cours particuliers de trombone, ce que lui n'avait pu faire quand il était enfant. Décidément, avec Tristan, ils étaient faits pour s'entendre ! L'oreille attentive de mon mari avait déjà repéré le son ; tous deux entamèrent une discussion musicale. Pendant ce temps, je poursuivis mon tour d'horizon. La seule touche personnelle était un cadre avec trois photos, je compris qu'il s'agissait de ses filles. J'aurais donné n'importe quoi pour m'en approcher et les observer de plus près. À part ça, c'était à l'image que je me faisais de l'homme qui vit seul, mais qui a assez de moyens pour embaucher une femme de ménage à plein temps. *Mon rêve !* Pas un grain de poussière, pas le moindre signe de désordre. Un peu trop clean tout de même. L'absence totale de touche féminine était flagrante, rien que le contenu de la penderie dans l'entrée – un alignement de vestes de costume –, que j'avais réussi à entrapercevoir, aurait dû me mettre tout de suite la puce à l'oreille ; nous ne risquions pas de rencontrer une madame Tristan. Je m'assis sur un canapé, Yanis prit place à côté de moi.

— J'ai mis à décanter une bouteille de rouge, ça vous convient ?

— Parfait pour moi, répondis-je.

— Super, annonça mon mari qui n'arrêtait pas de regarder autour de lui.

Il devait trouver que cet appartement manquait un peu de fantaisie et de couleurs. Déjà que moi je rêvais de mettre le bazar dans la pile de magazines parfaitement empilés sur la table basse, je n'osais imaginer ce qui lui traversait la tête. En revanche, je reconnaissais volontiers qu'il régnait une atmosphère raffinée chez Tristan, non dépourvue tout compte fait d'une certaine convivialité, à laquelle les lumières tamisées n'étaient pas étrangères. En fait, j'avais l'impression de me trouver dans le salon d'un hôtel de luxe, tout était sobre, chic, de bon goût, et hors de prix certainement.

— Qu'avez-vous fait ce week-end pour avoir des mines pareilles ? nous demanda-t-il en servant le vin.

— Yanis nous a improvisé un séjour à la mer avec les enfants, lui répondis-je, surprise d'avoir ouvert la bouche la première. Il ne nous a fallu qu'un après-midi sur la plage pour prendre des couleurs.

Tristan sourit et s'adressa à mon mari :

— Tu es fort !

Yanis rit, pas peu fier de lui.

— C'est vrai, enchaîna Tristan. Je suis incapable de faire un truc quand ce n'est pas organisé à l'avance, et ce dans les moindres détails. Et toi, tu embarques femme et enfants sans réfléchir.

— Je peux t'apprendre, si tu veux !

— Je vais te prendre au mot, ce n'est pas tombé dans l'oreille d'un sourd.

J'assistais en direct à la naissance d'une complicité. Je sentais qu'il n'en fallait pas beaucoup plus pour qu'ils se mettent à se chambrer. Même si j'avais un peu de mal à imaginer Tristan raconter des blagues potaches et graveleuses ou en rire, je les imaginais assez facilement dans quelque temps boire une bière au goulot. Je me fis également la remarque que, si je disparaissais à cet instant comme par enchantement, il n'était pas dit qu'ils s'en rendent compte. Yanis venait de perdre son plus vieil ami, mais il en gagnait un nouveau. Étrange, mais je m'y ferais. Avais-je le choix ? Pas sûr.

— … Et puis, ce qui m'épate, c'est que tu as fait ça après que je te suis tombé dessus au réveil. D'ailleurs Véra, à ce propos, je tenais à m'excuser auprès de vous d'avoir appelé Yanis si tôt le matin, samedi de surcroît. Je suis navré, je n'ai pas réalisé sur l'instant.

— Ne le soyez pas, Tristan. Je vous assure.

— Eh, nous interrompit Yanis, vous ne voulez pas arrêter les politesses et le vouvoiement tous les deux ! J'ai l'impression d'être un gamin avec sa mère qui se prépare à se faire remonter les bretelles par le principal du collège. Ça me rappelle un peu trop de souvenirs.

Je me retins de rire. Yanis n'avait pas tort, je me sentais complètement coincée. Mon interlocuteur n'était pas mal dans son genre, avec toutes ses manières. Une différence de taille entre lui et moi néanmoins : chez lui, elles semblaient naturelles, comme de naissance, alors que chez moi pas du tout. Et il en remit une dernière couche :

— C'est à vous de décider, Véra. Je ne me permettrais pas.

Je me sentis observée par Yanis. Je souris et leur lançai à chacun un regard à travers mes cils. Puis j'attrapai mon verre, et tendis le bras au-dessus de la table basse.

— À la tienne, Tristan ! chantonnai-je.

À partir de là, la discussion se déroula entre nous trois de façon beaucoup plus spontanée. Nous fîmes connaissance tout en parlant de choses et d'autres, alternant banalités et sujets plus profonds, nous racontant des bribes de nos vies sans pour autant trop nous dévoiler. Tristan nous posa beaucoup de questions sur les enfants, leur caractère, l'entente entre eux. Je le fis rire en lui confiant que Violette ne s'était toujours pas remise qu'il l'ait appelée petite princesse.

— Tu as un ticket avec ma fille, lui apprit Yanis, hilare. La prochaine fois qu'elle te verra, je pense qu'elle mettra tous ses déguisements les uns sur les autres pour te montrer l'étendue de son pouvoir de séduction !

— Heureusement que j'ai des filles, je devrais pouvoir gérer.

Son regard s'assombrit un bref instant. Puis il se leva en s'excusant, il devait aller en cuisine quelques minutes. Yanis et moi échangeâmes un coup d'œil. Contrairement à ce qu'il avait pu affirmer chez nous, ce n'était peut-être pas si évident de vivre loin d'elles. En tant que mère, je ne pouvais que le comprendre.

— Tristan, l'appelai-je. Tu as besoin d'aide ?

— Pas du tout, ne bouge pas.

— Et tes filles, alors ? Tu nous as dit qu'elles avaient treize et quinze ans, c'est ça ? Comment s'appellent-elles ?

— Tu as bonne mémoire, me répondit-il de sa cuisine. Clarisse est l'aînée et Marie la seconde. Toujours est-il que je vous souhaite bien du courage pour l'adolescence de vos trois. Ce n'est pas une partie de plaisir !

— À ce point ?

— J'exagère…

— Leur mère a refait sa vie ? lui demanda Yanis, innocemment. Et toi ?

Je lui filai un coup de pied en faisant les gros yeux. Il grimaça pour s'empêcher de hurler. J'avais dû lui faire sacrément mal. Tant pis.

— Véra, pas besoin de martyriser Yanis.

Je sursautai en entendant Tristan qui venait d'apparaître silencieusement. Sourire aux lèvres, il attrapa son verre sur la table basse, puis, demeurant debout près de nous, il but une gorgée de vin sans me quitter des yeux.

— J'aurais posé la même question… si j'étais lui.

Après deux secondes de silence, Yanis éclata de rire.

— On se comprend, entre hommes ! finit-il par dire avant de se lever en me zieutant. Bourrique, tu m'as ruiné la jambe !

Puis il dirigea de nouveau toute son attention sur Tristan :

— Alors, elle se cache où, la femme de ta vie ?

Tristan eut un sourire en coin, me lança un regard d'un air de dire « il ne lâche rien ». Je haussai les épaules.

— Je ne l'ai pas encore trouvée. J'ai arrêté de chercher après quelques relations assez insatisfaisantes.

Il semblait assez blasé, je trouvai ça triste. Et dommage pour lui, qui avait apparemment tout pour trouver quelqu'un avec qui partager sa vie.

— Je vous invite à passer à table !

Tristan était de toute évidence un homme soigneux et soigné. La table était dressée, avec nappe, serviettes en tissu et vaisselle de belle facture. Ça paraissait tellement naturel chez lui que je ne pouvais pas me dire qu'il en faisait trop, ou qu'il cherchait à nous impressionner d'une quelconque façon. Le repas fut à la hauteur de la présentation, il avait mis les petits plats dans les grands. Pourtant, il ne cacha pas qu'il n'y était strictement pour rien. Il avait demandé à sa femme de ménage de préparer le dîner, il n'avait eu qu'à le réchauffer.

À la fin du repas, nous restâmes à table, Tristan nous servit un café, accompagné d'une prune. Son côté désuet, un peu vieille France, était aussi déroutant que drôle, un peu attendrissant même. J'étais assez curieuse de découvrir d'où lui venait cette éducation. En revanche, j'estimais que cela aurait été déplacé de poser la moindre question sur ses origines. Et je savais que, si nous étions amenés à le revoir – ce dont je ne doutais pas en ce qui concernait Yanis –, je pouvais faire confiance à ce dernier pour mettre les pieds dans le plat, il ne s'encombrerait pas de bienséance s'il souhaitait en apprendre davantage sur son nouvel ami. Et puis, je devais reconnaître que la conversation était simple avec lui, il semblait facile de créer du lien avec cet homme.

— Au fait, Yanis, l'interpella Tristan. Les choses se sont apaisées avec Luc ?

Je tournai brusquement le visage vers mon mari.

— Tu ne lui as pas dit ?

— Non, pas encore.

On entama un dialogue silencieux. Moi d'un côté qui l'interrogeais sur son silence radio, lui qui me faisait comprendre que ça le gênait de lui apprendre la situation.

— Quoi ? nous coupa Tristan. Dites-moi. Je ne vous connais pas encore assez pour décoder votre langage.

— Tu n'es pas près de le décoder, lui rétorquai-je sans lâcher des yeux Yanis.

— En réalité, commença celui-ci, j'ai démissionné du cabinet.

— Mais enfin, pourquoi ? J'espère que je ne t'ai pas créé d'ennuis…

— Comme tu l'as compris, Luc t'a envoyé ce mail dans mon dos. Ça a été la goutte d'eau. Nous avions des problèmes de communication depuis quelque temps, et je n'avais aucune liberté.

Tristan, sourcils froncés, visiblement plongé en pleine réflexion, ne quittait pas Yanis du regard.

— Je suis navré, finit-il par lui dire. Je me sens responsable.

— Ne dis pas de conneries !

Tristan soupira, l'air de plus en plus mal à l'aise.

— Bah si… J'ai mis le feu aux poudres en vous courant après pour intégrer votre clientèle.

— Si je peux me permettre, les interrompis-je, Tristan, je ne suis pas loin de te remercier. Sinon, je n'aurais jamais su que Yanis étouffait à ce point en travaillant pour mon frère.

— Je ne voulais pas t'inquiéter inutilement, marmonna mon mari.

— C'est peut-être un mal pour un bien dans ce cas, me rassura Tristan.

Il se leva, marcha de long en large quelques secondes dans le séjour, avant de se planter devant la fenêtre, les mains dans les poches de son pantalon de costume.

— Tu es certain que la situation est irrécupérable ? demanda-t-il à Yanis, regard toujours braqué vers l'extérieur.

— Si je te dis que j'ai passé la journée à chercher du boulot, ça te suffit comme réponse ?

— Effectivement, ça semble assez clair.

Sa bouche se fendit en un drôle de rictus. Ça voulait dire quoi, cette tête ? Prenait-il goût aux reparties de Yanis ? Ou bien était-ce autre chose ? Il me fallait le décodeur.

— Véra dit que tu étouffais, toi tu parles de ton manque de liberté. Ton avenir me semble tout tracé.

— Tu te prends pour Madame Irma ? lui balança Yanis en se levant.

— Ne t'impose pas de nouveau de travailler sous les ordres d'un autre, qui ne te laissera pas plus exploiter ton potentiel. Crois-en mon expérience… Sois ton propre patron. Crée ta boîte.

On est bien d'accord.

Mon mari s'approcha de lui, en passant nerveusement la main dans ses cheveux, un sourire amer aux lèvres.

— C'est amusant que tu me dises ça, Véra m'a fait la même suggestion que toi. Et je vais te donner la même réponse qu'à elle. J'y ai déjà pensé sérieusement, et pas qu'une fois. Encore plus quand des projets comme le tien se présentent, ça titille, bien évidemment. Et me mettre à mon compte représenterait un véritable accomplissement. Mais, contrairement à ce que certains pensent, dont Luc, j'ai les pieds sur terre. J'ai des responsabilités à assumer, nous avons trois enfants, un prêt immobilier sur le dos, des charges. Et si tu veux tout savoir, on n'a pas un rond de côté. Aucune banque ne me suivra.

Ils étaient désormais face à face, on aurait dit deux coqs de combat. Je commençais à craindre une explosion de Yanis, je sentais l'agacement monter chez lui, alors que de son côté Tristan paraissait on ne peut plus calme.

— On ne se connaît pas beaucoup, mais je vais être franc avec toi, Yanis.

Mon mari hocha la tête, perplexe.

— Si je t'écoute, tu as l'envie, le talent, je l'ai constaté. C'est un problème d'argent qui te retient. C'est un faux problème.

— Eh ! Tu vis sur quelle planète ? Ça ne tombe pas du ciel, le pognon.

— Et si je me porte garant pour toi ?

Yanis grimaça.

— Tu viens de le dire, tu me connais à peine. Pourquoi tu prendrais un tel risque ?

— Je te connais assez pour savoir que mon argent ne craint rien avec toi, lui répondit Tristan du tac au tac.

Je déglutis, hallucinée. J'étais spectatrice d'un tournant pour Yanis et sa carrière.

— Sacrée proposition ! souffla Yanis d'une voix étonnamment troublée.

Puis il se tourna vers moi.

— Véra, il est temps d'aller libérer la baby-sitter.

Je compris qu'il fallait partir illico. Il était totalement déstabilisé.

— Attends ! le retint Tristan. Je suis sérieux, je ne me moque pas de toi.

Yanis inspira profondément, mâchoires crispées.

— Eh bien… je te remercie, mais je refuse, je n'ai pas les reins assez solides.

— Je suis sûr du contraire. Parlons-en. Viens à mon bureau demain…

— J'ai dit non !

Pourquoi se fermait-il comme une huître ?

— Si tu changes d'avis…

— Véra, tu es prête ?

— Oui, oui, répondis-je en bondissant de ma chaise. Tristan, puis-je récupérer ma veste ?

— Bien sûr, je m'en occupe tout de suite.

On se retrouva tous les trois dans l'entrée. Notre hôte sortit mon vêtement de la penderie. Un pli soucieux lui barrait le front. Je ne quittai pas Yanis des yeux tout le temps que Tristan, très galant, m'aida à enfiler ma veste. Mon mari décocha son plus gentil sourire :

— Merci pour la soirée, c'était super ! On remet ça.

— J'espère, oui, répondit-il en lui serrant la main.

Yanis ouvrit la porte et s'éloigna sur le palier sans m'attendre. Je m'approchai de Tristan et spontanément lui fis la bise. Il en profita pour me chuchoter à l'oreille :

— J'espère que je ne l'ai pas vexé, ou mis mal à l'aise. Je m'en veux, je n'aurais pas dû lui présenter les choses ainsi, c'était maladroit.

— Ne t'inquiète pas, le rassurai-je à voix basse en m'éloignant. Ça va aller.

Il me retint par le bras.

— Véra, je n'ai pas besoin de vous connaître davantage pour savoir que tu es la seule personne sur terre à pouvoir le convaincre d'au moins y réfléchir. Je ne fais pas de propositions en l'air. Il est doué, il est vraiment très doué.

J'esquissai un vague sourire, et courus après Yanis qui dévalait déjà l'escalier. Je n'entendis pas la porte se fermer.

— Attends-moi !

Pas de réponse, il faisait sa tête de mule.

— Yanis ! Ça suffit !

Il fit un geste de la main et poursuivit sa fuite jusqu'à la rue. Je le retrouvai faisant les cent pas sur le trottoir. Puis, mains croisées derrière le cou, il me regarda avec un sourire contrit.

— Je m'en grillerais bien une.

Il ne manquait plus que ça ! Rien que d'évoquer la cigarette me mit davantage les nerfs à rude épreuve.

— Hors de question ! Tu replonges, je replonge avec toi ! Il t'a pris quoi, là-haut ?

— Ce type est un grand, grand malade !

— Pourquoi ? Il croit en toi ! C'est ça qui te met en colère ? C'est du délire ! Après tout, qu'est-ce qui t'empêche d'y réfléchir ?

— Véra ! C'est niet ! Je ne veux plus en entendre parler.

— Mais…

— S'il te plaît, ne rends pas les choses plus difficiles… Rentrons chez nous.

Il ne dit plus un mot jusqu'à l'appartement et n'adressa pas la parole à la baby-sitter. À peine fut-elle partie qu'il me dit de ne pas l'attendre pour aller me coucher ; il monterait plus tard. Je fis une pause au milieu de l'escalier escamotable pour l'observer, il ne s'en rendit même pas compte. La proposition de Tristan le perturbait à un point que je n'aurais jamais imaginé. Sauf que sa réaction était très révélatrice de l'effet du travail de sape de mon frère, Yanis se cachait derrière un problème d'argent pour ne pas se lancer, il n'avait aucune confiance en lui. Il s'assit quelques secondes sur un tabouret de la cuisine, puis se releva brutalement comme si une mouche l'avait piqué. Et ainsi de suite jusqu'à un moment où il dut se dire qu'il avait besoin d'un petit remontant. Il alla fouiller dans le bar. J'aurais voulu le secouer, le rassurer, mais il était complètement inatteignable. Il ne me rejoignit que deux heures plus tard, au beau milieu de la nuit. Je n'avais toujours pas fermé l'œil, mais je fis semblant de dormir. Il se coucha, sans un geste pour moi, et se tourna sur le côté. Je ne bougeai pas, j'écoutai sa respiration. Je sentais la tension qui émanait de lui et je ne savais pas quoi faire, remplie d'un sentiment d'impuissance, j'aurais voulu le booster, lui injecter une dose de confiance en lui, lui réinjecter la dose de folie qu'il semblait avoir perdue brutalement. Il ne s'endormit pas. Moi non plus.

– 6 –

Yanis

La porte d'entrée claqua sous mon nez. Véra venait
de partir, je pouvais souffler. Après son départ, je repris
la même place que la veille, écroulé sur un tabouret.
C'était bien la première fois que ça m'arrivait. Depuis
que nous étions sortis du lit, je n'attendais qu'une
chose : qu'elle parte, qu'elle me laisse seul avec mes
emmerdes. Son regard anxieux, interrogatif, me rendait malade. Elle attendait des explications sur mon
comportement de la veille chez Tristan, elle espérait
que je réagisse, que je fasse quelque chose, elle voulait
des réponses. *La* réponse. Pourquoi refusais-je catégori-
quement de réfléchir à cette proposition de soutien alors
que depuis trois jours je claironnais que je voulais être à
mon compte ? Quel con j'étais ! J'aurais dû fermer ma
grande gueule ce week-end ! Je ne serais pas à présent
au pied du mur. Mais si… j'y serais de toute manière.
J'avais démissionné sur un coup de tête, persuadé
que je valais mieux que le cabinet et Luc. En étais-je
aussi sûr ? Pas vraiment… Si je cédais aux sirènes de
Tristan, rien ne garantissait que j'y arriverais. Si je me

plantais, ce serait la catastrophe. J'avais des responsabilités de père de famille, de mari, mon devoir était de subvenir à leurs besoins. Sans compter que je voulais les gâter tous les quatre, je voulais prendre une femme de ménage pour que Véra ne se casse plus le cul en rangeant mon bordel et celui des enfants, je voulais lui offrir les robes sur lesquelles elle flashait, ces robes originales qui avaient donné le goût des déguisements de princesse à notre fille, je ne voulais plus retarder l'achat d'un trombone neuf pour Joachim, c'était insupportable de le voir se débattre avec l'instrument minable que je lui avais trouvé sur le Bon Coin. Je voulais nous payer le voyage de nos rêves pour nos dix ans de mariage. Alors prendre tous les risques pour mon boulot... Le jeu de l'indépendance en valait-il la chandelle ? Et surtout qui me ferait confiance ? Luc était le professionnel confirmé, avec les titres. Moi, j'étais quoi, à côté ? Le guignol, le bouffon, celui à qui on demande de bricoler des bidouilles, mais qui n'a pas de cervelle, qui n'a pas fait d'études. Ah, ça m'allait bien de faire le beau, de parader marteau à la main, crayon sur l'oreille et de me prendre pour MacGyver. Sauf que si je me mettais à mon compte, mes clients en attendraient bien plus. Étais-je capable de les satisfaire avec le peu que j'avais entre les mains ? Pourtant j'en crevais d'envie, de cette revanche sur les remarques de Luc. Elle avait beau me dire qu'elle était fière, Véra méritait mieux qu'un type comme moi qui, à bientôt quarante ans, n'avait encore rien accompli d'extraordinaire. Qu'est-ce que j'avais fait tout ce temps ? Rien ! Je n'étais qu'un trouillard, assez minable, qui se cachait derrière les autres. Mais au fond de mes tripes, je voulais que mes enfants fanfaronnent au sujet de la réussite de leur père. Jusque-là, j'arrivais à les faire rêver avec peu de chose, en construisant des châteaux forts, en me déguisant avec eux. C'était encore facile d'être leur dieu. Dans quelques années, que penseraient-ils de moi, si je ne faisais rien de plus ? Joachim, mon petit intello qui rêvait de conservatoire, Ernest, mon petit futé qui pigeait tout plus que vite que les autres, et ma Violette qui, adulte, se détournerait de son père dès que son chemin croiserait celui d'un avocat ou d'un médecin. Et ma Véra, mon grand amour, qui me disait qu'un jour ses yeux ne brilleraient pas pour un type intelligent, cultivé, posé, sachant faire autre chose que des trous dans les murs et danser pieds nus dans le salon ? Rien que d'y penser, cela me mit dans une rage folle, je donnai un coup de poing sur le plan de travail. Puis un deuxième, un troisième. Je frappai. Je frappai pour mes échecs, mes désirs, mes trouilles viscérales. Ce fut la sonnerie de mon portable qui me fit arrêter de cogner. Véra m'appelait déjà.

— Tu as oublié quelque chose ? lui demandai-je.

— Non, et puis je pense que je m'en serais rendu compte plus vite. Il est presque midi.

— Quoi ?

J'avais donc passé près de trois heures à ressasser et à broyer du noir. Elle avait eu le nez creux de m'appeler, j'aurais fini par démolir l'appartement.

— Tu croyais qu'il était quelle heure ?

— Peu importe. Ça va ?

— Et toi ?

— Oui, oui… Tu pars déjeuner avec Charlotte ?

— Non, je l'ai appelée pour annuler…

— Ah bon ? Mais pourquoi ?

— Yanis... on doit parler... Viens déjeuner avec moi... S'il te plaît ? J'ai des choses à te dire.

— Qu'est-ce qui se passe ?

— Pas de panique... j'ai besoin de te voir, c'est tout. Je soupirai.

— OK ! J'arrive !

J'attrapai portefeuille, clés, blouson, casque, et claquai la porte. Je dévalai les six étages de notre immeuble et poussai la porte cochère. La première chose que je vis fut la carotte clignotante du bureau de tabac, je détournai les yeux, fis dix pas vers ma moto, puis demi-tour. « Eh merde ! Qui le saura ? », grognai-je dans la rue. Je retrouvai avec délectation cette odeur de bar-tabac, ambiance PMU, piliers de comptoir. Ça faisait cinq ans que je la fuyais. En revanche, je me retins de piquer une gueulante quand je découvris le peu de monnaie qu'on me rendit sur un billet de dix euros pour un paquet de clopes et un briquet. Je regrettais presque mon geste. Une fois à l'extérieur, je repoussai le moment, je rejoignis ma moto sans me presser, la main serrée sur mon paquet souple. Je jetai un coup d'œil à ma montre, j'avais le temps. Les mains tremblantes, j'ouvris le paquet, sentis les cigarettes, je sniffai. Cinq ans de frustration allaient s'envoler en fumée. Je fis courir mon regard autour de moi, de peur de me faire choper, personne aux alentours qui me dise quelque chose. J'étais comme un ado qui va tirer sur sa première clope en cachette sur un terrain vague. Sauf que je n'avais pas été un ado surveillé, mes parents avaient toujours été coulants. J'en sortis une et la mis à ma bouche, le filtre me sembla particulièrement doux même si je savais que c'était de la foutaise, *sucettes à cancer*, le cliquetis du briquet me sembla plus mélodieux que le meilleur morceau de Herbie Hancock. J'aspirai la première bouffée les yeux fermés, ça m'arracha la gorge, presque jusqu'à la nausée. Pourtant ce que c'était bon ! Tout, l'odeur, la fumée qui me piquait les yeux, la chaleur entre mes phalanges. Et le temps de cette nouvelle première cigarette, je ne pensai plus à rien d'autre. En revanche, dès que le mégot se retrouva dans le caniveau, le visage de Véra, déçue, m'apparut. J'étais vraiment le roi des cons. Trop tard, j'étais irrécupérable et incapable de me dire que cette cigarette était un tout petit accident de parcours et que ça s'arrêterait là. Je fouillai au fond des poches de mon jean et par miracle trouvai ma boîte de cachous.

Lorsque vingt minutes plus tard je me pointai devant l'agence de voyages, j'avais l'impression de puer le tabac par tous les pores de ma peau. Véra était encore en clientèle, elle me vit, je lui fis signe que je l'attendais à la brasserie. Je commandai directement un demi, ça m'éviterait de penser à la clope que je rêvais de griller et ça camouflerait mon haleine retrouvée de fumeur. Accoudé au comptoir, je la vis traverser la rue peu de temps après. Son attitude parlait d'elle-même, sa démarche avait beau être aussi légère qu'à l'accoutumée, ses épaules qu'elle tenait toujours en arrière étaient voûtées, son petit sourire paraissait crispé. Il s'agrandit malgré tout lorsqu'elle me repéra. Elle vint tout de suite vers moi, j'eus le temps d'avaler une nouvelle gorgée de bière avant qu'elle m'embrasse.

— Ça va ? lui demandai-je en repoussant son éternelle mèche de cheveux qui lui entravait le regard.

— Oui, je suis contente de déjeuner avec toi.

— Peut-être bien, mais ta pause gonzesses avec Charlotte va te manquer.

— Ce n'est pas ma priorité ! me rétorqua-t-elle.

— Elle a dû sacrément t'envoyer bouler ?

Un léger sourire se dessina sur ses lèvres.

— Pas tant que ça, j'ai pris le temps de lui expliquer la situation… les changements… tout ça, quoi…

— Ah, et elle dit quoi ?

— Allons nous installer à table, d'abord.

Elle attrapa ma main, celle avec laquelle j'avais fumé, la serra et m'entraîna sous la terrasse couverte. Elle s'arrêta saluer un serveur, qui nous trouva une table à l'écart. Son regard erra quelques secondes au loin.

— Alors, et Charlotte ? Elle doit avoir un avis tranché sur la question.

— Étrangement, ça a l'air de l'attrister, notre dispute avec Luc. Elle ne comprend pas ce qui s'est passé.

Il n'y a pas qu'elle !

— Tu la vois quand ?

— Je ne sais pas, bientôt… Enfin, c'est le cadet de mes soucis…

Le mien, aussi. Le silence s'installa entre nous. Véra ouvrit la carte, fit semblant de la lire. Derrière la mienne, je l'observai, je m'étais bien rendu compte qu'elle n'avait pas fermé l'œil de la nuit pendant que de mon côté j'avais regardé les minutes défiler sur le réveil. Ce midi, ses yeux étaient marqués, et le joli coup de soleil qu'elle avait attrapé sur le nez était pâlichon. Le serveur vint prendre notre commande. J'ajoutai un pichet de rouge à la carafe d'eau dont voulait se contenter ma femme.

— Véra, j'imagine que ce n'est pas que de Charlotte que tu voulais me parler. Ne tourne pas autour du pot.

Elle me sourit. Nous nous regardâmes de longues secondes dans les yeux. Je me sentis mieux, plus confiant. Elle avait ce pouvoir sur moi. Sa seule présence m'apaisait, et ce depuis la première minute. Pourquoi la fuyais-je alors qu'elle avait les réponses ? Malgré son air un peu triste, elle avait ce regard déterminé que je lui connaissais quand elle prenait de grandes décisions.

— Écoute-moi. Et s'il te plaît, ne m'interromps pas toutes les deux secondes…

Je ricanai. Notre vin arriva, je nous servis et en avalai une bonne rasade.

— Vas-y.

Elle soupira profondément, certainement pour se donner du courage.

— Tu veux nous protéger, les enfants et moi, tu veux t'occuper de nous. Je te connais par cœur… Je sais que, pour toi, notre famille et notre bonheur sont ce qu'il y a de plus important. Mais si tu n'es pas heureux, nous ne le serons pas non plus. Il faut que tu te rentres ça dans le crâne ! J'ai l'impression que tu as perdu toute confiance en toi pour le travail. Sinon, pourquoi refuserais-tu de te lancer ?

Je sentais mon paquet de clopes dans ma poche, je déglutis avant de lui répondre.

— Je l'ai dit hier soir, je n'ai pas les reins assez solides, les risques sont trop importants ! Je ne sais même pas si j'en suis capable !

— Si, Yanis, tu en es capable ! Et tu le sais au fond de toi ! Tu te sers de l'argent comme prétexte pour ne pas monter au front !

J'eus encore plus l'impression de passer pour un minable, avec rien entre les jambes.

— Tu crois que j'ai peur ?

— Oui ! À cause de mon frère qui t'a rabaissé, qui a dit non au projet de ta vie !

— Si je me plante ?

— Tu ne te planteras pas ! Tu es doué, combien de fois va-t-il falloir que je te le dise ? Tu es travailleur, courageux, je sais que tu vas te défoncer pour tes clients, tu sais les séduire, tu as des idées hors du commun. Regarde la réaction de Tristan quand il a découvert ce que tu avais fait de notre appartement et celle qu'il a eue en t'écoutant parler de son projet. Oublie mon frère qui a cherché à te démolir. Ne le laisse pas gagner et te renvoyer à la case départ. Vas-y ! Je te fais confiance. Et je t'aiderai, je te soutiendrai.

— Mais l'argent ?

Argument de la dernière chance, mais qui tombait à plat depuis la veille, j'en avais bien conscience.

— Mets un peu ta fierté de côté. Et puis, tout le monde n'est pas Luc. Va voir Tristan, écoute sa proposition, il est prêt à te soutenir. Tu l'as entendu hier soir…

Oh que oui, je l'avais entendu. Si j'avais été seul, sans attaches, j'y serais allé sans réfléchir une seule seconde.

— Et puis, de toute façon, j'ai un travail, on aura mon salaire en attendant que tu gagnes un peu, je ne vais pas me faire virer, on se serrera la ceinture, ce n'est pas grave. Je t'en prie, ne t'empêche pas de réaliser ton rêve, et surtout pas à cause de nous. Tu me disais que tu voulais faire quelque chose avant tes quarante ans, c'est maintenant. Tu as déjà fait tes preuves, ce qui te manque, c'est simplement le coup de pouce pour te lancer. Ne rate pas cette chance. Fonce !

Je vidai mon verre, m'en resservis un autre immédiatement.

— Tu es prête à prendre tous ces risques pour moi ?

Elle secoua la tête en levant les yeux au ciel.

— Mais enfin, Yanis, tu es parti sur quelle planète ? Tu me dirais on lâche tout pour faire le tour du monde en bateau, tu sais bien que je le ferais.

Il était 14 h 30. Je venais de déposer Véra devant son travail. Elle m'avait requinqué, donné la force et le courage d'y aller. Elle m'avait autorisé à faire ce que je m'interdisais. Elle me poussait à me surpasser, et j'allais la rendre fière. Je grimpai sur ma moto, mais, avant de démarrer, j'appelai Tristan. Il décrocha à la première sonnerie.

— Quand peux-tu me recevoir ? lui demandai-je sans plus de manière.

Il laissa filer quelques secondes de silence.

— Maintenant, souffla-t-il.

— Où es-tu ?

Nouvelles secondes de silence.

— À l'immeuble, avec un de tes concurrents.

— Préviens-le que le contrat est remporté par un petit nouveau, rétorquai-je, bravache.

Il ne fit même pas semblant d'être étonné.

— Retrouve-moi à mon bureau dans une demi-heure.

— Je suis déjà en route.

Je raccrochai, et démarrai immédiatement.

Tristan partageait ses locaux avec des avocats d'affaires. La réceptionniste me fit patienter à l'accueil. Je me sentais à l'étroit dans ce genre d'endroits, je dansais d'un pied sur l'autre, mains dans les poches. Tous les types que je croisais dans les couloirs étaient en costard-cravate, alors que moi, je passais forcément pour un touriste en jean, tee-shirt, baskets de ville et vieux cuir. Pas terrible pour parler affaires et paraître sérieux. Deux minutes plus tard, il arriva et m'accueillit chaleureusement comme si ma crise de panique de la veille n'avait jamais eu lieu. Sourire aux lèvres, il me serra la main.

— Bien rentrés hier soir ? me demanda-t-il.

— Ouais, répondis-je en m'ébouriffant les cheveux.

— Suis-moi. Tu veux un café ?

— Pourquoi pas…

Il m'invita à pénétrer dans son bureau et repartit vers l'accueil. Toujours mains dans les poches, je déambulai dans la pièce, parfaitement rangée et impersonnelle. Je finis par me poster face à la fenêtre et me perdis dans la contemplation de la circulation de l'artère en contrebas. Je me forçai à respirer lentement. Un relent de panique et une impression de ne pas être à ma place me saisirent. J'aurais dû embarquer Véra avec moi. Elle m'aurait évité d'être en nage et d'avoir mal au crâne.

— Assieds-toi, me dit Tristan que je n'avais pas entendu me rejoindre.

Je me retournai, il déposa sur son bureau deux expressos et s'installa dans son fauteuil. Je pris une profonde inspiration.

— Je suis désolé pour la façon dont nous sommes partis de chez toi.

— Ne t'en fais pas pour ça. C'est moi le responsable, je te suis tombé dessus, j'ai été brutal dans ma façon de te présenter les choses.

— Brutal, le mot est faible ! ricanai-je. Je n'aurais pas dû réagir comme ça, mais franchement pour un type comme moi, qu'un type comme toi me fasse une telle proposition, c'est complètement… euh… en fait, je ne sais même pas quoi dire !

Il eut un sourire en coin.

— Assieds-toi, tu me donnes le tournis.

Nous nous regardâmes dans les yeux de longues secondes. Si je m'asseyais, ça voulait dire que j'étais prêt à l'écouter, et donc prêt à faire le grand saut. À plonger dans l'inconnu. J'étais écartelé entre la peur et l'excitation. Tristan était imperturbable. Sa patience me scotchait, à sa place, devant un charlot comme moi, j'aurais déjà pété un plomb.

— S'il te plaît, Yanis. M'écouter ne t'engage en rien.

Après tout, il avait raison. Je secouai la tête avant de finir par m'asseoir en face de lui. J'essayai de prendre une pose nonchalante, et ça devait rendre tout le contraire, j'étais totalement contracté, ne sachant pas quoi faire de mes grandes guibolles. Tristan avala son café et garda le silence sans me lâcher du regard. Puis il s'enfonça dans son fauteuil et, après s'être frotté le menton d'un geste machinal, il se lança. Il m'expliqua que son métier était de parier sur le potentiel de biens immobiliers, il pouvait tout aussi bien parier sur le potentiel d'un homme, surtout lorsque le champ d'activité dudit homme l'intéressait, son but était de faire fructifier son argent. Les logements, les baux commerciaux qui lui appartenaient étaient son gagne-pain, sa Bourse à lui, et devaient donc être irréprochables. Ensuite, j'eus droit aux compliments. Dès notre rencontre, il avait aimé ma façon de voir les choses, mon enthousiasme débordant, loin de lui faire peur, le stimulait. Le fait que je sois autodidacte et que je connaisse tous les postes jouait en ma faveur, alors que lui qui avait fait de longues études ne savait rien faire de ses dix doigts, tout lui était toujours tombé tout cuit dans le bec. Il avait beau être désolé de notre rupture avec Luc, il y voyait une opportunité à saisir pour moi. Il m'avoua avoir traversé cette crise de la quarantaine quelques années auparavant, avec ce sentiment de dépendre des autres, d'où sa reconversion, il avait cru déceler chez moi ce doute, ce sentiment. Je lui confirmai qu'il avait visé juste d'un simple hochement de tête. C'était l'addition de toutes ces choses qui lui avait fait penser la veille qu'il était prêt à me soutenir. Il avait conscience de passer pour un fou irresponsable en proposant de se porter garant pour moi auprès des banques alors que nous ne nous connaissions que depuis peu, il s'en moquait, il avait les moyens de m'aider, il refusait de ne pas tenter sa chance… ni la mienne. Quelles raisons pouvais-je lui opposer ? me demanda-t-il. Aucune, bien évidemment. Après un long silence, il ajouta :

— Yanis, je sais que tu ne quittes pas le cabinet de ton beau-frère pour avoir un nouveau chef sur le dos. Tu dois être ton propre patron. Je ne viendrai pas fourrer mon nez dans tes affaires. Que les choses soient claires, OK ? Tu seras libre de tout.

Il avait beau paraître sincère, il y avait nécessairement anguille sous roche. À moins que lui aussi ne me prenne pour un pigeon. C'était trop beau, trop lisse. Tristan n'était pas un mécène, je le savais, sinon, il n'en serait pas là.

— Mais qu'est-ce que tu y gagnes ? Ce n'est pas un acte gratuit. Tu dois attendre quelque chose de moi ?

— Tu as raison, rien n'est gratuit dans le monde des affaires. Tu sais ce que je suis prêt à faire, maintenant à toi de décider. Que me proposes-tu en échange ?

Je me levai de ma chaise, incapable de rester immobile plus longtemps. J'étais cuit, archicuit, je voulais aller au combat, ne plus me laisser dicter ma conduite par la peur et faire ce que je désirais. Les mots de Véra quelques heures plus tôt me revinrent en mémoire. Intérieurement, je souris. Puis, je me concentrai ; je devais réfléchir vite et bien. Si je voulais être honnête, je n'avais pas vraiment établi de business plan ! Même dans mes rêves les plus fous. Heureusement, je ne démarrais pas de rien. À force de côtoyer Luc, j'avais emmagasiné quelques connaissances.

— Je ne veux pas faire de plans sur la comète, lui annonçai-je. Même si je vais me défoncer pour faire ma place, je vais peut-être me planter. Je pars de zéro. À part toi, je n'ai pas de clients et je ne chercherai pas à piquer ceux de Luc. Tu en as conscience ?

— Tu es lucide et honnête, c'est tout à ton honneur. J'aime ça chez toi.

— Arrête deux minutes les ronds de jambe, Tristan ! le coupai-je en haussant le ton.

Nous nous affrontâmes du regard quelques secondes. Lui restait imperturbable, une fois de plus, alors que moi je m'agitais. Qu'est-ce qui pouvait bien l'atteindre ou l'ébranler ? Pas grand-chose, du moins, c'était l'image qu'il donnait. Puis, je repris plus calmement :

— Tu n'as pas l'air de comprendre. Ce que j'essaie de te dire, c'est que je vais peut-être mettre longtemps avant de pouvoir dégager des bénéfices.

— C'est le jeu. Continue.

Il avait décidément réponse à tout.

— Je ne peux donc pas te promettre de pourcentage dessus, en tout cas pas tant que je n'aurai pas de recul sur mon activité.

— Laissons passer le premier semestre avant de faire un état des lieux. Ne te mets pas de pression. Mais Yanis, lâche-toi, je t'en prie, ne te censure pas à cause de l'argent ! Fonce !

Je secouai la tête, complètement halluciné. Il me donnait les clés du paradis. C'était inespéré.

— OK. Mais en attendant, vu ton activité principale, lorsque tu engageras des travaux en tant que propriétaire, je te ferai toute la maîtrise d'ouvrage gratuitement, tu ne me verseras jamais d'honoraires. Ça te semble correct comme deal ?

Il se fendit d'un sourire en coin, le même que la veille, à la limite du rictus de satisfaction.

— Très correct, je n'en attendais pas moins.

Il se leva, fit le tour de son bureau et s'approcha de moi, le visage sérieux, mais une lueur de victoire dans le regard. Il était complètement détendu. À croire qu'il faisait ça tous les jours, que c'était on ne peut plus normal pour lui de s'engager financièrement pour un presque inconnu. Ce type était bluffant. Arrivé devant moi, il me tendit la main. Je la serrai.

— Je suis vraiment heureux de me lancer dans cette aventure avec toi. Je sens que je vais beaucoup apprendre, me dit-il.

— Je te remercie, lui répondis-je en récupérant ma main.

— Bon, Yanis, si tu veux t'installer un bureau ici, j'ai de la place pour toi.

— Je te remercie, mais j'ai un plan gratis !

Ça allait être drôle de réinvestir la garçonnière. *Merci, papa, merci, maman.*

— Ah… très bien. J'imagine que tu es pressé de te mettre au boulot. As-tu un avocat ? Connais-tu quelqu'un qui pourrait s'occuper de la création de ta société ? As-tu choisi une banque ?

— Absolument pas, je vais partir en quête.

— Non, ne t'embête pas avec la paperasse, tu auras suffisamment à faire. Je m'y connais, et comme tu as pu le voir, je suis entouré de personnes compétentes dans ce domaine. Je peux m'en charger pour toi.

Je devais être en train de rêver.

— Euh… je ne sais pas…

— À moins que ça ne te pose problème et que tu ne veuilles t'en occuper. Je comprendrais parfaitement que tu souhaites tout gérer.

— Non… mais… il ne faut pas que j'abuse !

— Aucun risque. Tu as un peu de temps devant toi encore ?

Je n'ai que ça à faire !

— Oui.

— Parfait ! Je vais aller voir si un des avocats est disponible pour t'expliquer tout ça.

Il disparut en moins de deux secondes, et je me retrouvai comme un couillon tout seul dans le bureau, avec la tête en vrac après avoir scellé ce pacte. Je recouvrai malgré tout assez mes esprits pour envoyer un message à Véra lui demandant de mettre du champagne au frais pour ce soir et de prévoir un repas de fête pour les enfants. Elle comprendrait. Les heures suivantes, j'écoutai l'avocat et Tristan en mobilisant au maximum mes neurones. Mais, très rapidement, leur jargon juridique devint du chinois pour moi. Après m'avoir demandé sous quel régime nous étions mariés, Tristan me conseilla de ne pas choisir la même banque que le compte familial pour ne pas tout mélanger, et permettre à Véra de garder ses distances ; il appela son banquier pour moi. Un coursier vint dans la demi-heure déposer des papiers ; je fis des autographes à la pelle. J'avais conscience que tout allait vite, très vite, peut-être trop vite, que je ne prenais pas le temps de réfléchir, de peser le pour et le contre, mais je ne pouvais plus m'arrêter. Impossible de faire machine arrière. L'excitation prenait le dessus sur la raison. Je voulais être dans l'action, me prouver que je pouvais y arriver, ne pas décevoir Véra, la rendre fière de moi, montrer à Luc qu'il avait fait une belle connerie en me sous-estimant, et confirmer à Tristan qu'il avait misé sur le bon cheval.

Lorsque je les quittai, il était plus de 20 heures, j'étais rincé, vidé, mais finalement soulagé : je passais à l'action. Je repoussai loin, très loin, la trouille évidente de me planter. Je n'avais pas droit à l'erreur. Avant de rentrer chez nous, je m'adossai à ma moto et fumai une deuxième cigarette. Plus de brûlure dans la gorge, plus d'yeux qui piquent, plus de nausée. Une fois sur la route, je fis un détour et ralentis devant le cabinet. Derrière la visière de mon casque, je vis Luc penché sur sa table de dessin. De là où j'étais, je pouvais deviner son énervement, sa mauvaise humeur, il devait me maudire. Quel gâchis… Il leva la tête, j'étais certain qu'il savait que c'était moi. Par la pensée, je lui dis au revoir, puis accélérai.

Véra

J'étais si fière de la façon dont Yanis avait rebondi. Depuis un mois qu'il avait saisi sa chance et gérait son affaire, il s'épanouissait à vue d'œil. Il avait de l'énergie à revendre. Heureusement, car il faisait très fort pour son premier contrat. Les locataires de son bienfaiteur attendaient de la démesure avec un budget honteusement indécent. Yanis passait son temps à courir de la garçonnière où il avait installé son bureau au chantier du concept store. En ces premiers jours de juillet où les travaux venaient tout juste de débuter, la pression allait encore monter d'un cran. Le bref soulagement ressenti après avoir trouvé les artisans prêts à travailler tout l'été allait fondre comme neige au soleil. Malgré le plaisir à entrer dans la phase de maîtrise d'ouvrage, les choses allaient se compliquer, et les problèmes ne manqueraient pas d'arriver. Pas besoin d'être dans le métier pour savoir que ça ne se passait jamais comme prévu. Il allait être d'une exigence et d'une minutie extrêmes, il y jouait son début de réputation. Sans oublier qu'il voulait épater Tristan, lui montrer que ce dernier avait eu raison de l'aider à se lancer, que son soutien financier n'était pas vain. Il passait d'ailleurs de plus en plus de temps avec lui, m'en parlait presque tous les jours. La complicité que j'avais senti poindre explosait à présent au grand jour. J'avais aussi le sentiment que Tristan endossait par moments le rôle de coach, il libérait Yanis, le motivait pour aller de plus en plus loin, sans se mettre de barrières. De mon côté, je n'avais pas eu l'occasion de le revoir, je le regrettais.

Bien sûr, l'investissement de Yanis imposait des renoncements et une réorganisation de notre quotidien, je faisais avec et le soutenais du mieux que je le pouvais. Ceux qui marquaient le plus le coup étaient les enfants, qui comprenaient difficilement pourquoi leur père s'occupait moins d'eux. Ils le réclamaient énormément. Je faisais mon possible pour pallier le manque, mais je n'avais pas le temps de jouer avec eux, du moins pas autant que leur père avant. Je prenais tout le quotidien en charge sans me plaindre, même si ce n'était pas toujours facile. Yanis me manquait, j'avais l'impression qu'il se transformait de plus en plus en courant d'air. Mais je savais que le sacrifice en valait la chandelle. Surtout que lorsqu'il était avec nous, il était encore plus présent et heureux qu'avant. Son épanouissement professionnel avait un impact énorme sur son moral. Être libéré de l'emprise de Luc lui donnait des ailes, et ça me rendait heureuse.

Mon déjeuner du mardi avec Charlotte représentait ma pause détente tant attendue. Pourtant, je sentais que depuis le clash avec Luc, quelque chose entre nous s'était brisé. Nous évitions certains sujets, nous bornant aux conversations légères et aux nouvelles des enfants. À demi-mot, elle m'avait fait comprendre qu'elle voyait de temps en temps mon frère. Ça me dépassait, je le vivais comme une trahison, mais je me retenais de mettre les choses au clair avec elle, ayant réellement trop peur que la situation ne dérape.

Je l'attendais à notre terrasse habituelle, sous un rayon de soleil bienvenu. Elle arriva, comme toujours avec un bon quart d'heure de retard, en lançant des clins d'œil et des bises autour d'elle. Lorsqu'elle finit par me rejoindre après son tour de piste, elle m'embrassa puis s'assit en face de moi.

— Comment vas-tu, sauterelle ?

— Ça va, même si je ne suis absolument pas prête à assumer les deux mois de vacances des enfants à partir de ce soir, lui dis-je en riant.

— C'est aujourd'hui la fin des classes ?

— Oui ! soufflai-je.

Elle fit signe au serveur et commanda nos deux salades César habituelles et nos verres de blanc.

— Que racontes-tu de beau ? lui demandai-je.

— Pas grand-chose.

Elle retira ses lunettes de soleil et me passa à l'inspection.

— Tu as une tête affreuse !

— Sympa…

— Je ne vais pas te mentir, tu as des cernes et le teint brouillé. Il t'arrive quoi ?

Je ris légèrement.

— Bah, rien. Je suis plutôt occupée ces derniers temps. Tu le sais ?

— Yanis ?

Immédiatement, mon sourire disparut, je me raidis.

— Quoi, Yanis ? Il a beaucoup de travail depuis qu'il est à son compte. L'enjeu est énorme pour lui.

— Luc aussi croule sous le boulot depuis qu'il s'est fait planter par son bras droit.

— Tu cherches quoi, Charlotte ? rétorquai-je aussitôt, hargneuse.

— Eh, ne monte pas sur tes grands chevaux. Je voulais juste te donner des nouvelles de ton frère. Tu me connais, je titille où ça fait mal.

Je fuis son regard noir.

— Véra, tu as l'air crevée… et légèrement sur les nerfs, finit-elle en ricanant. Tu ne peux pas tout gérer seule… Il te faut de l'aide si Yanis n'assure plus rien avec les enfants.

— Je n'ai pas besoin d'aide, je m'en sors très bien ! Et Yanis fait ce qu'il peut. Je me reposerai plus tard, il y a des périodes dans la vie où on n'a pas le droit de se regarder le nombril.

— Mais…

— Pas de *mais* ! Ce n'est pas étonnant que tu ne puisses pas comprendre. Tu n'as à t'occuper que de ta petite personne, alors ce que je fais te semble insurmontable !

Que me prenait-il de lui parler de cette façon ? Je devenais ingérable.

— Véra, tu n'es pas obligée d'être méchante.

Elle me fixait, désappointée.

— Excuse-moi, je n'aurais pas dû dire ça.

— Tu as de la chance, il m'en faut plus pour me vexer. Mais qu'est-ce qui t'arrive ?

— Rien, soupirai-je. Depuis le début de tout ça, j'ai l'impression que tu nous juges et que tu cherches à casser du sucre sur le dos de Yanis. Je ne comprends pas, je croyais que tu nous soutiendrais… Je ne supporte pas ça, tu le sais, et je ne supporte pas non plus que l'on puisse remettre en cause notre décision.

— Celle de Yanis, plus que la tienne. Non ?

— Je l'ai poussé à se lancer.

— Et ce type aussi ? Tristan, c'est ça ?

— Oui, Tristan croit en lui, et dis-toi une chose, Yanis en avait besoin. Il n'a jamais été aussi heureux, c'est en partie à Tristan qu'on le doit. C'est un type bien.

Elle soupira, je crus déceler de l'exaspération. Puis elle secoua la tête.

— Si tu le dis… Changeons de sujet, ma sauterelle. C'est aussi bien.

— Je crois, oui.

Le soir même, la colère bouillonnait toujours en moi. Différence : elle n'était pas tournée contre Charlotte, mais contre Yanis. J'aurais quand même apprécié qu'il soit là pour m'aider à faire l'annonce du programme des vacances d'été, c'était la tradition. Les enfants avaient dit au revoir à leurs maîtresses pour les deux mois d'été et attendaient de savoir ce que nous leur avions préparé. J'avais fait traîner les choses en longueur, espérant qu'il arrive à temps… en vain. Nous y étions, je ne pouvais plus reculer ; les enfants venaient de dévorer les hamburgers maison pour fêter la fin de l'école, ils buvaient un Coca installés sur le canapé, et j'étais seule, avec la lourde tâche de leur annoncer une mauvaise nouvelle. Je n'avais pas réussi à joindre Yanis, malgré mes nombreuses tentatives. Ils ne me lâchèrent pas des yeux tandis que je m'asseyais sur la table basse en face d'eux. Leur excitation allait retomber comme un soufflet. Joachim donna un coup de coude à son petit frère et fit les gros yeux à Violette pour qu'ils se calment et que je puisse enfin prendre la parole.

— Allez maman ! Dis-nous !

J'inspirai profondément avant de me lancer. C'était si dur de savoir que j'allais les décevoir, les rendre tristes. Et il fallait que je le fasse seule. Je n'avais pas mesuré les conséquences de ces changements sur eux, sur leurs vies, leurs habitudes.

— Alors, mes chéris… cette année, c'est un peu particulier. Papa a changé de travail…

— Oui, on sait, me rétorqua sèchement Joachim.

Il en voulait terriblement à son père. Les enfants sont assez ingrats, ça fait partie de leur charme. Mais c'est dur, en tant que parents, de n'avoir jamais droit à l'erreur. Comment faire comprendre à un petit garçon de huit ans que, par moments, on est obligé de se concentrer sur autre chose qu'eux ? Pourtant, dans les minutes qui allaient suivre, j'enfoncerais davantage Yanis, et je n'y pouvais pas grand-chose. Pourquoi n'était-il pas là ? J'étais certaine que s'il prenait deux minutes pour expliquer la situation à son fils, tout irait mieux.

— Et donc, repris-je. Vous savez aussi qu'il est très occupé… du coup, on va… euh… on va rester à Paris tout l'été…

— On va faire quoi ? brailla Ernest.

Quant à mon aîné, il soupira bruyamment, marmonna dans sa barbe en tapant du pied. Il n'y avait que ma Violette qui gardait à peu près son calme, ses quatre ans la protégeaient encore. Cependant, je voyais bien à son air qu'elle saisissait la colère de ses frères.

— Eh bien, à partir de demain matin jusqu'à mes congés, vous irez au centre aéré toute la journée. Ça ne changera pas beaucoup par rapport aux dernières années. Et après, je vous promets, on fera plein de trucs tous les quatre. Ça sera génial ! Vous verrez ! On ira à la piscine, à la Villette, à Versailles…

— Mais c'est pas des vacances, maman ! m'interrompit Joachim en haussant le ton et en bondissant du canapé. On le fait déjà toute l'année.

— Ne me parle pas comme ça, s'il te plaît, Jojo. On partira l'année prochaine. Et figure-toi qu'il y a plein d'enfants qui ne partent jamais en vacances et qui n'en font pas tout un foin. On vous demande de faire un sacrifice, cette année.

Je me sentais complètement ridicule avec mon enthousiasme feint et mes leçons de morale à deux balles. Mais je ne pouvais pas me permettre de leur dire qu'à moi aussi ça fendait le cœur de ne pas partir comme chaque année à l'aventure, que moi aussi après à peine un mois à ce rythme, j'étais fatiguée de ne presque plus voir leur père, que je ne comprenais pas pourquoi il rentrait si tard. Non, vraiment, je n'avais pas le droit de leur avouer ce que je ressentais.

— Pourquoi on part pas tous les quatre sans lui ?

— Vous voulez laisser papa tout seul ici ?

Il se renfrogna, Ernest piqua du nez, et Violette me regarda, le menton tremblant.

— Je vous promets qu'on va bien s'amuser, leur dis-je d'une voix plus douce.

— Ouais…

— Vous voulez regarder un DVD ce soir ? proposai-je pour faire diversion, et montrer que malgré tout c'était les vacances.

— Non, je vais dans ma chambre, me répondit Joachim sans un regard pour moi.

Puis il se tourna vers son frère :

— Tu viens ?

Ernest lui obéit et le suivit, en me jetant un coup d'œil penaud par-dessus son épaule. Je piquai du nez en soupirant.

— Maman, m'appela Violette d'une petite voix. T'es triste ?

— Non, ne t'inquiète pas. Tu veux aller jouer dans ta chambre aussi ?

— Avec toi !

— D'accord, vas-y, je te rejoins.

Elle s'extirpa du canapé et sautilla jusqu'à moi pour me faire un gros bisou. Je me réfugiai l'espace de quelques secondes dans sa douceur innocente. Puis elle disparut. *Yanis, où es-tu ? J'ai besoin de toi. On ne va pas y arriver si tu ne réalises pas ce qui est en train de se passer dans la tête de tes enfants.* Je secouai la tête, dépitée, et partis rejoindre ma fille dans le monde des princesses.

Violette s'endormit bien vite pendant que je lui lisais une histoire. Ensuite, j'attendis 22 heures pour proclamer l'extinction des feux, n'ayant pas eu le courage, avant, d'affronter mes fils. À cette heure-là, j'étais certaine qu'ils seraient mûrs. Effectivement, tout se passa sans un cri, mais sans un mot non plus à mon égard. Une fois la porte de leur chambre refermée, je me sentis bien seule. Préférant ne pas rester à zoner dans l'appartement, je décidai d'aller me coucher. J'attrapai un magazine sur la table basse, ça me ferait patienter jusqu'à l'arrivée de Yanis. J'avais deux, trois petites choses à lui dire. Mieux valait pour lui qu'il ne traîne plus trop, mes nerfs étaient déjà bien assez à fleur de peau. Mais qu'est-ce qu'il fabriquait ? Il aurait quand même pu se fendre d'un coup de téléphone ou répondre à mes textos. Ce n'était pas la mer à boire, tout de même !

Je venais tout juste de me glisser sous la couette lorsque j'entendis la porte d'entrée claquer bruyamment. Il n'allait pas en plus me les réveiller ! Je m'adossai contre la tête de lit et croisai les bras. Il gravit l'escalier en sifflotant.

— Véra, tu es là ?

Où veux-tu que je sois ?

— Ouais, grognai-je.

— Désolé, je n'ai pas vu le temps passer.

Il traversa notre chambre, sourire aux lèvres, et m'embrassa sur le front. Puis il fila dans la salle de bains sans s'arrêter de parler :

— Aujourd'hui, ça a envoyé du lourd, la démolition est presque terminée. C'était génial ! Du coup, j'ai proposé à Tristan de passer ce soir pour qu'il se rende compte. Si tu avais vu sa tête…

Moi, j'ai vu celles de tes enfants.

— Limite, il a flippé, je me suis tapé un de ces fous rires ! Après, on est allé boire un verre dans le troquet d'à côté, et finalement, on est restés manger un morceau…

J'arrêtai de l'écouter. De toute manière, je ne comprenais plus rien à ce qu'il disait car il s'était mis à se brosser les dents, avec un acharnement incompréhensible d'ailleurs. Il finit par exécuter un vol plané sur le lit pour se coucher. Il éteignit la lumière sans se rendre compte que j'étais toujours assise et absolument pas prête à dormir. Je serrai et desserrai mes mains, pour m'éviter d'exploser. Sa légèreté m'exaspérait.

— Je suis rincé. Je te promets de rentrer plus tôt demain soir. Et ne t'inquiète pas, j'emmène les enfants à l'école.

Celle-là, je ne m'y attendais pas ! Il essaya de me faire glisser dans le lit. Je résistai.

— Allonge-toi, me dit-il d'un ton joueur, en remontant ma nuisette.

— Yanis... les enfants sont en grandes vacances depuis ce soir, balançai-je froidement.

Il fit un bond et ralluma la lampe de chevet.

— Comment j'ai pu oublier ça ? Mais quel con !

Je lui jetai un regard noir en biais.

— Ça, tu peux le dire. J'ai essayé de t'appeler ! Tu n'as pas vu ?

— J'ai oublié mon téléphone à la garçonnière. Véra, je ne sais pas... Je suis désolé...

Il passa frénétiquement ses mains dans les cheveux.

— Je les ai prévenus...

— Qu'on ne partait pas...

— Oui. Et ça a été hyper dur, particulièrement pour Joachim, il est très en colère... Ernest n'est pas bien non plus, et Violette n'a pas vraiment saisi pourquoi ses frères râlaient, mais elle était tristounette.

Il se redressa complètement.

— Je n'ai vraiment pas assuré sur ce coup-là.

— Effectivement. Il va falloir te rattraper. Les enfants en ont déjà marre de moins te voir. Je sais que tu n'y peux rien, mais tu t'occupes moins d'eux… ils ne savent pas ce que tu fais à longueur de journée.

— Je travaille ! se défendit-il, les yeux exorbités.

— Oui, moi, je le sais. Mais pas eux ; on ne va plus au cabinet, on ne voit plus Luc, et on s'est simplement contentés de leur dire que tu avais changé de boulot… Ils sont perdus.

Il s'écroula à côté de moi et caressa ma joue.

— Je vais trouver quelque chose, je te promets…

— J'espère. Il est temps de dormir.

Je m'allongeai en le poussant avec mes pieds pour qu'il me laisse de la place, et éteignis la lumière sans attendre qu'il me rejoigne. Je l'entendis soupirer, puis, en passant au-dessus de moi, il se mit sous la couette. Il m'attrapa par la taille, et m'approcha de lui en se collant dans mon dos.

— Tu boudes ? murmura-t-il.

— À ton avis ?

Il étouffa un petit rire dans mon cou qui se transforma en quinte de toux.

— Tu as attrapé froid ? lui demandai-je.

— Je ne sais pas, peut-être…

Je la connaissais, cette toux, elle me rappelait des souvenirs. Étrange…

— Fais attention à toi, s'il te plaît. Je dois déjà gérer les enfants, je ne veux pas t'avoir malade sur les bras en plus.

— Tu m'en veux vraiment ?

— Ce n'est facile pour personne, Yanis.

— On va trouver nos marques. Je vais réussir, je t'en fais la promesse.

— Je n'en doute pas, mais faisons en sorte de ne pas en payer le prix fort. Bonne nuit.

Il ne répondit rien, mais se serra plus étroitement encore contre moi.

Sitôt le réveil enclenché, Yanis sauta sur ses pieds. À croire qu'il était réveillé depuis un moment et attendait le feu vert pour se lever.

— Je me douche vite fait et je m'occupe des enfants.

Je sortis la tête de la couette, les yeux encore mi-clos, et le vis en train d'attraper un jean et un tee-shirt propres dans le dressing. Ensuite, il vint m'embrasser avant de s'enfuir – impression qu'il me donna – dans la salle de bains.

— Profite du lit encore un peu.

Et il disparut. Quelle mouche l'avait piqué ? Ce n'était pas juste en préparant le petit déjeuner des enfants qu'il allait rattraper les choses avec eux, ni avec moi. Pour ma part, ça ne changeait pas grand-chose de gagner cinq minutes sur mon programme du matin, je n'avais pas l'intention d'arriver plus tôt au travail. Une fois la salle de bains libérée, je pris la place, mais la douche, contrairement à d'habitude, ne me détendit pas. Je ne me sentais pas bien, et je n'arrivais pas à mettre le doigt sur les raisons de cette humeur en demi-teinte. Évidemment, la défection de Yanis la veille, la colère des enfants n'étaient pas étrangères à mon état d'esprit, mais je savais au fond de moi qu'il y avait autre chose, sans pour autant parvenir à mettre le doigt dessus. Lorsqu'un peu plus tard je descendis l'escalier, je fus accueillie par les rires et les cris de joie des enfants. Auraient-ils si vite passé l'éponge ?

— Maman ! cria Ernest en se ruant sur moi.

— Que se passe-t-il ?

— On ne va pas au centre !

Il repartit vers la cuisine en courant.

— En quel honneur ? demandai-je en le suivant.

J'embrassai Joachim et Violette et regardai Yanis. Il avait un immense sourire aux lèvres.

— Je les prends avec moi toute la journée, ce matin, on sera à la garçonnière, et cet après-midi, visite de chantier pour nos artisans en herbe, m'annonça-t-il, visiblement fier de lui.

Il tapa dans les mains de ses fils.

— Je ne suis pas certaine que…

Yanis prit mon visage en coupe.

— Nous allons passer une très bonne journée tous les quatre. Tes remarques d'hier soir m'ont fait comprendre que les enfants me manquaient terriblement… alors, autant joindre l'utile à l'agréable. Et en plus, ils sauront ce que je fabrique de mes journées.

Le ton de sa dernière phrase fut nettement plus sec, il n'avait pas apprécié que je puisse supposer qu'il ne travaillait pas. *Foutu quiproquo*. Il me lâcha et partit me servir un café, je croisai le regard de Joachim. Je compris que la journée en compagnie de son père ne suffirait pas à le calmer et qu'il n'était pas dupe de ce qui me traversait l'esprit. Notre grand était parfois un peu trop perspicace pour son âge. Je finis par m'installer à côté d'eux. Le petit déjeuner était un moment important chez nous, on s'y parlait, on y riait, on se câlinait. Mais ce matin, je me sentis plus spectatrice qu'actrice. Je picorais ma tartine, je buvais à petites gorgées mon café en les écoutant évoquer leur journée ensemble au travail de Yanis. Malgré ses réserves, Joachim ne pouvait s'empêcher d'être embarqué dans la liesse générale, et je m'en réjouissais pour lui. Les enfants explosèrent de joie lorsque Yanis promit de leur acheter un casque de chantier. Ernest et Jojo se mirent à courir dans l'appartement, Violette applaudissait en criant des « merci, papa ». J'étais certaine qu'ils passeraient tous un merveilleux moment, Yanis transformerait tout en terrain de jeu à leur passage. Alors qu'est-ce qui me retenait ? Pourquoi étais-je incapable d'y participer ? D'où me venait ce poids sur l'estomac ?

Au moment où nous quittâmes tous l'appartement, je n'avais quasiment pas desserré les dents. La voiture était garée à proximité du métro, aussi les accompagnai-je. Sur le chemin, Yanis attrapa ma main dans la sienne, il la serra fort. Je ne quittai pas des yeux nos enfants qui marchaient devant nous sur le trottoir en se racontant des histoires.

— Tu boudes toujours ?

Je le regardai, son inquiétude était palpable. Qu'étais-je en train de faire ? L'accabler de reproches n'était certainement pas la solution.

— Non, j'ai simplement la tête ailleurs.

— J'aimerais bien savoir où elle est, ta jolie tête…

— Pas très loin…

— Si demain, on se fait une soirée en amoureux, tu me diras où elle est ?

— Peut-être bien, lui répondis-je malicieusement, ce fut plus fort que moi.

Je ne supportais pas qu'on se dispute ou qu'on ne soit pas d'accord. J'avais beau être une râleuse de première, je détestais les engueulades.

— Ça va aller, Véra. Je te promets.

— Tu l'as déjà dit. Allez, filez, profitez de votre journée.

Nous étions arrivés à la voiture. Je me tournai vers mes enfants.

— Bisous, leur dis-je.

J'eus droit à un câlin général, ça me requinqua. Puis Yanis me prit dans ses bras.

— Tu me donnes de vos nouvelles dans la journée ? lui demandai-je.

— Évidemment !

Je l'embrassai rapidement, et me dirigeai vers le métro, en entendant leurs rires. Oui, ils allaient passer une bonne journée, et les enfants profiteraient de lui. C'était ce que je voulais, après tout !

Dans la journée, Yanis me fit partager tous les moments importants en m'envoyant plusieurs photos ; les enfants en train de dessiner à la garçonnière, les enfants avec leurs casques, les enfants Pom'potes à la main à l'entrée du chantier. Sur un des clichés, je crus apercevoir Tristan. Mon cœur se serra, Yanis passait plus de temps avec cet homme, dont j'entendais toujours parler et que je n'avais vu que deux fois, qu'avec moi.

En quittant mon travail ce soir-là, j'appelai Yanis avant de descendre dans le métro.

— Vous vous êtes bien amusés d'après ce que j'ai vu, lui dis-je sitôt qu'il décrocha.

— Comme des petits fous ! Tu nous as manqué. On aurait préféré que tu sois là… Ça t'a plu, les photos ?

— Oui, merci ! Tristan est passé ?

— Les enfants l'adorent ! Tu n'imagines pas !

— Tant mieux. Vous faites quoi, là ? Tu veux que je les récupère ?

— Je me disais que tu pourrais plutôt venir nous rejoindre et qu'on passe la soirée tous les cinq à la garçonnière.

— Génial ! Je fais des courses et j'arrive !

Je pris mon temps pour rejoindre la garçonnière. Après tout, rien ne pressait. Les enfants ne m'attendaient pas, ils étaient avec Yanis, qui profitait d'eux tout en travaillant. Et moi, ça me donnait l'occasion de flâner, pour me vider la tête. Les dernières vingt-quatre heures m'avaient épuisée moralement. J'allais devoir me ressaisir, je ne pouvais pas tomber sur Yanis à la moindre erreur, il fallait que je sois juste avec lui, c'était moi qui l'avais poussé à se mettre à son compte. Je ne pouvais pas non plus lui en vouloir pour les vacances – c'était encore moi qui lui avais proposé qu'on ne parte pas – et il n'était pas responsable de l'attitude de Charlotte. Je devais à tout prix retrouver mon habituel état d'esprit : vivre au jour le jour, sans me prendre la tête. Nous avions toujours fonctionné ainsi, moi la première. Je finis par accélérer le pas, j'avais envie de les retrouver, j'avais besoin d'être avec eux. En plus, il faisait beau et assez chaud, nous allions pouvoir prendre l'apéro et même peut-être dîner dans la cour de l'immeuble. J'avais installé quelques années auparavant une petite table et des chaises pliantes en métal devant la porte. Comme chez nous, et toujours de bon cœur, Yanis s'occupait de tous les travaux de l'immeuble, il avait commencé ado, du temps où il y habitait avec ses parents et avait continué lorsqu'il avait investi la garçonnière. Notre déménagement et le départ de ses parents en maison de retraite n'avaient rien changé, nos enfants pouvaient profiter de la cour, et nos apéros estivaux ne causaient de problème à personne. Je fis une halte chez un traiteur italien du quartier et à la boulangerie ; ma Carte bleue chauffa. On se ferait des planches de charcuterie fine et de fromages, les enfants grignoteraient des gressins en attendant que leurs pizzas maison chauffent. Un repas de vacances. À une cinquantaine de mètres de la garçonnière, derrière mes lunettes de soleil, j'aperçus au loin, arrivant en face de moi, une silhouette sombre. En approchant, je reconnus Tristan. Yanis avait dû lui proposer de se joindre à nous, et ça ne m'étonnait pas vraiment... La brève déception ressentie s'envola, je m'en fichais qu'il soit là ; le principal étant que nous soyons tous les cinq. J'avais bien fait de voir large niveau quantité pour le dîner. Nous avancions l'un vers l'autre, il esquissa un sourire en coin en me reconnaissant, et me fit un petit signe auquel je répondis par un hochement de tête, j'avais les mains prises par les sacs de courses. Je fus la première à arriver devant la porte de l'immeuble. Il pressa le pas pour me rejoindre.

— Bonjour, Véra, me dit-il tout en me débarrassant de mes sacs.

— Merci ! Bonjour, Tristan ! Ça me fait plaisir de te revoir !

Nous échangeâmes une bise. Puis j'ouvris la porte, tout en continuant :

— Il était temps, tout de même.

— Ça ne t'embête pas que je me joigne à vous ? Tu es sûre ?

— Non...

— Papa ! hurla Ernest au moment où nous pénétrions dans la cour. Maman arrive avec Tristan !

— Excuse-moi, dis-je à ce dernier.

Je courus en direction de mes trois enfants qui arrivaient à toute vitesse. J'avais envie de les « sentir ». Violette me sauta dans les bras, Ernest s'accrocha à mes jambes, et Joachim s'appuya contre moi.

— Quel accueil, mes loulous ! Vous avez l'air en pleine forme !

Ils se mirent tous les trois à parler en même temps, me racontant dans un brouhaha tonitruant les aventures du jour. Je ne comprenais pas un traître mot de ce qu'ils me disaient, mais leur bonheur me donna un regain d'énergie. Violette regarda derrière moi, elle eut un sourire qui se voulait timide alors qu'il ne l'était absolument pas.

— Ça va, petite princesse ? lui demanda Tristan dans mon dos.

Ma fille roula des yeux de contentement.

— Et vous, les garçons ? poursuivit-il.

Yanis sortit de la garçonnière et nous rejoignit en trois enjambées, sans me quitter des yeux, un grand sourire aux lèvres. Sans aucune gêne vis-à-vis de Tristan, il m'embrassa à pleine bouche. Je fermai les yeux et soupirai d'aise.

— Ça va ? me demanda-t-il à l'oreille.

— Oui, tu as eu une bonne idée pour ce soir.

Il me fit un clin d'œil, et se dirigea vers Tristan.

— C'est cool que tu sois venu ! lui annonça-t-il en lui donnant une tape dans le dos. Bon, on boit un coup !

J'éclatai de rire.

— Laisse-nous le temps d'arriver !

Je mis Violette par terre et me souvins que Tristan était toujours encombré par mes courses.

— Tu veux que je t'apporte tout ça à l'intérieur ? me proposa-t-il à l'instant où je me tournai vers lui.

Je les lui attrapai.

— C'est bon, je te remercie !

Je franchissais le seuil de la garçonnière lorsque Yanis m'interpella :

— Tu vas voir, j'ai mis des bulles au frais !

— En quel honneur ? lui demandai-je en le regardant par-dessus mon épaule.

— Aucun !

En entrant dans la pièce, je me retins de lui faire une remarque en découvrant le chantier qui y régnait, absolument pas dû aux enfants, exception faite des papiers de bonbons semés comme les cailloux du Petit Poucet ! Près du frigo, je trouvai même des devis, des feuilles gribouillées de notes et d'esquisses de plans. Je fis une pile du tout et la mis sur le bureau sur lequel Yanis était censé travailler. Puis je dépliai la petite table de cuisine fixée au mur pour préparer nos planches et l'apéritif. Les enfants choisirent cet instant pour débouler près de moi.

— On mange quoi, ce soir ?

— Des pizzas, mais ce n'est pas pour tout de suite ! Vous n'allez pas dîner à 19 h 30 tapantes alors que ce sont les vacances !

Joachim me fit un grand sourire, il semblait tellement plus détendu que la veille. Quel soulagement !

— Allez jouer, je fais un apéritif pour vous aussi !

— Trop bien !

Ils filèrent. Je ne devais pas autant m'inquiéter pour eux, un rien leur faisait plaisir, et tout allait bien pour notre famille. Je trouvai un verre avec un fond de vin blanc ; Yanis avait débuté son apéro sans nous attendre. J'allais me charger de le finir en déballant ma charcuterie.

— Véra ?

Planche à découper en main, je me tournai vers l'entrée, Tristan se tenait dans l'encadrement.

— Je peux t'aider à faire quelque chose ?

— Non, je te remercie. Enfin… si, attends. Peux-tu demander à Yanis de venir ?

— Il est au téléphone.

— Ce n'est pas grave, lui répondis-je avec un sourire. Entre donc !

Je papillonnai à droite à gauche, récupérant des assiettes, des couverts, les verres. Je sortis les flûtes aussi, préparai un saladier de chips pour les enfants.

— C'est pour le chantier, son appel ? le questionnai-je.

— Je crois bien.

À sa façon de déambuler dans la garçonnière, je sus qu'il y était souvent venu. Finalement, c'était un peu comme s'il avait toujours été là, à nos côtés. Je sentais bien qu'il me scrutait pendant que je m'activais.

— Tu es certaine que je ne peux rien faire ?

— Oui, je t'assure.

Je lui jetai un coup d'œil. J'avais oublié à quel point, malgré son aisance, il détonnait dans notre environnement, avec ses costumes noirs, son visage sérieux, ses expressions empruntées, ses manières élégantes et retenues. Je ne le connaissais qu'au travers des paroles de Yanis. Brusquement, en l'observant, je réalisai que j'avais des choses à lui dire. C'était peut-être l'occasion. Je lâchai mes préparatifs et m'approchai de lui. Il recula de deux pas.

— Tristan, je tenais à te remercier pour ce que tu as fait…

Il planta son regard sombre dans le mien.

— Ça me semblait important que je te le dise. Merci pour Yanis… il n'a jamais été aussi heureux.

Il se dirigea vers l'entrée et fixa Yanis qui gesticulait dans la cour, toujours au téléphone. À quoi pouvait-il penser ? J'avais vraiment l'impression qu'il pesait chacune de ses réflexions, chacun de ses mots.

— Tu sais, finit-il par dire après ce qui me sembla une éternité, quand je vois ce qu'il a déjà accompli, et l'énergie qu'il y met, je n'ai aucun regret. J'ai une totale confiance en ton mari, il va réussir. C'est une certitude.

Je l'entendis inspirer profondément. Puis il se tourna de nouveau vers moi et combla la distance qui nous séparait, un sourire aux lèvres, avant de poursuivre :

— Je peux te renvoyer le compliment.

— De quoi parles-tu ? lui rétorquai-je en fronçant les sourcils.

— Tu soutiens Yanis. Je le sais, il me l'a dit. Il m'a expliqué que tu prenais tout le reste en charge pour qu'il se consacre à son job. Alors s'il réussit, c'est en partie grâce à toi, moi je ne suis que la caution. Et donc, si mon investissement dans sa boîte me rapporte un jour, je lui dirai merci, mais à toi aussi, je le dirai.

— Je ne vois pas vraiment les choses sous cet angle, lui répondis-je, gênée.

Il ricana.

— J'étais à peu près certain que tu me ferais une réponse de ce type. Vous formez une très belle équipe à vous deux.

— Euh…

— Tristan ? nous interrompit Violette.

Je me retins de rire en la découvrant coiffée d'un casque de chantier dix fois trop grand pour elle.

— Tu crois que les princesses portent ça ? lui demanda-t-elle.

Il se baissa à son niveau.

— Tu es la seule et l'unique. C'est ce qui te rend précieuse.

Elle bicha davantage. Et là, je ne pus me retenir de rire.

— Tu as l'art et la manière de te la mettre dans la poche, annonçai-je à Tristan avant de retourner à mes préparatifs.

— As-tu fini de faire du charme à ma fille ? charria Yanis en entrant dans la garçonnière.

Tristan rit à son tour et se redressa. Yanis balança son téléphone sur son bureau, au milieu de ses papiers, et vint se coller dans mon dos. Il m'embrassa dans le cou.

— J'ai soif, lui dis-je.

— Et moi donc ! On l'ouvre, ce champagne !

Chargée de l'apéro, je sortis dans la cour suivie par les enfants pendant que les hommes se chargeaient du contenu de nos verres.

À plus de 21 h 30, nous étions toujours dans la cour, mais nous commencions à baisser le ton. Violette venait de s'endormir vautrée sur mes genoux, les garçons jouaient à l'intérieur. Je caressais les cheveux de ma fille, distraitement, tout en sirotant un verre de rosé.

— Je passe une excellente soirée, finis-je par dire. En revanche, Yanis, il va falloir qu'on pense à aller coucher les enfants.

— C'est vrai que ce n'est pas le week-end, et demain, je ne peux pas les prendre avec moi. Direction le centre aéré. Mais j'essaierai de les garder quelques jours jusqu'à tes vacances.

— Tu feras ce que tu peux, aujourd'hui, ça les a déjà requinqués, le rassurai-je avec un grand sourire aux lèvres.

Il écarta délicatement une mèche de cheveux de mon visage.

— Et toi, Tristan ? Prends-tu des vacances ?

— J'ai une maison de famille sur la Côte normande, j'y serai en août. C'est pratique, ça me permet de faire des sauts à Paris, si besoin.

— Tu emmènes tes filles ?

— Normalement, oui, si j'arrive à les convaincre que deux semaines avec moi ont quelque chose d'amusant. Crois-moi, ce n'est pas gagné !

Il riait, pourtant sa voix était empreinte de tristesse.

— Elles ont forcément envie de passer du temps avec leur père.

— Si j'étais un peu plus comique et que j'avais une vie mondaine, ça leur plairait davantage ! me répondit-il en riant. À leur âge, il leur en faut plus que le club Mickey ou une glace sur la digue après dîner pour les occuper et les satisfaire. Et comme je ne les vois pas souvent, j'ai tendance à avoir du mal à leur laisser des libertés.

— Tu as réfléchi à ce que tu allais faire avec elles ? lui demanda Yanis.

— Absolument pas ! Si tu as des idées, je suis preneur !

— Je suis sur le coup, compte sur moi !

Notre invité se tapota les cuisses et se leva.

— Je vais vous laisser rentrer chez vous.

— Ouais, il est temps d'y aller, embraya Yanis.

Il se mit debout à son tour et attrapa les verres. Puis il se pencha vers moi et embrassa mon front.

— Ne bouge pas, on s'occupe de tout.

Ce ne fut pas désagréable de rester assise à observer mon mari et son nouveau meilleur ami débarrasser. Ils rangèrent les restes de notre dîner en discutant et en riant. Tristan était entré dans nos vies tellement facilement et si naturellement ; j'avais du mal à réaliser que ça ne faisait que deux mois que nous le connaissions. Au loin, j'entendis Joachim lui apprendre qu'il faisait du trombone ; il fallait qu'il se sente particulièrement à l'aise avec lui, notre aîné se laissait difficilement approcher. Il avait vraiment conquis les enfants, ça me plaisait, et me rassurait quelque part. J'étais de nature trop méfiante.

Un petit quart d'heure plus tard, Yanis fermait à clé la garçonnière, mon sac à main sur l'épaule. Sans réveiller Violette toujours dans mes bras, je me levai, et notre petite troupe quitta l'immeuble. Tristan nous escorta jusqu'à notre voiture.

— Merci beaucoup pour la soirée, nous dit-il.

Il soupira et fit un grand sourire en nous regardant longuement. Il paraissait ému, heureux en tout cas. C'était difficile de percer ses pensées, Tristan était un homme secret, mais il devait être extrêmement seul, je le devinais. Ses filles semblaient lui manquer plus que tout, malgré ce qu'il en disait. J'étais contente d'avoir passé cette soirée avec lui en famille. Il ébouriffa les cheveux des garçons. Puis il effleura la tête de Violette d'une caresse, avant de me faire une bise.

— Rentre bien, lui dis-je.

Le temps de m'occuper de ma fille, Yanis et lui se dirent au revoir en trouvant le moyen d'échanger deux, trois mots sur le chantier du concept store.

— À bientôt ! nous salua-t-il.

Je grimpai à ma place et le vis s'en aller. Au moment où la voiture démarra, j'aperçus Tristan revenir en courant vers nous.

— Attends, Yanis, il a peut-être oublié quelque chose.

Je baissai ma vitre au moment où il arriva à notre hauteur. Il se contorsionna pour pouvoir nous parler.

— Désolé de vous retarder, mais je viens de penser que j'avais oublié de vous proposer quelque chose.

— Oui, dis-nous, l'encouragea Yanis.

— Je sais que vous ne partez pas en vacances à cause du boulot, mais vous allez peut-être avoir envie de prendre l'air, ne serait-ce qu'un week-end prolongé. Ma maison en Normandie vous est ouverte en permanence. J'ai assez de chambres pour loger un régiment. Ça serait trop dommage de ne pas en profiter. Je peux même vous filer les clés si je n'y suis pas. Surtout, n'hésitez pas. D'accord ?

Je restai sans voix. Yanis se chargea de répondre, sa main allant broyer celle que Tristan lui tendait.

— Waouh, tu es unique, toi ! Je ne te dis pas non. On va y penser sérieusement. Merci !

Tristan eut un large sourire.

— Je t'en prie, ça me fait plaisir. Véra ? m'interpella-t-il en me cherchant du regard. Tu y penseras aussi ?

L'autorité qu'il dégageait m'impressionna.

— Oui, soufflai-je. Merci beaucoup.

— Bien. Maintenant, je vous laisse aller coucher vos enfants !

Il donna une petite tape sur la portière et s'éloigna. Yanis démarra et s'inséra dans la circulation. Tristan nous fit un grand signe de la main lorsque la voiture passa à côté de lui.

— Il est incroyable, ce mec, balança Yanis.

— Je suis d'accord avec toi, soufflai-je.

— Papa ! Maman ! nous appela Joachim. On va partir en vacances avec Tristan ?

C'est toujours quand il ne faut pas que les enfants ont les oreilles qui traînent.

— Peut-être quelques jours, mon grand, lui répondit son père.

N'arrivant pas à trouver le sommeil, j'essayais de rester le plus immobile possible pour ne pas empêcher Yanis de dormir. Il fallait croire que ce n'était pas suffisant, il se tourna vers moi et me prit contre lui.

— À quoi penses-tu ?

— Plein de choses.

— C'est-à-dire ?

— Ton travail, nos vacances, Tristan… Je ne savais pas que tu lui avais parlé de notre décision pour cet été.

— Oh, tu sais, j'ai dû dire ça dans une conversation, sans m'en rendre compte.

— Tu t'entends vraiment bien avec lui ?

— C'est clair. Ça te gêne ?

— Non, bien sûr que non ! Je m'interroge simplement sur le conflit d'intérêts. Je veux dire, c'est ton garant auprès des banques… et vous êtes amis…

— Je me la suis posée, cette question. Je lui en ai même parlé. On a mis les choses au clair, on ne mélangera pas les deux. Regarde ce soir, on a à peine évoqué le chantier.

— Vous discutez vraiment de tout !

— De vraies pétasses !

— Je ne rigole pas, Yanis !

Je me redressai et cherchai à le distinguer dans la pénombre. Il alluma la lumière et me fixa, la tête sur l'oreiller, sourire aux lèvres.

— Même s'il n'était pas impliqué dans ma boîte, on en serait là. C'est vite devenu mon pote ! On était déjà en train de créer des liens avant. Souviens-toi quand il est venu ici, quand on est allés chez lui…

Je soupirai.

— Oui, je sais bien. Mais je ne peux pas m'empêcher de trouver ça étrange.

— Tu ne lui fais pas confiance ?

— Si… non… Je n'en sais rien. Je ne le connais pas assez.

— Pourtant, tu sembles aussi accrocher avec lui.

— Je ne peux pas te dire le contraire, concédai-je. Mais… sa proposition pour aller passer quelques jours dans sa maison en Normandie… Ça fait trop d'un coup !

— Il a fait fort !

Il s'assit à son tour et posa une main sur ma joue.

— Véra, déjà on n'a pas dit oui. Et si on y va, pensons aux enfants, ça pourrait leur faire du bien de passer quelques jours sur la plage, à toi aussi, non ? Tu ne vas pas me dire que ça ne te tente pas ?

Je hochai la tête. Évidemment, qu'il avait raison.

— On a été échaudés avec Luc, poursuivit-il.

— Et figure-toi que je me suis encore pris la tête avec Charlotte.

Il grogna.

— Elle commence à me soûler, elle aussi. Mais tu sais, peut-être que ça existe encore, des gens gentils qui ne cherchent pas à te planter et qu'on est tombés sur quelqu'un comme ça avec Tristan.

— C'est difficile à croire, lui dis-je d'une toute petite voix. Mais tu as certainement raison. Je me renferme, ce n'est pas bon…

— J'ai toujours raison !

Il m'embrassa d'abord doucement, puis de plus en plus intensément. Il savait comment me détendre et m'enflammer. Il me bascula sur le dos et grimpa sur moi.

— Prenons le bon quand il se présente, d'accord ? On a toujours fait comme ça.

— Oui.

— Moi, je commence maintenant en profitant de ton insomnie, m'annonça-t-il en écrasant ses lèvres contre les miennes.

J'oubliai mes interrogations et mes doutes.

– 8 –

Véra

J'étais à bout. À bout de tout. À bout de nerfs. À bout de ma résistance physique. À bout de patience. Je n'avais jamais autant détesté l'été. Tout le mois de juillet, j'avais passé mon temps à courir, entre les allers-retours au centre aéré pour les enfants, la gestion de l'intendance à la maison et l'agence de voyages où je m'étais retrouvée seule durant les trois semaines de congé de ma collègue. À la maison aussi, j'étais seule ! Je n'avais tenu qu'en me raccrochant à l'espoir de pouvoir souffler pendant mes vacances. Mais une fois en vacances, j'en fus sérieusement pour mes frais ; les enfants n'avaient pas oublié ma promesse de débauche d'activités pour compenser le fait qu'on ne parte pas. Tous les jours, je me maudissais d'avoir eu cette parole malheureuse : nous fûmes en vadrouille du matin au soir. Grasse matinée interdite. À cause de ma fatigue je n'ouvrais pas l'œil quand Yanis se levait aux aurores pour aller bosser, mais il y avait toujours un de mes trois loustics qui se chargeait de me réveiller en faisant du trampoline sur notre lit. Jamais je n'aurais imaginé que ça puisse être aussi dur. Je n'étais pas loin d'attendre avec impatience la reprise du boulot et des classes. Je m'énervais pour un rien, je braillais sur les enfants, incapable de gérer ma contrariété, ma colère grandissante vis-à-vis de Yanis qui n'était presque plus jamais là. Les prises de bec avec Charlotte n'arrangeaient pas mon irritabilité. L'excuse des enfants me permit d'esquiver la quasi-totalité de nos déjeuners. Mais chaque fois que je l'appelais pour annuler, elle pestait après Yanis, me reprochait de trop en faire pour les enfants. Je lui grognais dessus, elle en remettait une couche en me parlant de Luc, je m'énervais alors davantage pour me défendre contre la peine d'avoir perdu mon frère ; elle soupirait d'agacement les rares fois où j'avais le malheur de prononcer le prénom de Tristan, et je raccrochais furibarde. Ça me donnait raison en tout cas, elle ne pouvait pas comprendre que parfois on n'a tout simplement pas la possibilité de prendre du temps pour soi. Et heureusement qu'elle ne savait pas que notre vie sociale se résumait à de nombreux dîners en compagnie de Tristan, sinon elle serait sortie de ses gonds ! Elle était capable de me faire une crise de jalousie. Malgré mes réserves à l'égard de Tristan, je devais avouer que c'était agréable de côtoyer de nouvelles personnes, cela ouvrait notre champ d'horizon. Et soyons clairs : il avait le mérite d'être gentil avec nous et de ne nous faire aucun reproche sur notre façon de vivre. Sans compter qu'il ne cessait de pousser Yanis à aller toujours plus loin et de ne rien s'interdire. Mais c'était plus fort que moi, je restais méfiante, c'était devenu une seconde nature. Quiconque s'approchait de mon mari pouvait lui nuire d'une manière ou d'une autre. Je luttais chaque jour contre mes envies de protection, me rappelant qu'il était un grand garçon, et que c'était complètement stupide.

Je n'abordais plus le problème avec lui, il n'aurait pas compris, et je ne voulais pas le tracasser inutilement. Car lui aussi était épuisé. Les imprévus plus ou moins graves sur le chantier s'enchaînaient ; il arrivait toujours à régler le problème, mais à quel prix ! Sa capacité de travail m'impressionnait. J'étais vraiment épatée par ce que mon mari était en train de construire, malgré les difficultés et les conséquences sur la famille. Mes soucis paraissaient bien petits en comparaison de ce qu'il entreprenait, du coup, je gardais tous mes reproches, toutes mes inquiétudes pour moi. Il menait de front le démarchage d'autres clients, ne pouvant se contenter d'un seul contrat. Il montait les dossiers, dessinait des plans dans l'urgence. Sa pugnacité commençait à porter ses fruits, il en avait déjà signé deux, et en avait d'autres dans sa ligne de mire. Toujours autant de bonnes raisons de boire le champagne. Il détendait l'atmosphère en mettant de la fête dans notre vie. Et en plus, ça mettait du beurre dans les épinards. Ce qui me tracassait, c'était de voir sa pâleur, lui d'habitude toujours hâlé. Il avait maigri aussi, et sa musculature acquise sur les chantiers et dont il était si fier fondait à vue d'œil. Ce n'était plus des cernes qu'il avait autour des yeux, mais des poches ! Il changeait, mais ce nouveau côté fatigué, abîmé, ne faisait que renforcer son charisme et ne le rendait que plus attirant encore à mes yeux. Lorsqu'on se mettait au lit le soir, on se contentait d'un baiser du bout des lèvres, nous n'avions pas la force de faire plus. On trouvait le moyen d'en rire, nous promettant de nous rattraper quand ça se calmerait, nous étions simplement heureux d'être ensemble, tous les deux embarqués dans une grande aventure.

Ce soir-là, j'étais écroulée sur le canapé, une vraie larve. Pour seul vêtement, je portais une tunique légère, adaptée au temps caniculaire et ne cachant pas grand-chose de mon corps. Toutes les fenêtres étaient ouvertes, histoire de faire courant d'air. Les enfants avaient été surexcités toute la journée, réclamant leur père, râlant après moi et mes activités *pourries*. De toute façon, même si je les avais embarqués chez Mickey, ils auraient dit que c'était nul ! Leur ingratitude m'exaspérait. Le dîner s'était passé dans les cris, je n'étais pas loin d'avoir mal à la gorge. Ils s'étaient tous les trois installés dans la chambre des garçons pour regarder un dessin animé sur la tablette, ce qui aurait le mérite de m'assurer un petit moment de silence si la négociation quant au choix de leur programme n'échouait pas. Pas de nouvelles de Yanis, il était presque 21 heures, j'espérais qu'il n'allait plus trop tarder tout de même. La veille, il était déjà rentré à pas d'heure. Et les jours précédents pareil. Je soupirais d'agacement, en zieutant mon téléphone, mauvaise. À l'instant où je m'apprêtais à l'appeler pour râler, la porte d'entrée s'ouvrit. J'eus l'impression qu'il était encore plus voûté que les derniers soirs, son visage était fermé, pour ne pas dire soucieux. Je m'en voulus immédiatement.

— Hé ! l'appelai-je. Ça va ? Tu n'as pas l'air bien.

Il se tourna vers moi, sourit en découvrant ma pose alanguie et avança vers moi en traînant outrageusement des pieds. Son attitude comique me rassura, j'avais encore vu le mal où il n'était pas. Arrivé devant le canapé, il s'écroula à mes côtés et mit son visage sur mes seins. Je passai ma main dans ses cheveux et retirai des restes de petits gravats. Il leva la tête.

— Salut.

Il se hissa sur moi et m'embrassa. Je fronçai les sourcils.

— Tu as encore bouffé des cachous ?

— Je suis accro.

— Trouve autre chose, je déteste ça !

Il rit. Puis il se figea lorsqu'il entendit les enfants hurler dans la chambre. Je soupirai.

— Ils ont été comme ça toute la journée ? m'interrogea Yanis.

— Et là, ça va encore, lui répondis-je en haussant les sourcils.

— Putain ! Chier !

Il extirpa son grand corps du canapé et eut un regain de force pour se traîner jusqu'à leur chambre, dont il ouvrit brutalement la porte.

— Vous allez vous calmer et arrêter de beugler ! leur cria-t-il dessus.

Ça eut le mérite de les faire taire. Il avait toujours eu plutôt tendance à les exciter et à chahuter avec eux, il n'élevait que très rarement la voix contre eux, il fallait vraiment qu'ils l'aient mis à bout. En l'occurrence, je doutais que ce soir deux minutes aient suffi à le faire ainsi sortir de ses gonds. Comme il continuait de leur reprocher de ne pas être sages, de me pourrir mes vacances, de ne jamais être contents, je sentis que bientôt ça allait être leur faute s'il y avait un problème sur le chantier, je décidai de m'en mêler. Pourtant, Dieu sait que je m'en serais bien passée. Sauf que là il allait vraiment trop loin. En arrivant sur le seuil de la chambre, j'embrassai la scène du regard, atterrée ; Yanis, livide, avec des perles de sueur sur le front, Ernest et Violette avec de grosses larmes qui coulaient sur leurs joues, et Joachim avec son regard bleu virant à l'orage, une main protectrice posée sur l'épaule de sa petite sœur.

— Bon, allez, au lit maintenant ! intervins-je. Papa est fatigué.

Maman aussi…

— Mais maman !

Je levai la main.

— Stop ! Pas de *mais*, Jojo ! S'il te plaît !

Mon fils me fusilla du regard.

— Je vais les coucher, me dit Yanis.

— Non, non, je m'en occupe, lui rétorquai-je en le repoussant. Va prendre une douche, ça te fera du bien. Il fait une chaleur à crever. Ce n'est pas bon pour les nerfs.

— Ouais.

Puis il regarda nos enfants, d'un air radouci, mais triste.

— Bonne nuit, leur dit-il.

Malgré leur réticence, ils se laissèrent faire lorsqu'il les embrassa. Une fois leur père disparu, ils soufflèrent. Qu'ils soient soulagés d'être débarrassés de Yanis me broya le cœur. Je les poussai gentiment, mais sûrement, vers la salle de bains. Le brossage de dents se déroula dans un silence de cathédrale jusqu'au moment où Violette craqua :

— Pourquoi il est méchant, papa ?

Je sentais que ça finirait par arriver. Je m'accroupis en face d'elle.

— Papa n'est pas méchant, je ne veux pas que tu dises ça.

Je me tournai vers ses frères.

— Pareil pour vous. Compris ? Papa est fatigué, moi aussi d'ailleurs. Je sais que ce n'est pas facile pour vous, mais on fait ce qu'on peut.

Ils piquèrent du nez. Je couchai Violette en premier, elle prit son pouce dans la bouche et frotta son doudou contre son nez, ses grands yeux encore remplis de larmes. Elle me réclama plus de câlins que d'habitude avant de me laisser partir. Je fermai doucement sa porte, pas tranquille et surtout très triste. Je trouvai mes deux grands bras croisés, assis l'un à côté de l'autre au rez-de-chaussée des lits superposés. Aussi boudeurs que moi.

— Faites-moi une place.

Ils se décalèrent de mauvaise grâce et je pus m'asseoir entre eux.

— Bon ! Si vous n'avez pas envie de dormir, vous pouvez jouer ou lire. À la condition que je ne vous entende pas, aucune chamaillerie. Promis ?

— Oui, maman, me répondirent-ils en chœur.

— Je viendrai vous voir tout à l'heure.

J'embrassai leurs cheveux chacun à leur tour, puis les laissai tranquilles. Yanis était dans la cuisine, en bermuda, torse nu, encore mouillé après sa douche. Il venait de se décapsuler une bière. En trois gorgées, il la chiqua puis s'en ouvrit une autre.

— Tu en veux une ?

Sans attendre ma réponse, il m'en tendit une. Je le rejoignis pour préparer à dîner et avalai une gorgée de bière.

— Tu as faim ? lui demandai-je.

— Non, pas tellement.

— Salade grecque, ça te va ?

— Peu importe, ça ira très bien.

Bouteille à la main, il alla s'appuyer contre la rambarde de la fenêtre ouverte.

— Pardon d'avoir gueulé sur les enfants, me dit-il après plusieurs minutes de silence. Je n'aurais pas dû leur tomber dessus comme ça.

— Ils sont déchaînés, je ne vais pas te dire le contraire, je m'énerve aussi beaucoup après eux… mais tu y as été un peu fort.

— Franchement, Véra, je ne sais pas comment tu fais avec eux toute la journée.

— Je n'ai pas le choix. Je refuse qu'ils passent tout le reste de l'été au centre aéré, juste pour mon petit confort.

— Et je t'en suis reconnaissant.

Je le rejoignis. Je me glissai entre ses jambes et après avoir caressé son torse, passai mes bras autour de son cou. Il mit ses mains sur ma taille.

— On savait que ça serait dur ces deux mois, lui dis-je. Mais c'est pour la bonne cause.

Il laissa sa bière sur le rebord de la fenêtre, et sa main effleura doucement ma joue.

— J'ai eu Tristan au téléphone aujourd'hui.

Je fronçai les sourcils, ne voyant absolument ce que Tristan venait faire dans la conversation sur les enfants.

— Oui, et ?

— Il m'a réitéré sa proposition pour venir quelques jours chez lui.

— Tu lui as répondu quoi ?

— Que j'allais en parler avec toi ce soir.

— Je ne sais pas quoi te dire… Ça me gêne quand même.

Retour en force de la méfiance.

— On n'a jamais été des profiteurs… Pour une fois qu'on peut croquer quelque chose…

Sa remarque m'arracha un sourire.

— C'est le week-end du 15 août, lundi c'est férié, il n'y aura personne sur le chantier. Demain, c'est vendredi, je vais y passer tôt le matin pour tout checker et après on prend la route. Quatre jours, allez à peine,

trois jours et demi, avec ça, on ne pourra pas franchement nous reprocher d'être des pique-assiettes !

Il était prêt à sacrifier des jours de travail pour
nous. Il avait l'art et la manière de chercher à se rattraper. Mais ses efforts me faisaient du bien, je n'allais
pas prétendre le contraire.

— Dis-moi, tu as pensé à tout !

— En toute honnêteté, si je n'avais pas gueulé comme
un putois sur les enfants, je n'y aurais pas repensé. Mais
on doit prendre l'air, ça me semble impératif. J'ai jeté
un œil à la météo, ça va être étouffant à Paris tout le
week-end, et trop beau sur la Côte normande.

Je soupirai un grand coup en le fuyant du regard.
J'étais piégée, je ne pouvais rien lui dire, sauf à vouloir
lui confier ma parano. Qui me semblait de plus en plus
ridicule !

— Tu préfères que je cherche des chambres d'hôtes ?
me proposa-t-il.

— Ce serait stupide… surtout pour nous retrouver à
cinquante mètres de chez lui !

— Je ne te le fais pas dire. Et puis, c'est l'occasion
pour que tu connaisses mieux Tristan, ça va te rassurer.

Sourire moqueur aux lèvres, il haussa un sourcil. Il se
doutait de quelque chose.

— Oh, ne t'inquiète pas, je n'ai pas besoin d'être
rassurée !

— Bah voyons ! Tu crois que je n'ai pas vu ta tête !

— Mais non…

On éclata de rire. Le sort était scellé ; nous partions
chez Tristan.

– 9 –

Véra

Départ à la bourre. Bouchons sur l'A13. Enfants survoltés à l'arrière de notre Volvo. Yanis, lunettes de soleil sur le nez, main sur le volant, grand sourire aux lèvres. Moi, pieds nus sur le tableau de bord. Jusque-là, tout était normal. Ce qui l'était moins : mon état de stress. J'étais angoissée ; j'avais peur que les enfants fassent des bêtises chez Tristan, qu'ils ne se tiennent pas correctement, j'avais peur d'être totalement coincée, à cran, et d'empêcher Yanis de profiter de ces quelques jours d'escapade et du coup de le faire regretter de s'être éloigné de son chantier. Je craignais tellement de me sentir mal. Et j'étais terrifiée à l'idée de découvrir qu'en réalité Tristan était un sale type. Je regrettais de ne pas avoir dit oui à la proposition de Yanis de prendre des chambres d'hôtes selon nos habitudes ; nous n'allions pas avoir un seul moment en famille, juste nous cinq, pour nous ressourcer et nous retrouver. Bref, c'était la panique générale. Je sursautai lorsque Yanis mit sa main sur ma cuisse et la caressa.

— On va passer un bon moment, je te promets.

Je soupirai, et pris sur moi pour lui sourire.

— Oui, certainement.

Il donna un petit coup sur mon front avec son pouce.

— Débranche ! Attends, j'ai une idée.

Il fit une queue-de-poisson et sortit de l'autoroute. Les enfants hurlèrent, je le traitai de fou. Il rit aux éclats, fier de son coup ; il nous faisait prendre les routes de campagne, il me dit que nous n'étions pas pressés et que le bocage normand pouvait nous servir de terre d'aventure bucolique. Puis il lança la chanson des vacances, sa chanson fétiche : *Sunny* par Marvin Gaye. Il se mit à chantonner, en me lançant des œillades séductrices, je finis par craquer et chanter avec lui : *Sunny, thank you for the sunshine bouquet... Sunny, thank you for that smile upon your face. Sunny, thank you for that gleam that flows with grace. You're my spark of nature's fire. You're my sweet complete desire. Sunny one so true, I love you...*

Le sentir si heureux, si détendu eut son effet sur mon moral. Il finit par baisser le son et jeta un coup d'œil à l'arrière.

— À vous, les enfants !

Je les regardai à mon tour. Et je les découvris en train de se débattre pour sortir d'une cachette un grand paquet.

— C'est pour toi, maman !

J'attrapai le sac, les mains tremblantes.

— C'est quoi ?

— Ouvre ! On n'allait pas oublier la tradition de la tenue de maman pour les vacances !

— Bah non ! répondirent les enfants.

Je luttai pour retenir mes larmes d'émotion. Et de remords, je devais à tout prix arrêter de lui faire des reproches. Yanis avait pris le temps de m'offrir ma tenue de vacances. Il avait instauré cette habitude aux premières vacances après la naissance de Joachim. Je me trouvais moche, grosse, je râlais en disant que je n'avais rien à me mettre pour l'été. Et la veille de notre départ, il était arrivé les bras chargés de sacs. Depuis, chaque année, il faisait les boutiques pour traquer *la* robe dans laquelle il voulait me voir.

— Dépêche, maman ! me dit Violette. Je veux voir la robe de princesse !

J'ouvris la bouche en grand en découvrant cette petite merveille : une robe pin-up des années 50 en vichy rouge et blanc.

— Où l'as-tu trouvée ?

— Secret…

— Mais tu crois qu'on peut se permettre ?

— Rien n'est trop beau pour toi !

Je me propulsai sur lui et l'embrassai sur la joue en lui serrant le cou.

— Tu sais que je conduis ?

— Et alors ? Je t'aime.

Il me fit un clin d'œil. Je posai ma robe sur le tableau de bord, puis enlevai mon débardeur.

— Tu ne peux pas attendre qu'on soit arrivés ? me demanda Yanis, mort de rire.

— Hors de question !

Je fis voler mon short et réussis à force de contorsions à enfiler ma robe. Après avoir fait le nœud derrière mon cou, je baissai le miroir de courtoisie et me regardai chausser mes lunettes de soleil. Ensuite, je me débrouillai pour réussir à croiser les jambes, je me redressai en mettant bien les épaules en arrière et la poitrine en avant. Puis je me tournai vers Yanis, avec un sourire coquin.

— Pousse-au-crime, chuchota-t-il. Elle va vite voler, ce soir, ta robe. J'ai déjà envie qu'on se mette au lit !

Je me penchai de nouveau vers lui et l'embrassai sur la joue.

— Moi aussi, figure-toi.

Il se tortilla, sourire aux lèvres et je m'éloignai de lui.

— Les enfants ! Maman est une star.

Je me retournai vers eux.

— T'es trop belle, maman.

— Oh la princesse !

— Merci mes trésors !

La route des vacances était enfin la route des vacances. J'avais le sentiment que je renouais avec moi-même, que notre famille venait de se retrouver elle aussi. Exit les angoisses ! Je remis la chanson de Yanis et on chanta tous les deux à tue-tête.

Il était plus de 19 heures quand on arriva à Cabourg. Nous avions tellement pris notre temps sur les petites routes que Yanis m'avait donné son portable afin que j'envoie un message à Tristan pour le prévenir de notre arrivée plus tardive que prévu. Il répondit en nous apprenant que le portail serait ouvert, qu'il fallait entrer sans hésitation. Yanis trouva tout de suite la maison. Avant de sortir de la voiture, je vérifiai la tenue des enfants. Sans que j'aie trop besoin de les briefer, ils se tenaient à carreau, même si je sentais qu'ils avaient grandement besoin de se défouler et de se dégourdir les jambes. Le troupeau que nous formions s'extirpa de l'habitacle et brisa le calme qui semblait régner dans la vaste cour. La maison paraissait immense de l'extérieur et assez austère. Elle me donna froid dans le dos. C'était une maison typique du coin ; colombages, plusieurs étages, des marches pour atteindre le perron. Les volets étaient en partie fermés. Si j'étais passée à côté, je me serais dit qu'elle était vide depuis un bon bout de temps, à la limite de l'abandon, il n'y avait qu'à regarder le jardin en friche. Ernest et Joachim suivirent Yanis à la trace lorsqu'il s'approcha du grand escalier menant à l'entrée. Je restai près de la voiture, luttant contre une bouffée d'angoisse ; nous n'étions pas habitués à ce genre d'environnement. Violette trottina jusqu'à moi, et glissa sa petite main dans la mienne. Je la regardai ; elle était impressionnée par la bâtisse, et pas franchement rassurée. Elle me fixa avec ses grands yeux apeurés.

— Je fais dodo où, maman ?

— Je ne sais pas, mais ne t'inquiète pas, on sera à côté de toi.

— D'accord.

Sauf que je la connaissais. Elle n'était pas d'accord du tout.

— Eh, salut, Tristan ! claironna Yanis.

Je levai le visage vers la maison, notre hôte dévalait l'escalier, sourire aux lèvres. Immédiatement, je me fis la remarque qu'il n'était pas beaucoup plus détendu en vacances qu'à Paris. Il ne devait pas savoir que les bermudas et les tee-shirts existaient. Rien qu'à le regarder, il me donnait chaud avec son pantalon de toile, sa chemise manches longues à peine remontée sur ses bras et ses chaussures bateau. Ils échangèrent une accolade avec Yanis.

— Vous avez fait bonne route ? nous demanda-t-il. Vous avez eu raison de prendre votre temps.

Je m'approchai à mon tour en tirant Violette par la main. Il avait intérêt à lui sortir des « petite princesse » pour la rassurer.

— Bonjour, Véra, tu vas bien ?

— Oui, salut ! Merci de nous recevoir, lui répondis-je en regardant sa maison.

— Je ne veux pas entendre de merci.

Il baissa le visage vers ma fille toujours accrochée à ma robe, puis s'accroupit à son niveau.

— Petite princesse, quelque chose te tracasse ?

— Elle est grande, ta maison.

Il rit légèrement.

— Peut-être ne le sais-tu pas, mais je suis un papa aussi, et j'ai deux grandes princesses. Je leur ai demandé si tu pouvais t'installer dans leur chambre.

— Ah, et elles veulent bien ?

Il lui sourit, d'un air attendri.

— Oui, elles ont dit oui. Tu peux même prendre leurs déguisements si tu en as envie.

— C'est vrai ?

— Tu veux venir voir ?

Elle leva le visage vers moi.

— J'ai droit ?

— Bien sûr.

Dans un premier temps, elle attrapa la main de Tristan sans lâcher la mienne, c'était bizarre. Mais elle finit par s'éloigner de moi.

— D'abord, j'aide papa et maman à porter vos affaires, lui annonça-t-il.

Elle hocha la tête. Il se remit debout. Je mimai un merci, il me sourit. Yanis nous rejoignit et on déchargea la voiture tous les trois pendant que les enfants exploraient le jardin. Mon mari en profita pour lui offrir la caisse de grands crus qu'il lui avait dénichée le matin lorsqu'il avait fait son shopping pour ma robe. Ensuite, Tristan nous entraîna dans la maison. Je découvris une entrée plus grande que notre pièce à vivre, où l'on déposa nos sacs au pied de l'escalier central en bois. La visite se poursuivit par un salon gigantesque, une salle à manger attenante qui communiquait avec une cuisine tout aussi démesurée. Les pièces étaient peu meublées, tout était sobre, avec le strict minimum pour y vivre, sans aucune touche personnelle, on sentait bien que Tristan y allait peu. Ce qui semblait tellement étrange, surtout après avoir découvert l'impressionnante vue sur la mer. De grandes portes-fenêtres et un bow-window dans le séjour donnaient sur une terrasse couverte qui courait sur tout le long de la maison. Il suffisait de descendre quelques marches pour accéder à un autre jardin, plus petit que celui par lequel nous étions arrivés, mais lui aussi à l'abandon. Ce jardin n'avait pas de fin puisqu'il donnait sur la digue et la plage.

— Eh bah, mon cochon ! s'exclama Yanis. À t'entendre, tu avais une pauvre bicoque, en réalité c'est une villa de rupins !

Du Yanis tout craché ! J'hésitai entre lever les yeux au ciel ou éclater de rire. Tristan, lui, restait imperturbable.

— Tu sais, je n'y suis pour rien, lui répondit-il avec sa réserve habituelle. C'était à ma famille.

Yanis s'approcha de lui.

— Sérieux, je ne me fous pas de toi. Je suis simplement baba, et hyper reconnaissant que tu nous invites quelques jours chez toi. Tu sais exactement ce dont on a besoin en ce moment.

— Je te l'ai déjà dit, ça serait idiot de ne pas en profiter. Et moi, ça me fait plaisir ! Vous voulez peut-être voir vos chambres ? proposa-t-il en s'adressant aux enfants.

Il les entraîna tous les trois, et nous les suivîmes en échangeant des regards et des sourires à la fois impressionnés et complices avec Yanis. Pourtant, cette maison me mettait mal à l'aise, sans que je puisse mettre le doigt sur les raisons de cette sensation, j'avais un nœud à l'estomac depuis notre arrivée. Tout me semblait vieux, sombre, comme si une ombre planait au-dessus de nos têtes. Voilà que je donnais dans le paranormal ! Le grand escalier en bois ciré craquait sous nos pas. Le parquet du couloir de l'étage le fit tout autant lorsque les garçons se mirent à courir. Tristan nous annonça que nous étions tous regroupés au premier, lui-même y ayant aussi sa chambre, le second étage n'était pas utilisé. Les deux chambres des enfants seraient en face de la nôtre et nous partagerions la salle de bains. Dès que Joachim et Ernest pénétrèrent dans la leur, ils se mirent à sauter sur les lits.

— Calmez-vous, leur dis-je. Vous allez casser quelque chose.

— Ne t'inquiète pas, Véra, me coupa Tristan. Ça ne craint rien. Les lits en ont vu d'autres !

Je n'eus pas le temps d'en savoir plus ni de lui poser de questions puisqu'il attrapa Violette par la main pour lui faire découvrir sa chambre de princesse. Elle ouvrit grand les yeux. Et moi, je déglutis. Deux lits jumeaux anciens en bois blanc dont la tête était sculptée, ornés d'édredons et de coussins en liberty, occupaient une partie de l'espace, le reste était recouvert de poupées, et près de la fenêtre encadrée de voilages vieux rose se trouvait une coiffeuse. Ça, c'était sûr, une vraie chambre de princesse, mais un peu vieillotte et flippante, la Belle au bois dormant tout de même…

— Tu as vu, maman ?

— Oui, mon trésor. Tu vas être bien là, et nous, on est juste en face de toi.

Un peu plus tard, je quittai l'étage, après avoir rangé nos affaires pendant que Yanis jouait dans le jardin avec les enfants ; je les avais entendus chahuter, même parfois en compagnie de Tristan. En fermant les portes de nos chambres, je me fis la remarque que la maison était bien silencieuse depuis quelques minutes. J'avançai dans le couloir où le manque de lumière se faisait sentir, l'impression fut la même, particulièrement dérangeante dans l'escalier. Je me sentis presque soulagée en arrivant au rez-de-chaussée. J'étais en train de devenir dingue, j'avais peur de tout ! Je gagnai le séjour de plus en plus déconcertée par le calme. J'allai jusqu'à la porte-fenêtre ouverte : personne dans le jardin.

— Où sont-ils tous passés ? me dis-je à voix basse.

— Sur la plage.

Je sursautai comme une folle et poussai un petit cri en entendant la voix de Tristan dans mon dos. Je me retournai la main sur le cœur. Il était installé sur un canapé, un livre à la main. Vu la pénombre autour de lui, je me demandai comment il réussissait à lire.

— Excuse-moi, je t'ai fait peur.

— Non, non, ce n'est rien, répondis-je le souffle court.

Il mit de côté sa lecture puis se leva et s'approcha de moi, sans faire de bruit.

— Ils sont là-bas.

Il se mit dans mon dos et passa un bras au-dessus de mon épaule.

— Regarde, me dit-il en montrant du doigt un endroit sur la plage.

Je souris en distinguant au loin la silhouette de Yanis courant dans tous les sens. C'était à se demander qui se défoulait le plus du père ou des enfants. Je serais bien allée courir avec eux, pieds nus dans le sable. Impossible : mes devoirs d'invitée m'appelaient…

— Tu as besoin d'aide pour préparer le dîner, peut-être ? lui proposai-je en m'éloignant de lui.

Il eut un sourire en coin.

— Va les rejoindre, je me débrouille.

— Non, attends, tu nous reçois déjà, tu ne vas pas en plus t'occuper des repas, je vais m'en charger.

— J'ai commandé notre dîner de ce soir, enfin… pour nous trois. Je pars le chercher dans quelques minutes. Je comptais simplement voir avec toi ce qui ferait plaisir aux enfants.

— Tu es gentil de penser à eux. Il ne faut surtout pas se casser la tête. Tu as des pâtes ?

— Des pâtes alphabet bien sûr !

On partagea un rire franc qui me détendit.

— Du beurre ou du ketchup ? finis-je par demander.

— Ça devrait se trouver, même du jambon.

— Eh bien, voilà, le problème est réglé.

— Ne perds pas de temps avec moi, je pense qu'ils t'attendent, me dit-il en jetant un coup d'œil à la plage.

Je lui décochai un immense sourire.

— Merci beaucoup. À plus tard.

Je ne demandai pas mon reste. Je dévalai l'escalier, passai le petit portillon et traversai la digue. Une fois sur la plage, je retirai mes espadrilles compensées. Je glissai mes orteils dans le sable et savourai cette sensation tout estivale. Je me mis à courir en direction de ma petite famille tout en les appelant. Je me sentais mieux, avec l'envie de profiter de ces quelques jours, de sourire et de rire, malgré les mauvaises ondes de la maison. Yanis me repéra et courut vers moi. Lorsque nous nous retrouvâmes, il m'attrapa par la taille et me fit tourner autour de lui. Quand il se décida enfin à me reposer, il lança un grand signe de la main en direction de la digue. Je regardai par-dessus mon épaule ; Tristan était sur la terrasse. Il lui répondit avant de disparaître dans l'obscurité du séjour.

Effectivement, Tristan avait bien prévu notre dîner et fait préparer un énorme plateau de fruits de mer. Ça faisait bien longtemps que nous n'en avions pas mangé. Notre hôte se détendait à vue d'œil pendant la soirée, je craignais jusque-là qu'il ne nous reçoive avec un côté guindé, limite maître d'hôtel ; tout avait l'air tellement réglé au millimètre avec lui. Et c'était tout le contraire. Il laissa Yanis envahir la cuisine, « Je suis le roi de la mayonnaise maison », lui avait-il affirmé pour le convaincre de le laisser faire. Je profitai de l'occasion pour aller coucher les enfants. Contrairement à ce que j'avais imaginé, Violette ne fit pas trop de difficulté pour se mettre au lit, à la condition qu'on laisse la porte de sa chambre ouverte, ainsi que la nôtre. Condition assez compréhensible. Lorsque je redescendis, les crustacés attendaient sur la table dans un plateau de polystyrène, et les hommes n'avaient pas sorti la grande vaisselle. L'aspect convivial du menu était respecté. Sans compter que, avec ce type de repas, on partage, on se sert dans le même plat, on mange avec les doigts. Forcément, ça brise la glace et crée des liens. On attaqua dans la bonne humeur générale, les enfants étaient au lit, les premiers verres avaient détendu les esprits. Si Tristan avait voulu se la jouer bonne franquette, il n'allait pas être déçu avec moi. Lorsqu'il était question d'attraper un bigorneau ou de casser la patte d'une araignée de mer, j'avais deux mains gauches. Pour preuve le mollusque qui vola et traversa la table pour retomber deux mètres plus loin sur le parquet. Un interminable silence se fit autour de la table. Je piquai un fard de honte, mais aussi parce que je m'empêchais de rire. Yanis craqua le premier, il rit tellement qu'il dut quitter la table pour essayer de se calmer. Tristan le suivit de bon cœur.

— Je suis désolé, finit par hoqueter Yanis. Ma femme ne sait pas se tenir !

— Eh, ne te fous pas de moi, on ne peut pas être douée partout ! lui rétorquai-je, hilare.

— Ne dis pas ça, Véra, m'interrompit Tristan. C'est génial, une bonne vivante comme toi ! Et puis il faut un certain coup de main pour réaliser cette prouesse.

— Bon, ça va tous les deux ! Au lieu de vous payer ma tête, il n'y en a pas un qui se dévouerait pour me resservir un verre.

Le muscadet coulait à flots, et les bouteilles se vidaient comme par magie. Bêtement, je m'étais mis en tête que Tristan ne tenait pas l'alcool, en tout cas qu'il ne pourrait pas suivre Yanis, ça ne collait pas à l'image sérieuse que je me faisais de lui jusque-là, j'étais décidément bourrée de préjugés. C'était tout le contraire, mon mari avait trouvé un compagnon pour lever le coude. Tristan attrapa d'ailleurs une bouteille, prêt à me servir, sauf qu'elle était désespérément vide.

— Ne bouge pas, je connais le chemin, lui dit Yanis. Direction la cave !

Il commença à s'éloigner, puis revint sur ses pas. Il attrapa le casse-noix sur la table et le tendit à Tristan.

— Je te donne un bon conseil. Maintenant qu'elle s'est attaquée aux bulots, elle va vouloir du crabe. Je te laisse prendre le relais le temps que j'aille chercher le pinard, casse-lui une patte, sinon elle va provoquer un accident et refaire tes murs avec le jus.

Je lui tirai la langue puis me tournai vers Tristan. Il attendit que Yanis ait disparu pour s'attaquer à la bête. Je fus prise d'un fou rire sans nom – les nombreux verres de blanc faisant de plus en plus sentir leur effet – car mon voisin de table ne semblait pas plus doué que moi.

— On rencontre un petit problème ? le charriai-je.

— C'est infernal ce truc, me répondit-il en serrant de toutes ses forces la pince. On dirait de la pierre.

Il avait beau se démener, il n'y arrivait pas et était en train de se faire un mal de chien à la main. Yanis revenait déjà en sifflotant. Quand il découvrit que Tristan avait si peu progressé, il secoua la tête en riant.

— Vous ne pouvez pas vous passer de moi ! Donne ! ordonna-t-il à Tristan.

— Bon courage, lui lança celui-ci, dépité.

Yanis saisit l'occasion pour faire son beau, il fit saillir les muscles de ses avant-bras et d'un coup de main explosa la pince de crabe sous le regard admiratif de Tristan.

— C'est qui le plus fort ?

La soirée se poursuivit dans cette atmosphère taquine. Lorsqu'il ne resta plus que quelques algues et un fond d'eau de mer dans le polystyrène, je me levai et me traînai en marchant dans du coton, l'esprit bien embrumé par les vapeurs d'alcool, jusqu'au canapé où je m'écroulai, le ventre près d'exploser. Les hommes se débrouillèrent pour nettoyer le champ de bataille, en partageant des rires gras, en évoquant les quelques liaisons que Tristan avait pu avoir depuis qu'il était séparé de la mère de ses filles. Ils me rejoignirent, tous les deux verre à la main. Yanis remplit le mien et me le tendit. Je l'attrapai pour le reposer immédiatement sur la table basse, je savais que, si je le buvais, ça serait le verre de trop. Celui qui soulève l'estomac, celui qui donne le mal de mer une fois allongée dans le lit, celui qui fait passer la nuit la tête au-dessus des toilettes. Je devais à tout prix parler pour éviter de me faire envahir par l'ébriété.

— Au fait, Tristan, l'interpellai-je. Tes filles sont venues ? Comment ça s'est passé ? Tu t'en es sorti ?

Son regard se perdit quelques instants dans le vague, il était parti ailleurs.

— C'est gentil de me poser la question, finit-il par me dire avec un petit sourire qui me sembla un peu triste.

— Non, c'est normal. Ça avait l'air de te tracasser.

Il nous expliqua avoir trouvé la parade idéale pour rendre ses filles heureuses et passer un peu de temps en leur compagnie ; il avait proposé que leurs meilleures amies respectives viennent passer quelques jours avec elles dans la maison.

— C'est courageux, quatre ados à gérer ! m'exclamai-je.

— Que des minettes en plus, renchérit Yanis.

— Elles ont mené leur vie toutes les quatre, je ne me chargeais que des repas et d'avoir toujours un œil sur elles. J'ai tout gagné dans l'affaire, mis à part la perte de quelques décibels, ça n'arrêtait pas de jacasser, car lorsque j'ai été seul avec Marie et Clarisse, elles ont été beaucoup plus coopératives pour passer du temps avec leur vieux papa. Ça a été l'occasion de nous rapprocher, de partager de nouveau des rires ensemble, de discuter de notre situation et de revenir aussi sur le divorce, j'ai pu leur faire comprendre des choses. C'était vraiment génial !

Sa pudeur était attendrissante, on sentait qu'il aimait ses filles plus que tout, même s'il devait parfois être maladroit avec elles. Sa volonté de bien faire me touchait profondément.

— Tu es heureux, alors ? lui demandai-je.

Il planta son regard dans le mien, puis lança un coup d'œil à Yanis avant d'arborer un de ses sempiternels sourires en coin.

— Effectivement, on peut dire ça. Voilà bien longtemps que je n'avais pas passé un aussi bon été.

— Eh bien, une nouvelle occasion de trinquer ! déclara Yanis en levant son verre.

Malgré mon manque de lucidité, je remarquai une certaine nervosité chez lui, il continuait de discuter, de raconter des blagues, mais il gigotait, buvait encore plus vite que d'habitude, tout en se triturant les doigts. J'imputai immédiatement son attitude à ses habitudes d'ex-fumeur. Ce genre de soirée était typiquement le genre d'occasion qui pouvait lui donner l'envie de replonger, lui qui avant aurait fumé comme un pompier de l'apéro au coucher. En même temps, je n'avais rien à dire, dans ces moments-là, ça me titillait autant que lui. J'avais d'ailleurs de plus en plus de doutes, j'étais certaine qu'il avait craqué ; la toux, les cachous étaient autant d'indices quant à une possible rechute. Je captai son regard et lui fis gentiment les gros yeux, il comprit parfaitement que j'avais repéré son cirque, il me lança un clin d'œil. Je sentais bien que Tristan nous observait, se demandant certainement ce que nous complotions en silence. Maintenant que le message était passé, je pouvais tirer ma révérence ; il était grand temps que je rejoigne mon lit, sinon je n'aurais pas eu les idées claires le lendemain matin. Rien de pire qu'une gueule de bois avec les enfants qui sautent sur le lit !

— Je monte, je ne tiens plus debout, leur annonçai-je en me levant.

— Bonne nuit, me souhaita Tristan.

— Merci.

Je m'approchai de Yanis et l'embrassai, en lui faisant passer un message. Il sourit contre mes lèvres.

— Je ne vais pas tarder, me susurra-t-il.

— Je t'attends pour dormir…

J'agrémentai ma sortie d'un signe de la main et pris la direction de l'escalier. J'assurai mon équilibre en tenant la rambarde en bois. Arrivée à l'étage, je soufflai un grand coup pour consacrer mes dernières forces aux enfants. Je passai dans les deux chambres ; mon petit monde dormait à poings fermés. En me démaquillant et en me brossant les dents, je restai attentive au moindre bruit, j'avais envie que Yanis monte vite me retrouver. J'avais envie de ses bras et de sa peau pour m'endormir. Comme il ne vint pas, je dus me résoudre à traverser le grand couloir pour rejoindre notre chambre. Je me déshabillai à toute vitesse et ne perdis pas de temps pour me glisser sous les draps. Je n'étais pas tranquille dans cette maison et laissai une lumière allumée. Et j'attendis en luttant contre mes yeux qui se fermaient tout seuls. Le sommeil dut être le plus fort, car je fus réveillée par les baisers et les caresses de Yanis. Le message avait été compris. Il me débarrassa de mon pyjama et me fit l'amour longtemps et silencieusement. Ensuite, il me prit contre lui et remonta le drap sur nos deux corps nus.

— Excuse-moi d'être monté si tard, murmura-t-il.

— Pas grave, vu la façon dont tu m'as réveillée. C'est exactement ce dont j'avais envie.

— Rendors-toi.

— Il faut peut-être que je retourne voir si les enfants vont bien, surtout Violette.

— Ne t'inquiète pas, ça dort, j'ai vérifié et j'ai laissé les portes ouvertes.

Les deux jours suivants se déroulèrent admirablement bien. Toute la famille passa beaucoup de temps sur la plage afin de profiter du grand air. Chaque minute en compagnie de leur père faisait du bien aux enfants. Je savourais chaque sourire de l'un ou de l'autre quand Yanis les prenait dans ses bras ou ses épaules. Même si c'était pour la bonne cause, le retour serait difficile, je le sentais, Yanis nous échapperait de nouveau au profit de ses chantiers. Mais c'était toujours ça de pris. Tristan s'éclipsait discrètement pour nous laisser en famille, je profitais de ces instants avec bonheur. C'était très égoïste et opportuniste de ma part, alors qu'il nous accueillait gentiment chez lui, pendant ses vacances. Mais je savais au fond de moi que nous en avions besoin. À d'autres moments, il apparaissait comme par magie, et c'était bien souvent un des enfants qui l'interpellait lorsqu'il descendait sur la plage pour nous rejoindre. Ça ne semblait pas trop être son élément, d'ailleurs ; jamais il ne vint en maillot de bain ni ne se déchaussa. Ça sidérait Yanis qui, s'il avait pu, aurait passé sa vie pieds nus. Tristan prenait toujours le temps de s'intéresser aux châteaux de sable des enfants et même de participer à leur confection. Il était aussi très attentionné envers Yanis et moi ; souhaitant qu'on profite de notre break, il nous proposa même de les garder un moment pour nous permettre de prendre un peu de temps en tête à tête, sans oublier de nous faire promettre de ne pas culpabiliser. Je ne boudai pas mon plaisir d'avoir mon mari pour moi toute seule quelques heures, tout en sachant que les enfants étaient bien et en sécurité avec notre hôte, si prévenant. D'une manière générale, la cohabitation avec Tristan était facile, naturelle même. Nous n'étions pas des adeptes des vacances en communauté, mais là, avec lui, c'était différent. À croire que ce n'était pas les premières que nous passions ensemble. Nous riions et discutions franchement, toujours entraînés par les verres de vin que Yanis se faisait un malin plaisir de nous servir aux apéros et aux repas. Ça me donnait l'occasion de mieux faire connaissance avec lui, et surtout d'être totalement rassurée à son sujet. Comment avais-je pu être aussi méfiante ? Au fond de moi, j'étais épatée par sa décontraction, lui qui, de ce que je savais, était un homme d'affaires débordé, ne se laissait pas envahir par son travail pendant ses vacances. Si Yanis pouvait prendre modèle sur lui à l'avenir, ce ne serait pas un mal. Rien ne dérangeait Tristan ; dès que je demandais aux enfants de faire moins de bruit lorsque nous étions à la maison ou dans le jardin, il me rassurait. Nous envahissions son espace vital sans qu'il fasse la moindre remarque, me rappelant sans cesse que les enfants pouvaient faire ce qu'ils voulaient. La maison avait beau toujours me glacer un peu le sang, ces trois jours me faisaient un bien fou, mon corps se relâchait de toute la tension accumulée les semaines précédentes. Je prenais enfin de la distance avec les soucis qui m'avaient semblé insurmontables ces derniers temps.

Nous repartions le lendemain matin, Yanis avait décidé de rester une soirée de plus afin d'éviter les bouchons. Simplement, il faudrait se lever aux aurores pour qu'il puisse être sur le chantier vers 8 h 30. Après un dernier bain de mer, on remonta en famille vers la maison. Comme à chacun de nos retours de la plage, Tristan nous attendait sur la terrasse, avec l'apéritif prêt pour tout le monde, même pour les enfants, qui se ruèrent sur les chips et leurs verres de grenadine.

— Hé ! les repris-je alors qu'ils repartaient jouer dans le jardin. Qu'est-ce qu'on dit ?

— Merci, Tristan ! répondirent-ils en chœur.

On trinqua tous les trois.

— La mer était vachement bonne, tu aurais dû venir te baigner avec nous ! lui dit Yanis.

— Un peu fraîche tout de même, complétai-je.

Ma remarque arracha un sourire en coin à Tristan.

— J'ai encore le temps d'en profiter, je suis là jusqu'à la fin de la semaine.

Je croisai le regard de Yanis. Je le sentais frustré par ces micro-vacances. Moi aussi, mais j'étais parvenue à me convaincre que c'était mieux que rien. Moi qui au départ n'avais pas voulu venir ! Ça aurait vraiment été trop bête !

— Vous êtes sûrs que vous ne voulez pas rester plus longtemps ? nous demanda Tristan.

— Ce n'est pas l'envie qui me manque, lui répondit Yanis. Surtout pour les enfants et Véra. Mais c'est chaud, il faut vraiment que je sois sur le chantier demain matin.

Je lui attrapai la main.

— Ne t'inquiète pas pour nous. On en a bien profité. Bon, il faut que j'aille faire les valises.

Je soupirai de flemme, ce fut plus fort que moi.

— Véra, m'interpella Tristan. Si tu veux rester avec les enfants, ça ne me pose pas de problème. Et je peux vous ramener à Paris vendredi soir.

Bouche bée, je tournai brusquement le visage vers lui. Il me souriait gentiment.

— Euh… bah…

— Tu ferais ça ? lui demanda Yanis, alors que j'étais toujours incapable de dire un mot.

— Si je te le dis ! Moi, ça me fait plaisir, et, je me répète, c'est bête de ne pas en profiter. Après, c'est vous qui décidez, bien sûr. Véra, tu ne dis rien ?

Je cherchai le regard de Yanis. J'étais scotchée par la générosité de Tristan, mais j'étais perdue, ne sachant que faire.

— Reste si ça te fait envie, me dit Yanis. Vous savoir enfermés entre nos quatre murs jusqu'à la fin de l'été me rend dingue, je préfère que vous continuiez à vous amuser. J'ai bien vu comme c'était dur pour vous avant qu'on parte. Tu veux ?

Je secouai la tête pour me ressaisir. J'aperçus les enfants courir dans le jardin, heureux, avec de belles couleurs sur les joues. Évidemment, qu'ils étaient bien là, mais sans Yanis… ça me semblait impossible.

— Tristan, je te remercie du fond du cœur, c'est adorable, lui dis-je doucement, mais je ne veux pas laisser Yanis rentrer tout seul sans nous à Paris. On fait ce qui était prévu.

— Mais, Véra ! C'est con ! s'insurgea Yanis.

Je serrai sa main, que je n'avais pas lâchée, en lui souriant.

— J'ai pris ma décision, je te jure, ça ne me dérange pas de rentrer à Paris.

Je me levai.

— Allez, je vous laisse.

J'entendis un *pfff* boudeur de Yanis, qui m'arracha un rire.

Dix minutes plus tard, je pestais toute seule. Comment avions-nous pu mettre un tel boxon dans nos affaires en si peu de temps ? Ça me dépassait. Incapable de séparer le linge propre du sale, je commençai à me dire que j'allais tout fourrer en boule dans la valise et que je laverais l'ensemble en arrivant chez nous. De toute façon, je n'allais avoir que ça à faire pour me distraire des hurlements des enfants. La démotivation me saisit. Je m'assis lourdement au pied du lit en soufflant. J'entendis des pas dans le couloir.

— Tu boudes ? me demanda Yanis en franchissant le seuil de la chambre.

Je tournai le visage vers lui ; il avançait, sourire aux lèvres. Il s'assit à côté de moi et m'attira dans ses bras.

— Tu n'as pas l'air ravie de faire les valises.

— Pas faux…

— Pourquoi tu ne veux pas rester, alors ?

Je me blottis plus étroitement contre lui.

— Je n'ai pas envie de te laisser rentrer tout seul, et je ne veux pas être sans toi. Je déteste ça !

— Moi aussi…

Il se détacha de moi pour me regarder dans les yeux et repoussa une mèche de mes cheveux.

— Écoute, Véra, je ne vais faire que bosser toute la fin de semaine, j'ai pris du retard avec ces quelques jours off, mais je ne regrette pas d'être venu, ça nous a fait du bien, à tous les cinq.

— Les enfants sont contents d'être avec toi, tu leur manquais.

Il soupira profondément.

— Moi aussi, mais malheureusement vous n'allez pas me voir après notre retour, je serai tout le temps parti. Vous serez mieux en restant dans cette grande maison avec un accès direct à la plage pendant trois jours de plus, plutôt qu'enfermés chez nous.

— C'est vrai, mais…

Il déposa un baiser léger sur mes lèvres et frotta son nez contre le mien.

— Ça ne m'amuse pas d'être loin de vous. Si j'avais pu rester, je l'aurais fait. Crois-moi.

— Je sais, murmurai-je.

— Reste, alors ? souffla-t-il. Pour moi…

Je n'avais aucune raison de continuer à faire ma difficile. Et puis, ce n'était que trois jours, ce n'était pas la mort non plus. Tout le monde y gagnerait dans l'affaire ; Yanis pourrait travailler sans m'avoir sur le dos en train de râler, les enfants profiteraient de la plage et, avec un peu de chance, je ne passerais pas mon temps à m'égosiller sur eux. Cela me permettrait de recharger mes batteries en perspective de la rentrée. Je hochai la tête. Yanis me sourit doucement.

— C'est bien pour vous, je suis content. Tristan sauve notre été.

— C'est vrai, qu'est-ce qu'on ferait sans lui ? Mais… je ne supporte pas d'être sans toi…

— Nos retrouvailles n'en seront que meilleures.

Il m'embrassa, je répondis à son baiser.

— Allons l'annoncer aux enfants, murmurai-je. Et à notre sauveur !

Les enfants explosèrent de joie en apprenant la nouvelle, leur excitation faisait plaisir à voir et m'empêchait d'avoir des regrets.

— Dites merci à Tristan, finis-je par leur demander.

Ils coururent dans sa direction et lui sautèrent dessus. Leur réaction sembla particulièrement le toucher. Je l'avais rarement vu avec un sourire si expressif. Même son visage d'habitude si austère s'adoucit. Je m'approchai à mon tour.

— Laissez-le respirer ! dis-je en riant à mes trois loustics.

Ils finirent par le lâcher et foncèrent vers Yanis.

— Ton invitation est vraiment très généreuse. Je te remercie.

— Je t'en prie, c'est avec plaisir.

Je lui souris.

— Pour la peine, tu vas me laisser accéder à la cuisine, et ça, c'est non négociable.

Il rit. Et je partis directement préparer le dîner. Tant pis si je donnais l'impression de m'enfuir. Yanis ne me lâcha pas d'une semelle de toute la soirée, il m'aida pour le repas, pour les enfants, il dîna à côté de moi, contrairement aux soirs précédents où il se mettait à l'autre bout de la table. De mon côté, j'assurai le spectacle de la bonne humeur. Mais le cœur n'y était pas, j'étais prise d'un cafard sans nom. Je faisais bonne figure pour ne pas vexer Tristan, qui n'était pas responsable.

— Bon, y en a qui bossent demain ! déclara Yanis alors que nous buvions un déca sur la terrasse.

Il se leva, Tristan en fit autant.

— Merci pour le séjour ! Je te les confie.

— Tu peux me faire confiance.

— C'est bien pour ça que je te les laisse ! On se voit vendredi quand tu me les ramènes.

Ensuite, Yanis attrapa ma main. Je lançai un regard à Tristan.

— Bonne nuit.

— À demain, Véra.

On embrassa tous les deux les enfants, endormis profondément, Yanis prit plus de temps que moi, leur murmura des mots doux à l'oreille. Il réalisait tout juste qu'il n'allait pas les voir durant trois jours, ce qui n'était encore jamais arrivé. Lorsqu'on finit par se mettre au lit, il me prit contre lui et me serra fort.

— Tu me promets d'en profiter, même si je ne suis pas là.

— Je ne vais pas cracher dans la soupe.

— Si tu as besoin d'aide avec les enfants, demande à Tristan. Il les a dans la poche.

— Je vais m'en sortir.

— Je le sais, mais je voudrais que tu te reposes quand même un peu.

— Tout va bien se passer, ne t'en fais pas. Tu vas simplement nous manquer, me manquer…

— Vous aussi. Mais tu vois, je vais en profiter pour bosser comme un dingue, et vendredi soir quand vous arriverez, je vous attendrai à la maison et on passera le week-end sans se séparer une seule seconde.

— Promis ?

— Évidemment…

— Ça me va dans ce cas, lui dis-je avant de l'embrasser dans le cou.

– 10 –

Véra

Notre Volvo venait de disparaître. Les pneus avaient crissé sur le gravier, malgré les précautions de Yanis qui voulait éviter de réveiller la maisonnée à 6 heures du matin. Il avait eu beau essayer de m'empêcher de me lever en même temps que lui, je n'avais pas cédé. Résultat des courses : j'étais sur le perron de la maison, des larmes plein les yeux, à me geler. Je rentrai à l'intérieur, j'avais trop froid. Et ça ne servait à rien de rester là comme une nouille ; il était déjà loin. Sauf que mes pieds nus sur les carreaux de ciment du vestibule puis de la cuisine ne me réchauffèrent pas vraiment. Je posai dans l'évier la tasse de café de Yanis et m'en resservis une, pour aller la boire assise sur un tabouret de bois devant la fenêtre. Je regardai la plage sans la voir. Il n'y avait d'ailleurs pas grand-chose à regarder, si ce n'est un vieux tombé du lit avec son chien tout aussi âgé que lui. Le paysage me laissait particulièrement insensible aujourd'hui. Mon esprit vagabondait : je pensais aux enfants qui dormaient encore et dont la première question serait

« Il est où papa ? », le sommeil ayant la fâcheuse tendance à leur provoquer des trous de mémoire. Je pensais aussi à Yanis tout seul en voiture qui devait s'inquiéter à propos de ce que les jours prochains sur le chantier lui réservaient. Autant hier soir il semblait triste de nous laisser, autant ce matin il était parti la fleur au fusil, l'esprit déjà loin de nous, loin de moi. J'avais le cœur gros, je ne pouvais m'empêcher de me demander pourquoi rentrer à Paris sans nous semblait presque le réjouir. Mais qu'est-ce que je faisais là ? Dans la maison de l'ami bienfaiteur de Yanis sans Yanis, avec nos enfants. La situation me parut complètement absurde, limite grotesque. En même temps, c'était comme ça, j'avais accepté de rester, guidée par l'envie de profiter encore un peu de la plage. De toute manière, je devais penser aux enfants et leur permettre de poursuivre de bonnes vacances. Il n'y avait aucune raison pour que ça se passe mal, ni pour nous ni pour Yanis, tout seul jusqu'à la fin de la semaine, c'était un grand garçon. J'entendis un grattement à la porte.

— Bonjour, Véra, j'espère que je ne t'ai pas fait peur.

Je regardai par-dessus mon épaule et découvris Tristan, les cheveux encore mouillés de sa douche, sur le seuil de la cuisine. Un arôme de vétiver embauma la pièce. J'avais remarqué que l'intensité de son parfum était toujours la même, quelle que soit l'heure.

— Bonjour, Tristan. Désolée si on t'a réveillé avec Yanis.

— Pas du tout, je l'étais déjà. Il est bien parti ?

— Comme tu peux le constater.

Il avança dans la pièce.

— Il y a du café chaud, si tu veux.

Il me sourit. Puis je retournai à la contemplation de la plage, qui ne m'intéressait toujours pas davantage.

— Je te ressers ?

Il était juste derrière moi, cafetière à la main.

— Oui, je te remercie.

Je me tournai sur mon tabouret et le suivis du regard. Il s'appuya contre l'évier en émail, avec sa tasse.

— Tu es tombé du lit ? m'étonnai-je.

— Je ne suis pas un grand dormeur. Et toi, pourquoi n'es-tu pas allée te recoucher ?

— Pas envie, lui répondis-je avant de plonger les yeux dans mon café.

Quelques minutes filèrent sans un mot échangé.

— Tu sais, Véra, je ne me vexerai pas si tu n'es pas en forme.

Je relevai le visage vers lui, surprise.

— J'ai cru comprendre que vous n'étiez que rarement séparés avec Yanis. Tu as droit d'avoir le cafard.

— Tu lis en nous comme dans un livre ouvert, lui rétorquai-je en riant légèrement.

— Il me reste encore beaucoup à apprendre ! Qu'as-tu prévu de beau aujourd'hui comme programme ?

— Rien de bien extraordinaire. Châteaux de sable et baignades !

— Tu vas faire des heureux.

— C'est pour ça que je suis là.

— Si tu veux aller te balader plus loin, n'hésite pas à prendre ma voiture.

Prête à le remercier encore une fois pour ce qu'il faisait pour nous, je marquai un temps d'arrêt. Mes réserves à son égard refirent surface. *Méfiance, quand tu nous tiens...*

— Pourquoi es-tu si généreux avec nous ?

C'était sorti tout seul, je m'en mordais déjà les doigts. Il quitta sa place, s'assit sur le tabouret en face de moi, posa sa tasse devant lui et s'accouda à la table en me regardant droit dans les yeux.

— Ça te dérange ?

J'allais jouer franc-jeu. Au point où j'en étais, autant crever l'abcès.

— Ça m'interroge.

— Tu ne devrais pas.

— Ah bon ?

— T'es-tu déjà demandé pourquoi tu sympathisais avec telle ou telle personne ? As-tu une explication rationnelle à ton amitié avec Charlotte ? Je ne me trompe pas, ta meilleure amie s'appelle Charlotte ?

— Effectivement.

— Donc, sais-tu pourquoi tu es amie avec elle ? En dehors de vos premiers souvenirs.

— Non, c'est comme ça, c'est tout.

— Eh bien, moi, avec vous, à commencer par Yanis, à part qu'il m'a tapé dans l'œil pour ses compétences professionnelles, je ne cherche pas à trouver d'explications au fait que je m'entende particulièrement bien avec lui, et donc avec toi par extension. Véra, je crois que tu ne te rends pas compte de qui vous êtes, j'ai énormément de chance que vous soyez rentrés dans ma vie.

Je levai les yeux au ciel, gênée par le compliment.

— Ça n'explique pas ta générosité.

— Ce n'est pas de la générosité. C'est normal. Mes affaires avec Yanis sont un investissement, c'est mon job, ce qui n'a rien de généreux, et que je ne mélange pas avec le reste. Quant à la maison, j'ai la chance de l'avoir, qu'y a-t-il de suspect à en faire profiter des amis ? Ne le ferais-tu pas à ma place ?

Je le fuis du regard.

— Oui, tu as raison. Désolée d'avoir cherché la petite bête.

— Ne t'excuse pas et ne te sens surtout pas mal à l'aise de m'avoir posé la question. C'est plutôt sain, en réalité. J'aurais eu la même réaction que toi.

Je me sentais vraiment bête. En général, c'était Yanis le spécialiste des questions qui fâchent. Et je venais d'endosser ce rôle à merveille alors que je n'étais qu'au tout début de mon séjour en tête à tête avec lui.

— Tu as autre chose à me demander ? me dit-il, rictus satisfait aux lèvres. C'est le moment ; tes enfants dorment encore, il y a du café et je suis prêt à te répondre.

Il se leva, récupéra la cafetière et nous resservit. Puis il se réinstalla à la même place.

— Sérieux ? le charriai-je. Toutes les questions que je veux ?

— Gardes-en quelques-unes pour plus tard, on va avoir des conversations à meubler les jours prochains.

— OK, je vais commencer soft. Raconte-moi l'histoire de cette maison. Je sais simplement que ça te vient de ta famille.

— C'est futé, tu fais d'une pierre deux coups, la maison et ma famille.

Il me croyait plus intelligente que je ne l'étais en réalité. Je n'avais même pas pensé que ça me permettrait de glaner des informations sur ses origines.

— Tu risques d'être déçue, il n'y a rien de bien intéressant.

— Laisse-moi en décider.

J'appris qu'il était issu d'une fratrie de quatre garçons dont il était le dernier. La maison dans laquelle nous passions les vacances appartenait à ses frères et lui. Il était le seul à en profiter, tous les membres de sa famille ayant déménagé dans le Sud. Il estimait faire partie de la classe des vernis ; parents aisés mais sévères qui les avaient élevés dans le culte de la réussite et du travail acharné, études dans les meilleures écoles privées, vacances au bord de la mer avec cours de voile et de tennis obligatoires. Je savais enfin d'où venaient ses manières et son côté vieille France. Finalement, il n'avait jamais décidé grand-chose par lui-même, son avenir avait été tout tracé par ses parents.

— C'est terrible d'être un fils de riches, ironisa-t-il, sourire aux lèvres. Ça provoque l'ennui et presque à tous les coups une belle crise de la quarantaine.

— Je ne suis pas d'accord avec toi. Tu vois, fils de riches, fils d'ouvriers, peu importe d'où l'on vient, la crise de la quarantaine frappe à votre porte ! Regarde Yanis !

Son sourire en coin s'afficha.

— Développe.

— Vous êtes pareils, tous les deux. Vous cherchez l'accomplissement par vous-mêmes, vous avez besoin de défis, de vous prouver et de prouver aux autres que vous pouvez réussir seuls.

— Et c'est mal ?

— Je ne suis pas vraiment bien placée pour te faire la morale. Je te comprends, peu importent les raisons qui t'ont motivé à l'époque. Si je pensais que c'était mal, je ne soutiendrais pas Yanis. Je ne vais pas te cacher que c'est pas facile tous les jours, mais ça en vaut la peine.

Sourire aux lèvres, il secoua légèrement la tête. Puis il regarda par la fenêtre quelques secondes, avant de me fixer de nouveau.

— Je n'ai pas eu la même chance que Yanis.

J'allais céder à ma curiosité.

— C'est-à-dire ?

— Contrairement à toi, mon ex-femme n'a pas supporté que je change de boulot, ni que je change tout court. L'un ne va pas sans l'autre. Prendre un nouveau tournant dans sa carrière n'est pas sans conséquence sur le caractère et la vie de famille. Bref… très rapidement, ça a été un flot continu de reproches et d'incompréhensions de part et d'autre, les filles commençaient sérieusement à souffrir de nos conflits permanents. J'ai fini par partir.

— J'en suis désolée…

— Ne le sois pas, c'est de l'histoire ancienne aujourd'hui. Votre couple n'a rien à voir avec celui que je formais avec elle.

L'arrivée tonitruante des enfants nous interrompit. Je me promis de reprendre le fil de cette conversation pour le moins intéressante, même si elle était perturbante. Yanis changeait déjà, c'était une évidence. Mais jusqu'où irait-il ?

En rentrant de la plage ce soir-là, on trouva Tristan en pleine conversation téléphonique sur la terrasse, il nous fit un clin d'œil. Je poussai les enfants vers l'escalier, pour éviter qu'ils ne le dérangent. Je les plongeai tous les trois ensemble dans la baignoire. Ce qui à tout bien penser n'était peut-être pas la meilleure des solutions, car la salle de bains se transforma bientôt en piscine. Ils s'arrosaient en riant, hurlant même par moments. Brusquement, il y eut un grand blanc lorsque je me pris en pleine tête un jet d'eau. Ils me regardèrent les yeux écarquillés, se demandant quelle punition allait leur tomber sur la tête. J'éclatai de rire et participai à la bataille. Tant pis pour ma robe estivale détrempée qui ne dissimulait plus rien de mes formes ! J'épongerais plus tard. Je réussis malgré tout à les asperger de gel douche et de shampoing.

— Véra ?

— Oui, Tristan, répondis-je en tournant le visage vers la porte.

Il passa la tête et sourit franchement en découvrant la scène et en nous détaillant tous les quatre. Je rougis en réalisant que je devais être comme quasiment nue après la bataille d'eau.

— Si tu as besoin de la salle de bains, il faudra repasser plus tard.

— Non, c'est bon. Je montais juste te dire que Yanis t'embrasse, ainsi que les enfants.

— Ah, dis-je en me relevant au ralenti. Tu…

— J'étais avec lui au sujet du chantier.

Je ne l'avais eu que par texto le matin lorsqu'il m'avait prévenue qu'il était bien arrivé à Paris. Sinon, il avait été injoignable toute la journée.

— Il va bien ?

— Il court partout, mais il semble en forme. Il t'appellera ce soir.

— Merci pour la commission.

— Je t'en prie.

Il commençait déjà à s'engager dans le couloir lorsque je le retins.

— Tristan, attends ! Je peux te demander un petit service ?

Il revint vers moi.

— Tout ce que tu veux.

— Je peux t'envoyer les enfants et te les confier le temps que je nettoie le carnage et que je prenne une douche tranquille ?

Son regard se posa sur les enfants avant de revenir sur moi. Il me scruta de la tête aux pieds. J'étais mortifiée.

— Je sais, je suis aussi trempée que si j'étais passée sous la douche, mais bon...

— Avec plaisir ! Les enfants, je vous attends au salon !

Puis il disparut. J'expédiai les mises en pyjama et escortai mon petit monde jusqu'à l'escalier, faisant promettre à chacun d'être gentil et obéissant avec Tristan. Une fois que j'entendis le piaillement de Violette qui réclamait d'être petite princesse, je courus jusqu'à notre chambre et récupérai mon portable. Je m'assis sur le lit et téléphonai à Yanis. Après toutes les sonneries, je tombai sur la messagerie : « *C'est moi. Bon... bah... j'ai moins de chance que Tristan. Il a joué au messager... J'avais envie de t'entendre et de savoir comment tu allais... Je t'embrasse, à plus tard.* » Je raccrochai, le cœur de nouveau lourd. Il me manquait, et je me sentais délaissée.

Durant toute la soirée, je surveillai mon téléphone. Les enfants étant en pleine forme, je préférai les garder avec moi. Tristan se transforma en véritable héros aux yeux de Joachim lorsqu'il lui montra sa collection de vinyles de jazz. Je les écoutai distraitement parler musique et trombone tout en occupant mes deux petits avec un jeu de sept familles. Violette finit par s'endormir contre moi, et Ernest commença à piquer du nez.

— Joachim, on va aller se coucher.

— Non, maman, je veux rester encore avec Tristan. Il est presque aussi fort que papa en musique !

Je lui souris tendrement.

— Il est tard.

— Ne t'inquiète pas, mon grand, lui dit Tristan. On continuera demain.

— C'est vrai ? lui demanda mon aîné, des étoiles plein les yeux.

— Je t'en fais la promesse, lui assura-t-il en lui ébouriffant les cheveux.

Joachim vint vers moi. Je pris Violette dans les bras et me tournai vers notre hôte.

— Je ne redescends pas. À demain. Bonne nuit.

— Merci, toi aussi.

Je lui souris, puis montai, entourée de mes trois enfants.

En me glissant sous la couette, je retentai de joindre Yanis. Après de nombreuses sonneries, il finit par décrocher. Il n'avait pas l'air pressé de m'entendre.

— Tu es au lit ? me demanda-t-il.

— Oui.

— Je me doutais que tu m'appellerais à ce moment-là.

Je me retins de lui rappeler que c'était à lui de le faire.

— Comment s'est passée ta journée ?

— Très bien !

— Tristan m'a dit que c'était la course. J'ai essayé de t'avoir à plusieurs reprises. Tu as des problèmes sur le chantier ?

— Oh, rien de pire que d'habitude. Ça roule. J'ai plein de trucs sur le feu.

— Tout va bien à la maison ?

— Je n'y suis pas.

— Pourquoi ? Et où es-tu, alors ?

— À la garçonnière, c'est mieux. Je ne perds pas de temps, comme ça. Bon… parle-moi des enfants. Tristan m'a dit que vous aviez passé votre temps à la plage ? Il m'a envoyé plein de photos de vous.

Première nouvelle, je n'en savais rien. En même temps, je me sentais honteuse, ça ne m'avait pas effleuré l'esprit. Heureusement que Tristan y avait pensé. Je lui racontai ce qu'il semblait déjà savoir. Je l'entendais farfouiller dans la garçonnière, boire ce que je supposais être une bière, tout en m'écoutant, du moins l'espérai-je. Puis il se mit à bâiller.

— Va te coucher, tu es crevé.

— Pas faux. Désolé… Et toi, tu vas réussir à t'endormir ?

— Je ne sais pas.

— Essaie…

— Oui… Je t'embrasse. Tu m'appelles quand tu te réveilles demain ?

— Non, je vais te laisser dormir. Profites-en. On se téléphonera plus tard.

Je n'avais pas envie qu'il mette fin à notre appel. Pourtant, lui semblait déjà ailleurs.

— Yanis, j'ai toujours notre musique dans la tête, lui dis-je d'une toute petite voix.

J'eus l'impression de quémander son amour.

— Moi aussi. Dors bien.

Je crus entendre un sourire dans sa voix. Mais il raccrocha. Je fixai mon téléphone de longues secondes, le ventre noué. Je finis par éteindre la lumière et m'enroulai dans la couette. Je le sentais loin de moi, je n'aimais pas ça. C'était la première fois que je ressentais ce sentiment d'abandon de sa part, jamais il ne nous avait laissés quelque part sans y être contraint et forcé, à croire qu'il était content qu'on ne soit pas dans ses pattes, jamais il n'avait eu si peu à me dire, à me raconter de sa journée, alors qu'il lui arrivait tant de choses. En y repensant, il me parlait de moins en moins du chantier. Avant, il n'était pas avare de détails. Heureusement que les enfants y étaient allés et que Tristan pouvait attester de l'existence du futur concept store, sinon, j'aurais été capable de douter de sa réalité. Pourtant, je savais que, s'il était comme ça, c'était uniquement dû à l'ampleur de ce qu'il entreprenait et au fait qu'il ait la tête ailleurs. Je devenais parano et me sentais terriblement seule. Je devais me ressaisir à tout prix. J'étais aux aguets, guettant le moindre bruit dans la maison. Je tournai et virai dans le lit, incapable de trouver une position, incapable de me laisser aller, incapable d'arrêter de réfléchir. Mais surtout incapable de m'endormir sans sentir la présence de Yanis à côté de moi. Les fois où nous n'avions pas dormi ensemble se comptaient sur les doigts de la main. Je fermai les yeux, en pensant à lui, certainement vautré sur le canapé de la garçonnière, il devait déjà être parti au pays des rêves, tout habillé, avec une bière à moitié bue traînant sur la table basse. L'image avait beau ne pas être attirante, je ne pensais qu'à ça pour tenter de trouver le sommeil à mon tour, en essayant de ne pas ressasser le fait que lui n'avait pas besoin de moi pour s'endormir. Ma rêverie éveillée fut perturbée par des pas dans l'escalier, le parquet qui craqua, puis la porte de la salle de bains qui s'ouvrit, se ferma, se rouvrit et se referma quelques minutes plus tard. Ensuite, il y eut le bruit de celle d'une chambre. Tristan se couchait à son tour. Au moins, je n'étais pas seule dans cette grande baraque glauque. Quelque part ça me rassura, malgré ce que la situation pouvait avoir d'étrange.

J'ouvris les yeux, sans aucune notion de l'heure. J'avais dormi à la place de Yanis, les bras serrés autour de son oreiller. Au vu de ma fatigue, il devait être très tôt. Je me tournai, toujours au chaud sous la couette, du côté de la fenêtre, et découvris, surprise, les rayons du soleil déjà haut dans le ciel à travers les volets. Du coup, je me retournai vers la porte. Fermée ! Ce fut la panique générale : les enfants ! Je balançai les draps, sautai du lit et ouvris la porte avec fracas en les appelant. Pas de réponse. J'entrai comme une folle furieuse dans leur chambre. Lits vides. Je dévalai l'escalier quatre à quatre et débarquai hors d'haleine dans la cuisine.

— Qu'est-ce qui t'arrive, maman ?

Mes trois enfants étaient attablés avec leur chocolat chaud sous le nez, devant un panier de croissants et de pains au chocolat.

— Tu sais ce qu'on a fait, maman ? On a été à la boulangerie avec Tristan ! poursuivit-elle sans me laisser le temps de lui dire un mot.

— Bonjour, Véra, me dit celui-ci.

Mes épaules s'affaissèrent, je passai la main dans mes cheveux en bataille.

— Salut, soufflai-je.

Il s'approcha de moi, mine légèrement contrite.

— Je les ai entendus se réveiller, je suis monté, et comme il n'y avait aucun signe de vie de ton côté, je me suis permis de fermer la porte de ta chambre pour te laisser dormir. Et je me suis dit que ça leur ferait plaisir d'avoir des viennoiseries au petit déjeuner. J'espère que ça ne te pose pas de problème.

— Non… c'est juste que je ne m'attendais pas à dormir si tard.

— Il faut croire que tu en avais besoin. Je te sers un café ?

— Merci beaucoup pour tout !

Je pris place sur un tabouret à côté de mes enfants. Je finis de me réveiller en moins de trente secondes, car Violette en grimpant sur mes genoux tira sur le débardeur de mon pyjama, qui bâilla outrageusement ; je me retrouvai presque les seins à l'air ! Je le remis en place à la vitesse de la lumière. Les joues en feu à l'idée de ce qu'avait pu apercevoir Tristan, j'attrapai ma tasse sans lui accorder un regard. Il reprit la même place que la veille, adossé à l'évier en émail et entama une nouvelle conversation musicale avec un Joachim aux anges. Tout en mordant dans un croissant, je discutai avec Ernest et Violette. Puis le portable de Tristan sonna ; lorsqu'il vit le nom de son interlocuteur, il sourit avant de décrocher. Ce fut plus fort que moi, je tendis l'oreille.

— On prend le petit déjeuner, dit-il à la personne au bout du fil, avant d'éclater de rire. Oui, je te la passe.

Il me tendit le téléphone.

— C'est Yanis, il vient d'essayer de t'appeler.

— Oh, j'ai laissé mon portable dans la chambre.

J'attrapai l'appareil.

— Allô !

— Tu as fait la marmotte ?

— Il semblerait.

— En tout cas, aucun regret que tu sois restée ! Tristan s'occupe bien de vous.

Je lançai un regard à celui-ci qui me fixait.

— C'est vrai. Et toi, tu as bien dormi ?

— J'ai écrasé quelques heures, ça m'a suffi. Je suis sur le chantier depuis 7 heures ce matin.

— Pourquoi si tôt ?

— Y a du boulot.

Les enfants réalisèrent que j'étais avec leur père au téléphone, ils se mirent à se battre pour savoir lequel d'entre eux lui parlerait. Du coup, je n'arrivais plus à échanger deux mots avec lui.

— Yanis, je te les passe.

Je n'entendis pas sa réponse, le portable me fut arraché des mains. Les trois enfants jacassèrent avec lui l'un après l'autre, pour finir par dire n'importe quoi dans le seul but de se rendre intéressants. Au bout d'un moment, je décidai d'intervenir :

— C'est bon, maintenant, dites au revoir à papa.

De mauvaise grâce, Violette me le rendit, puis descendit de mes genoux pour aller bouder. Je venais de vexer petite princesse !

— Ça me fait plaisir de les entendre en pleine forme, me dit Yanis. Tu vois que j'avais raison, que ça leur fait du bien de rester quelques jours de plus. Et toi, ça te permet de dormir.

— Oui…

Derrière lui, il y avait un vacarme effrayant.

— Je dois raccrocher.

Je soupirai.

— Déjà ?

— J'ai un rendez-vous hyper important, je te raconterai quand j'en saurai plus. Je voulais juste vous entendre avant. On s'appelle ce soir. Je t'embrasse, amuse-toi bien aujourd'hui.

Il avait déjà coupé. Quelle mouche l'avait piqué ?

— Véra ? Ça va ? me demanda Tristan.

Plongée dans mes pensées, je ne m'étais pas rendu compte que les enfants avaient déserté la cuisine. Il ne restait plus que lui.

— Oui, oui, ça va… Je m'inquiète pour Yanis, c'est tout.

— Pourquoi ?

J'avalai une gorgée de café, avant de planter mon regard dans le sien.

— Tu me le dirais, s'il avait des problèmes, je veux dire de vrais problèmes, sur le chantier ?

Il fronça les sourcils, interloqué.

— Je sais que c'est à l'opposé de ce que tu me disais hier, tu ne mélanges pas les deux, mais j'ai l'impression que Yanis me cache quelque chose, je n'arrive pas à me défaire de cette idée. Il n'est pas comme d'habitude.

— Ne te fais pas de souci. Yanis travaille comme un forçat, il veut réussir. C'est son projet, à lui, enfin, ce qui explique que tu le trouves étrange. Il n'a encore jamais été dans cette position. Je sais que c'est difficile, mais ne te monte pas la tête. Il ne peut pas te donner tous les détails.

— Toi qui es dans le secret des dieux, tu m'assures qu'il n'y a rien de grave ?

— À ma connaissance, ça ne pourrait pas mieux se dérouler. Vraiment, tu te fais des films !

On allait dire que ça me rassurait. Avais-je le choix, finalement ?

Jeudi soir. Plus que vingt-quatre heures, et nous serions à l'appartement avec Yanis. La famille serait réunie, les choses rentreraient dans l'ordre. Nous allions pouvoir de nouveau parler tous les deux autrement qu'en coup de vent par téléphone, j'allais enfin voir de mes yeux que tout se passait bien, que je n'avais pas à m'inquiéter. La semaine prochaine, la course centre aéré/boulot jusqu'à la rentrée des classes allait reprendre, ainsi que mes déjeuners avec Charlotte. En tout cas, je l'espérais. Comment avions-nous pu en arriver là ? Ne plus être capables de nous comprendre, de nous respecter. Rire avec elle, me confier à elle me manquait. Je devais tout faire pour qu'on trouve un terrain d'entente et que notre complicité revienne. J'avais besoin de l'entendre. Je partis m'installer dans un coin du jardin pour lui téléphoner.

— Salut ! lui dis-je gaiement dès qu'elle décrocha.

— Ce n'est pas trop tôt ! Je me demandais si un jour j'aurais de tes nouvelles !

Qu'est-ce qui t'empêche d'en prendre ?

— Quel accueil ! Ça fait plaisir ! Tu sais comment c'est avec les enfants, l'été… Mais tu vois, justement, je pensais à toi, et je voulais te proposer de venir dîner à la maison samedi soir. En plus, ça fait longtemps que tu n'as pas vu Yanis.

— C'est une idée, me répondit-elle avec peu d'entrain. Tu reprends quand le boulot ?

— Lundi.

— On…

Une mouette passa en braillant juste au-dessus de moi et couvrit la voix de Charlotte.

— Excuse-moi, je ne t'ai pas entendue. Tu disais ?

— Vous êtes partis en vacances, finalement ?

— Juste quelques jours.

— Tu aurais pu me prévenir ! Où êtes-vous ?

— On devait partir simplement le week-end et Yanis est rentré sans nous pour qu'on profite plus longtemps, je rentre demain avec les enfants et Tristan.

En prononçant le prénom de Tristan, je me dis que ça n'allait pas passer. Ça ne loupa pas :

— Je peux savoir ce que ce mec vient faire là ! vociféra-t-elle.

Son agressivité était difficilement supportable, encore moins compréhensible. Je donnai un coup de pied dans un caillou et me mis à marcher de long en large dans le jardin.

— Il nous a invités dans sa maison sur la Côte normande pour nous permettre de prendre un peu l'air, répondis-je détachée.

— Si vous êtes dans la dèche, tu aurais dû me demander un coup de main à moi et pas à ce type débarqué de je ne sais où !

Je stoppai net.

— De quoi tu parles ? Pourquoi veux-tu qu'on soit dans la dèche ? Yanis est débordé ! Ne fais pas semblant de ne pas savoir ! m'énervai-je en haussant le ton. Je ne comprends pas où est le problème !

— Ce n'est pas une raison, vous n'êtes jamais partis en vacances avec moi.

— En même temps, ça ne t'est jamais venu à l'esprit avant aujourd'hui ! Mais c'est quoi, le plan,

Charlotte ? Tu as un problème parce qu'on a d'autres amis que toi ?

— Eh bien oui, figure-toi ! Je suis jalouse ! J'ai l'impression qu'il compte plus pour vous que moi !

— Ne dis pas d'âneries ! Il est sympa et ne nous juge pas comme certains. Tu n'as pas l'exclusivité sur nous !

— Ne prends pas tes grands airs, Véra !

— Ça suffit ! J'avais envie de prendre de tes nouvelles, de te parler et je ne veux pas qu'on se dispute. Tu sais ce que je vais faire, je vais l'inviter à dîner avec nous samedi, tu le rencontreras, ça te calmera. Et qui sait, tu deviendras peut-être amie avec lui ?

— Plutôt mourir ! Il est hors de question que je vienne s'il est là !

Mais qu'est-ce qui lui arrive ? Elle devient folle, ma parole !

— Pourquoi ?

— Parce que je n'en ai rien à faire, de ce type ! Il ne m'intéresse pas !

— Donc, tu te moques d'une partie de notre vie ! Je n'en peux plus, de tes reproches, de ton manque d'intérêt pour Yanis et sa boîte, tes jugements à tout bout de champ. Je ne te reconnais plus. Qu'est-ce qui t'arrive ? Qu'a-t-on fait, à la fin ?

Je l'entendis soupirer profondément.

— Déjeunons mardi, et on parlera.

— Non ! Tu ne vas pas te débiner ! Réponds-moi ! Je veux savoir ce qui se passe !

Nouveau soupir.

— Tu sais que j'ai toujours aimé Yanis, je l'adore, ton mari, il te rend heureuse, c'est un père génial pour vos enfants, mais c'est aussi un grand ado. Ne dis pas le contraire !

— Tu ne vas pas t'y mettre ! Et puis, franchement, venant de ta part, c'est l'hôpital qui se fout de la charité !

— Jusque-là, ça me faisait plutôt rire, poursuivit-elle sans se préoccuper de ma remarque. Votre côté monde de Oui-Oui et son attitude n'avaient pas de conséquence. Aujourd'hui, les choses ont changé. Il a agi comme un gamin capricieux en démissionnant et il t'entraîne avec lui dans sa chute. Et toi, tu ne vois rien ! Pire, tu tends le bâton pour te faire battre !

— Tais-toi ! criai-je. Comment peux-tu dire des choses pareilles sur lui ?

— C'est toi qui vas te taire, tu voulais savoir ce qui m'arrivait, alors tu vas savoir et m'écouter jusqu'au bout. Tu soutiens ton mari, c'est normal, le contraire serait étonnant, mais le soutien a ses limites quand l'irresponsabilité frôle l'attitude suicidaire. Il va vous mettre dans une merde sans nom ! Ton frère m'en a parlé. Est-ce que tu sais au moins ce qu'il en est réellement de son chantier ? Et franchement, quand aujourd'hui j'apprends qu'il vous a laissés, les enfants et toi, avec un mec que vous ne connaissez ni d'Ève ni d'Adam ! Il est complètement malade. Je ne veux pas te voir t'enfoncer. Je sais très bien qu'en te disant ce que j'ai sur le cœur depuis plusieurs semaines, je vais perdre ton amitié. Tant pis, quitte à choisir, je préfère ça au silence, je ne me pardonnerais jamais de ne pas t'avoir prévenue.

Je fermai les yeux et soufflai pour prendre des forces, jamais je n'aurais cru ça possible.

— Je vais te dire une chose, Charlotte. Tu as raison sur un point. Tu as perdu mon amitié. Au revoir.

Je raccrochai, et serrai ma main de toutes mes forces autour de mon portable, pour tenter de canaliser les tremblements qui m'agitaient. De grosses larmes roulèrent sur mes joues. J'étais désespérément seule, nous étions désespérément seuls avec Yanis.

— Véra ? entendis-je Tristan dans mon dos.

Encore une fois, je ne l'avais pas entendu arriver. Comment pouvait-on être aussi silencieux que lui ? Heureusement qu'il était là. Je me redressai, et essuyai rapidement mes joues, sans oser lui faire face.

— Où sont les enfants ? demandai-je la voix peu assurée.

— Ne t'inquiète pas. Ils dînent dans la cuisine. Je me suis permis de les éloigner du jardin.

— Merci. Je vais aller les rejoindre.

Tête baissée, je le contournai et partis en courant pour être avec mes petits. Ma place était à leur côté et non à ressasser sur une amitié gâchée, perdue, salie.

— Tu as pleuré, maman ? me demanda Joachim, soucieux, lorsqu'il me vit arriver.

— Non, j'ai eu une poussière dans l'œil, mentis-je en le fuyant du regard.

— Maman, me rappela-t-il, la voix plus inquiète.

Je m'assis à côté de lui à table, passai la main sur son front hâlé et dans ses cheveux, et lui fis un sourire que j'espérais doux et rassurant.

— Ne t'en fais pas, mon Jojo. Ce sont juste des histoires de grands.

Il se leva et colla sa bouche à mon oreille.

— On ne verra plus Charlotte, chuchota-t-il. Comme pour Luc…

— C'est compliqué, lui répondis-je. Allez, finis ton dîner.

Il m'enlaça comme s'il prenait la place de l'adulte qui console un enfant.

— On s'en fiche, maman, on reste tous les cinq.

Je levai les yeux au ciel pour m'empêcher de pleurer. Il se rassit. Joachim avait grandi durant les vacances, c'était le même coup tous les ans, mais là, il avait gagné en maturité, je refusais de penser en gravité.

— Que diriez-vous d'une glace en dessert ? leur proposai-je plus guillerette.

Leurs sourires étaient mon antidépresseur. Un concert de oui retentit. Je leur préparai une coupe à chacun sur la table, les trois m'encadraient comme des oisillons attendant la becquée. Lorsqu'il ne resta plus une goutte de crème glacée, ils m'aidèrent à débarrasser, sans rechigner, les petits fortement briefés par leur grand frère qui sentait que sa mère en avait besoin. Une fois que la cuisine fut rutilante, je les invitai à me suivre jusqu'à ma chambre à l'étage et à s'installer tous les trois dans le lit. Un cadeau les attendait ; la tablette avait été remisée au fond de ma valise pour permettre une petite cure de désintoxication, ils semblaient avoir oublié jusqu'à son existence. Lorsqu'ils la virent apparaître, leurs yeux pétillèrent.

— Alors, je vous la donne, mais vous vous débrouillez, pas de bagarre, pas de cris. Ne me faites pas regretter, d'accord ?

— Promis, maman !

— Soyez sages, à tout à l'heure.

Au salon, Tristan était assis sur un canapé, un livre à la main. Sur la table basse, il y avait un plateau avec deux verres de vin.

— Sers-toi, me dit-il sans décoller le nez de sa lecture.

Pas deux secondes d'hésitation : il me fallait un remontant. Je retirai mes spartiates et m'assis sur le banc du bow-window en y allongeant mes jambes. Je sirotai mon vin à petites gorgées, regard tourné vers la mer. Le soleil allait bientôt complètement disparaître.

— Tristan, finis-je par l'appeler après de longues minutes de silence.

— Oui.

Je tournai le visage dans sa direction et rencontrai son regard curieux sur moi.

— Tu vas finir par regretter de nous avoir invités.

— Aucun risque.

— Tu es gentil, mais franchement, dans le genre boulet ! lui dis-je en riant, même si le cœur n'y était pas.

— Vous faites face, Yanis et toi, à des soucis que j'ai connus. Et vos enfants sont vraiment attachants, alors ne t'en fais pas.

Mon verre était déjà vide. Il dut s'en rendre compte, puisqu'il se leva, disparut dans la cuisine quelques instants et revint armé d'une bouteille. Il avança jusqu'à moi et me servit.

— Merci, soufflai-je.

Il en profita pour remplir le sien, puis reprit sa place sur le canapé. Je fixai le liquide, je le humai, avant de boire une gorgée.

— Si tu n'étais pas là, nous n'aurions plus d'amis, nous serions seuls, Yanis et moi. Je ne devrais pas te dire ça, sinon tu vas prendre peur et disparaître du jour au lendemain, toi aussi, finis-je en ricanant.

— Ne compte pas trop là-dessus, me répondit-il, un rictus amusé aux lèvres. Ce n'est pas mon genre. Plus sérieusement, j'ai entendu des bribes de ta conversation. Ça va ? C'était ton amie Charlotte ?

— Elle-même. Elle s'est donné le mot avec mon frère... Elle m'a dit des horreurs sur Yanis, elle ne l'a jamais pris au sérieux, à croire qu'elle l'a toujours vu comme un rigolo, un original en qui, finalement, elle n'a jamais eu confiance.

Il se cala plus confortablement dans le fond du canapé, et avala un peu de vin. C'était la première fois que je le voyais adopter une posture nonchalante, avec pas mal d'élégance, d'ailleurs. C'était si facile de me confier à lui, il était toujours intéressé, impliqué, comme si ce qu'on lui racontait était la chose la plus importante au monde. Il riva ses yeux noirs aux miens.

— Charlotte est peut-être une femme qui résiste au changement, elle vous voit évoluer, avoir de nouvelles perspectives, réussir... Ça en effraie certains. Laisse le temps faire son œuvre, elle se calmera. Pareil pour ton frère, quand il verra la réussite de Yanis, il fera son mea-culpa. Je l'ai rencontré, ne l'oublie pas, il m'a l'air d'être un homme intelligent. Un jour ou l'autre, il ouvrira les yeux sur la valeur de ce qu'il a perdu.

— Merci d'essayer de me remonter le moral, mais je n'y crois pas trop. J'ai découvert son tempérament jaloux, et Charlotte est pareille ! Te rends-tu compte qu'elle m'a fait une crise de jalousie parce que nous passons quelques jours avec toi. Elle a même refusé que je vous présente ! Je ne comprends pas ce qui lui prend...

— Mince, je suis désolé, ça m'aurait fait plaisir de la rencontrer… Mais Véra, tu n'as aucun reproche à te faire, tu as essayé d'arranger les choses, de les faire entrer dans votre nouveau monde.

Il but son verre sans me quitter des yeux, pourtant je le sentais ailleurs, en pleine réflexion. Je n'avais jamais rencontré un homme aussi posé, aussi patient. Même s'il manquait de spontanéité, Tristan était reposant, rassurant, je devais le reconnaître. Plus je passais de temps en sa compagnie, plus je saisissais les raisons qui avaient poussé Yanis à lui faire confiance. Comme je regrettais d'avoir douté de lui !

— Tu me permets d'être honnête avec toi ? me demanda-t-il après quelques minutes de silence.

— Bien sûr ! Je crois que tu es le seul à l'être avec nous, alors ne te prive pas.

Il sourit.

— Votre vie, quoi que tu en penses, change, commença-t-il sérieusement. Yanis change. Tu changes, Véra. Dans ces moments-là, on fait du tri, on s'éloigne de personnes qui ont énormément compté parce qu'on ne se comprend plus, ou tout simplement parce qu'on ne partage plus les mêmes centres d'intérêt. Vous allez nouer de nouvelles relations avec Yanis, toi la première. Ça n'ôte en rien l'affection que tu as pour tes vieux amis ni celle qu'ils ont pour toi.

— C'est douloureux à dire, ne serait-ce qu'à penser, mais je doute de plus en plus de la sincérité de leur affection, en tout cas, ces derniers temps… j'ai l'impression d'avoir été trahie.

— C'est normal… Tout aurait été différent si Luc avait davantage laissé sa chance à Yanis… mais tu sais, c'est humain, lui aussi a eu peur de se faire voler la vedette… Il a brandi la prétendue irresponsabilité de Yanis pour camoufler le talent de ton mari. Je le dis sans jugement, mais parfois, quand on se sent en danger, on fait n'importe quoi pour protéger ce qu'on a bâti.

Je soupirai et regardai de nouveau par la fenêtre ; il faisait presque nuit noire.

— Véra, si je peux me permettre une dernière remarque ?

— Vas-y, je t'écoute, lui répondis-je, sourire aux lèvres, de nouveau tournée vers lui.

— Ne perds pas d'énergie ni de temps à leur en vouloir, tu te ferais du mal pour rien. Profite plutôt de ce que vous vivez en ce moment et des opportunités qui s'offrent à toi.

— Je vais faire ça, tu as raison !

Le lendemain, en voyant la mine éclatante des enfants heureux de leurs vacances, heureux de retrouver leur père dans quelques heures, prêts à monter dans la voiture, je me dis une fois de plus que, oui, Tristan avait raison, et que nous devions profiter de ce tournant qui nous était offert. Il sortit de la maison avec un seul sac de voyage, les nôtres ayant déjà été chargés, il s'était changé et avait rendossé sa tenue d'homme d'affaires sûr de lui, le costard et la chemise étaient de retour. Il ferma à clé et nous rejoignit.

— Installez-vous, nous dit-il en ouvrant le coffre.

Une fois attachés, les enfants eurent l'air d'être prêts à se tenir à carreau. Pourvu que ça dure. Je jetai un dernier coup d'œil à la maison, j'avais presque fini par me faire à son austérité. Ces quelques jours avaient été une bulle assez surprenante, assez agréable aussi.

Comme si ce séjour dans cette baraque qui m'avait terrifiée dès la première minute représentait un virage inévitable. Je pris place au même moment que Tristan. On échangea un regard.

— Tu n'as rien oublié ? s'inquiéta-t-il.

— Non, j'ai refait un dernier tour. Mais franchement, je suis gênée de ne pas avoir nettoyé un peu derrière nous, au moins retirer les draps…

— C'est bon, Véra. La femme de ménage vient demain.

Il alluma le moteur, qui ne fit aucun bruit. Sa voiture, un break noir aux vitres teintées, était un vrai salon roulant. Ça nous changeait ! Dès que nous nous fûmes éloignés de la maison, j'envoyai un SMS à Yanis : « On vient de partir, on devrait être là vers 22 h 30, j'ai hâte de te retrouver, j'ai mis ma robe de vacances. » J'avais envie de lui plaire dès qu'il me verrait, et comme j'avais expérimenté l'effet pin-up sur lui, mon choix avait été vite fait. Je reçus une réponse quelques minutes plus tard : « Très bon choix de robe pour nos retrouvailles… Je suis sur un coup énorme !!! Je vais tout faire pour être à la maison pour votre arrivée, mais pas sûr. » Je lui demandai immédiatement plus d'explications, mais il ne donna plus signe de vie. Je commençais à en avoir l'habitude…

Pendant toute la première partie de la route, Ernest et Violette regardèrent un dessin animé sur la tablette, et Joachim, qui s'était avancé au maximum, discutait encore trombone avec Tristan. Je les écoutai en regardant le paysage, portable serré dans la main, espérant des nouvelles de Yanis. Puis, progressivement, les voix se firent de plus en plus rares à l'arrière de la voiture, pour finir par s'éteindre complètement. Je jetai un coup d'œil : les trois dormaient.

— Tu vas enfin avoir la paix pour conduire, murmurai-je à l'intention de Tristan.

— Il est vraiment passionné, c'est incroyable. Il m'a dit que c'était Yanis qui l'accompagnait chaque semaine à ses cours.

— Oui ! Je ne sais d'ailleurs pas comment on va faire à la rentrée… Son intérêt pour le trombone et le jazz vient de Yanis, qui lui en fait écouter depuis sa naissance.

— Pourquoi ? Même moi qui suis inconditionnel, je n'ai pas fait ça avec mes filles.

— Il a toujours regretté de ne pas en avoir fait gamin. Du coup, il rêvait qu'un des enfants fasse de la musique. Comme Joachim a tout de suite accroché et manifesté son envie, il l'encourage. Et puis, je crois que c'est leur truc à tous les deux, leur partage père-fils.

— Joachim m'a confié sous le sceau du secret que Yanis lui avait promis de lui acheter un jour un instrument neuf.

— Il ne perd pas le nord, notre Jojo, confirmai-je en riant. Mais c'est la vérité…

Le silence retomba. Malgré mon impatience grandissante à l'idée de retrouver Yanis, je finis par somnoler à mon tour. Des flashes de lumière orangée sur mes paupières me firent ouvrir les yeux. À ma grande surprise, nous venions de passer le tunnel de Saint-Cloud. Je souris en découvrant Paris illuminé dans la nuit qui s'étalait devant nous. Je me redressai et me tournai vers Tristan, son visage était sérieux.

— Excuse-moi de m'être assoupie.

Sans me regarder, il sourit.

— Tu aurais eu tort de t'en priver. Je ne parle pas en voiture.

— Je vais prévenir Yanis qu'on arrive.

Il ne décrocha pas.

— Je réessaierai tout à l'heure, chuchotai-je.

La gêne, pour ne pas dire la honte, m'envahit. Que pouvait-il bien faire à 22 h 45 qui l'empêchait de me répondre ? Il nous avait oubliés, ou quoi ? Peut-être n'avait-il pas entendu parce qu'il préparait l'appartement pour notre retour ? Et c'était quoi, ce coup dont il m'avait parlé ? Je regardai à l'arrière, les enfants ne bronchaient pas, leur sommeil semblait imperturbable.

Moins de vingt minutes plus tard, Tristan s'arrêta devant notre immeuble.

— J'ai l'impression qu'il n'y a personne, constata-t-il devant les fenêtres éteintes.

— Effectivement, je ne sais pas ce qui le retient. Bon, je vais réveiller les enfants, lui répondis-je la main sur la ceinture, déjà prête à sauter de la voiture.

Je n'attendais qu'une chose : monter au plus vite à l'appartement pour constater de mes yeux que Yanis était aux abonnés absents.

— Attends, me dit-il en me retenant par le bras. Tu n'imagines quand même pas que je vais te laisser sur le trottoir avec valises et enfants ?

— Je vais me débrouiller, lui répondis-je en le fuyant du regard.

Sans se préoccuper de ma remarque, il se gara sur une place de livraison peu éloignée de l'immeuble.

— Surveille la voiture. Je vais monter vos affaires jusqu'à votre appartement et je reviens vous chercher.

— Mais…

— Non, ne dis rien.

Je m'emparai pour la énième fois de mon portable et rappelai Yanis. Messagerie. Pas besoin de m'énerver, il avait nécessairement une bonne raison. Dès que Tristan revint, je sortis de la voiture, j'ouvris la portière arrière et réveillai le plus doucement possible les enfants.

— Je vais prendre Violette pendant que tu t'occupes des garçons, ça va me rappeler des souvenirs, tenta-t-il de plaisanter.

— Merci.

Les garçons, yeux mi-clos, s'extirpèrent de la voiture en ronchonnant. Ma fille n'ouvrit même pas les siens, en confiance, elle se laissa porter par Tristan. On se tassa tant bien que mal dans l'ascenseur ; Joachim et Ernest ne tenaient debout que parce qu'ils s'appuyaient contre moi, et moi parce que j'étais projetée contre Tristan. Nos bagages nous attendaient devant la porte d'entrée.

L'appartement était plongé dans la pénombre, je n'allumai aucune lumière pour ne pas davantage réveiller les enfants. Il faisait une chaleur à crever chez nous, les fenêtres n'ayant pas dû être ouvertes de la semaine, comme si les lieux étaient à l'abandon. Je ne me sentais pas bien chez moi, chez nous. J'étouffais. Il manquait Yanis. Mais où était-il ? C'était insupportable, comme situation. Je traînai les garçons jusqu'à leur chambre, les aidai à retirer leurs bermudas, et ils se glissèrent dans leur lit. Je retrouvai Tristan dans le couloir.

— Donne-la-moi, lui dis-je en tendant les bras.

— Je vais la mettre dans son lit.

— Merci, suis-moi.

Il l'allongea délicatement, et me laissa passer, je retirai sa jupe, ses sandales et remontai la couette sur elle.

— Papa… Il est où papa ? marmonna-t-elle.

— Il va bientôt arriver. Tu le verras demain matin. Dors.

— Et Tristan ?

Je regardai par-dessus mon épaule, il était dans l'encadrement de la porte. Il s'approcha du lit.

— Fais de beaux rêves, petite princesse.

Elle sourit, les yeux fermés, et se tourna sur le côté, doudou serré dans la main. Tristan sortit de la chambre, je le suivis après avoir déposé un dernier baiser dans les cheveux de ma fille. Je fermai doucement la porte et rejoignis le salon dont les lumières avaient été allumées et les fenêtres ouvertes.

— Merci beaucoup pour le coup de main, chuchotai-je.

Il haussa les épaules.

— C'est normal, c'est ce qu'on fait entre amis.

— Tu veux boire quelque chose, je ne sais pas… un café, un verre…

Il s'apprêtait à me répondre lorsque la porte d'entrée s'ouvrit dans un grand fracas. Avant même de le voir, je souris à m'en décrocher la mâchoire. Yanis déboula dans le salon, champagne à la main, essoufflé, visage marqué par la fatigue, débraillé, mais hilare. Il donna une bourrade dans l'épaule de Tristan, qui, surpris, vacilla sous le choc, puis il fonça vers moi en déposant au passage la bouteille. Il me souleva dans ses bras et me fit tourner autour de lui, le jupon de ma robe tournoya autour de mes jambes.

— Tu m'as manqué, me dit-il.

— Quel accueil !

— Pour me faire pardonner mon retard, même si j'ai une bonne excuse : je viens de signer un nouveau contrat. Ça se fête, non ?

— Non ? C'est fabuleux !

Sans me poser au sol, il m'embrassa à pleine bouche. Malgré les nombreux cachous qu'il avait dû gober avant d'arriver, son haleine le trahit. Cocktail fatal : alcool et… tabac. Mon flair ne m'avait pas trompée. Et il avait déjà sacrément commencé à fêter la signature. Il finit par me lâcher, et je me souvins que nous n'étions pas seuls, je réglerai mes comptes plus tard. Yanis me reluqua des pieds à la tête, sans oublier de loucher sur mon décolleté.

— J'ai vraiment très bien choisi, me susurra-t-il à l'oreille, sans se préoccuper de Tristan.

Et voilà, il avait l'art de se faire pardonner et de me faire perdre la tête ! Quand je le voyais heureux comme ça, je n'avais franchement pas le cœur à piquer une crise. Son attitude lointaine de la semaine s'expliquait, et tout prenait sens ; il s'était défoncé pour son travail, il voulait tellement réussir, et ses efforts semblaient porter leurs fruits. Ça valait bien quelques sacrifices. Et une fois de plus, j'étais nulle, il bossait comme un malade et j'interprétais tout de travers en voyant le mal partout. Il se dirigea vers Tristan et lui donna une accolade.

— Je suis content de ne pas t'avoir raté ! Tu bois une coupette avec nous ! Après tout, ça te concerne !

— Non, je vais vous laisser à vos retrouvailles et fêter tous les deux la bonne nouvelle !

— Hors de question que tu partes comme un voleur.

Quelques minutes plus tard, Yanis débouchait le champagne, qui gicla, il ne se préoccupa pas des dégâts et remplit à ras bord les trois flûtes. Nous étions debout autour de l'îlot central pour trinquer, et je trouvais qu'on avait l'air bête, là tous les trois, ça sonnait bizarrement faux. Le champagne avait un goût amer, il ne passait pas très bien et allait vite me monter à la tête. J'étais partagée entre la joie de retrouver Yanis et vexée par son accueil quelque peu raté.

— Le moins que l'on puisse dire, c'est que tu as mis à profit ta semaine en célibataire sans enfants ! le félicita Tristan.

— C'est clair, lui rétorqua Yanis en s'ébouriffant les cheveux. Mais, bon, on ne recommencera pas trop souvent quand même. Ils m'ont sacrément manqué.

Il me fit un clin d'œil.

— Les affaires tournent pour toi, c'est une bonne chose.

Il haussa les épaules, puis il me désigna de la tête.

— Ils ne t'ont pas trop fait la misère ?

Tristan me lança un regard complice, je lui souris avant de faire le tour de l'îlot pour me blottir dans les bras de Yanis. Pourquoi étais-je restée à des kilomètres de lui ?

— Pas le moins du monde, bien au contraire. C'est moi qui vais te remercier d'avoir laissé ta petite famille, c'était agréable de revoir la maison pleine de vie.

À la manière dont il s'enfila son champagne cul sec, il me partut étrangement mal à l'aise.

— Je vous laisse, maintenant. Je récupère mes filles demain matin.

Il m'en avait un peu parlé, elles semblaient lui manquer terriblement.

— Lundi, on a une réunion de chantier avec les menuisiers, lui apprit Yanis. Ce serait bien que tu viennes.

Après, il y aura un point sur l'inauguration, et en tant que propriétaire du lieu, tu as encore ton mot à dire.

— Si tu le dis, je te fais confiance. Compte sur moi, je serai là.

Yanis et moi le raccompagnâmes.

— Rentre bien, lui dis-je. Passe un bon week-end avec tes filles, profites-en. Une prochaine fois où tu auras Marie et Clarisse, tu viendras avec elles à la maison, ça serait sympa de les rencontrer.

Il me sourit, visiblement ému.

— Oui, souffla-t-il. Ça me ferait plaisir, on va organiser ça bientôt.

— Et… Tristan… encore merci pour tout.

Je fis les deux pas qui nous séparaient et l'embrassai affectueusement. Je m'étais attachée à lui, il faisait désormais partie de notre famille. Mes craintes s'étaient envolées. Il posa furtivement une main sur mon épaule.

— Je te le dis du fond du cœur, on a de la chance de t'avoir comme ami, lui déclarai-je sincèrement.

— C'est moi qui ai de la chance d'avoir croisé la route de Yanis.

Je me détachai de lui et laissai la place à Yanis, qui ne s'encombra pas de la pudeur de Tristan et le broya contre lui avant de lui claquer une bise.

— Merci, mon pote !

Tristan se para de son habituel rictus aux lèvres en guise de sourire, ça faisait partie de lui, j'y avais pris goût et surtout j'avais arrêté de chercher le décodeur. Il recula sans cesser de nous regarder et ouvrit la porte.

— On se voit vite ? nous demanda-t-il, subitement inquiet.

Comment pouvait-il imaginer le contraire ?

— Bah, évidemment ! lui répondit-on en chœur.

La porte d'entrée se referma sur sa silhouette. Yanis planta son regard dans le mien. Nous ne nous lâchâmes pas des yeux tout le temps où les pas de Tristan se firent entendre. Lorsqu'un silence total envahit la cage d'escalier, on se jeta l'un sur l'autre. Yanis me souleva de nouveau, mais cette fois j'enroulai mes jambes autour de ses hanches. Je caressai son visage, ses cheveux, je cherchai à soulever son tee-shirt, sa peau m'avait manqué durant quatre jours. Ses mains se faufilèrent sous ma robe, sur mes cuisses. Tout en nous dévorant des lèvres, on se répétait à quel point on s'était manqué. Puis il m'appuya contre le mur et finit par interrompre notre baiser. J'approchai mon visage du sien, je voulais qu'il m'embrasse encore et encore. Il passa sa main sur ma joue.

— Monte, je te rejoins. Je veux aller voir les enfants avant de m'occuper de toi, ronronna-t-il.

— D'accord, lui répondis-je avec une moue faussement boudeuse.

Il me posa au sol pour baisser l'escalier escamotable. Avant de me laisser monter dans notre nid, il me vola un baiser.

— Fais vite, lui dis-je.

— Compte sur moi, m'assura-t-il en me donnant une petite tape sur les fesses.

Un peu plus tard, j'étais contre lui, essoufflée, nos peaux moites collées l'une à l'autre. Je me redressai et posai le menton sur son torse, il repoussa ma mèche rebelle derrière l'oreille en soupirant, le sourire aux lèvres. Le poids ressenti tous ces derniers jours avait disparu, comme si j'étais de nouveau complète maintenant que la famille était réunie. Les enfants dormaient dans leur lit, chez nous, sans avoir peur de la porte fermée. Yanis et moi venions de faire l'amour intensément dans notre lit, dans notre chambre en hauteur.

Tout était rentré dans l'ordre, même s'il n'avait pas perdu son temps pendant notre séparation. J'étais prête à me laisser aller, me laisser porter par les événements, et je décidai une bonne fois pour toutes de remiser mes inquiétudes au placard.

Je sortis du lit d'un bond.

— Tu fais quoi ? me demanda Yanis en se redressant.

— Je vais chercher le champagne !

Avant de descendre, j'ouvris notre fenêtre de toit pour faire rentrer l'air frais. Une fois en bas, je récupérai la bouteille au frigo. J'avais déjà un pied sur la première marche de l'escalier lorsque j'eus un flash du débarquement de Yanis plus tôt dans la soirée. Je fis demi-tour et allai fouiller dans les poches de son blouson de cuir et trouvai l'objet du délit. Je fis un retour cinq ans dans le passé. Toujours ses paquets souples de Marlboro rouges. À moi de réussir à le canaliser pour qu'il ne fume pas autant qu'avant. Enfin, avant de lui faire des sermons, allais-je être capable de ne pas craquer à mon tour ?

— La cigarette après l'amour, déclarai-je en revenant dans notre chambre.

Malgré l'obscurité, je le vis blêmir. Je ris et lui balançai son paquet à la figure.

— C'est bon ! Ne fais pas cette tête-là ! Comment as-tu pu imaginer que je ne tomberais pas dessus un jour ou l'autre ?

Il se mit à gigoter, mal à l'aise.

— Pardon… je sais que c'est nul… mais tu vois… avec le stress du boulot, le chantier…

Je le rejoignis sous le drap et lui tendis la bouteille, qu'il attrapa pour la mettre directement de côté sur sa table de nuit. Je me calai dans ses bras et passai distraitement la main sur son torse, je sentais la tension qui émanait de son corps.

— Eh, je ne vais pas en faire tout un foin ! tentai-je de le rassurer. Même si c'est quand même très con.

— Bah oui, je sais. Mais… tu as fouillé dans mon blouson ?

— Fouillé, c'est un bien grand mot. Ça te pose un problème ? lui balançai-je en levant la tête.

— Non… euh… bien sûr que non…

— Yanis, tu empestais le tabac à plein nez quand tu es arrivé ! Les cachous n'ont rien caché du tout.

Il passa la main dans ses cheveux, un sourire faussement embarrassé aux lèvres. J'éclatai de rire.

— Mais tu n'es qu'un gamin ! Je ne vais pas te punir. Tu comptais me l'avouer quand ?

— Jamais.

Il grimpa sur moi et commença à me chatouiller.

— Dis, je peux m'en griller une au lit ?

— Certainement pas ! Bois un coup plutôt.

Il m'embrassa, puis me libéra de son emprise.

— Tu me pardonnes ? Je sais que je suis le dernier des idiots.

À le voir passer si soudainement de la blague au plus grand sérieux, je ne pouvais pas douter de la sincérité de sa question.

— Bien sûr, que je te pardonne, mais la prochaine fois que tu as un truc à m'avouer, n'attends pas que je découvre le pot aux roses ! Bon, je n'ai pas rapporté

le champagne pour rien ! On a un truc énorme, grandiose à fêter ! Quand je pense que tu as de nouveaux
clients… Raconte-moi ! Je veux tout savoir !

Il me donna la bouteille, je bus une gorgée et la lui
tendis. Je voyais bien qu'il était toujours ennuyé par
cette histoire de cigarette. C'était complètement dingue
de se mettre dans un état pareil pour ça ! À croire que
je lui faisais peur ! Son sourire devait revenir, c'était
impératif.

— Tu te rends compte de ce qui t'arrive ?

Il haussa les épaules.

— Tu as gagné ton pari. Je suis tellement fière
de toi… C'est extraordinaire, ce que tu es en train de
réussir. Les contrats tombent, le chantier du concept
store va certainement t'en rapporter d'autres…

— Oh, tu sais… On verra… rien n'est jamais sûr.

Pourquoi tant de retenue ? Pourquoi semblait-il
ailleurs ? C'était furtif, mais c'était le sentiment que
j'avais. Il était là sans être là. Il était heureux sans
l'être totalement.

— Mais non, c'est absolument génial ! C'est le
plus beau pied de nez que tu pouvais faire à ceux qui
ne croyaient pas en toi. Merci de nous faire vivre ça,
de nous avoir embarqués, les enfants et moi, dans ton
projet.

— C'est qui le plus fort ?

Il me lança un sourire à décrocher la lune. Pourtant,
ça ne me suffisait pas, j'avais l'impression d'avoir dû
ramer pour l'obtenir, mes angoisses resurgissaient.
Il n'était plus le même, et il me cachait quelque chose.

11

Yanis

Je venais de refermer la porte d'entrée sans bruit, je reposai mon front dessus en soupirant ; objectif : ne réveiller personne. Il était 1 heure du matin et j'avais réussi à rejoindre l'appartement sans me planter à moto. Pour ne pas semer le trouble à la maison, j'avais assuré mon rôle de père le temps de la rentrée des classes. Puis, très vite, j'avais commencé à les fuir. Nous étions début octobre, ça faisait plus d'un mois que ça durait. Encore un soir où je faisais en sorte de ne voir ni Véra ni les enfants. Je ne voulais pas croiser leurs regards et me faire démasquer.

Une fois débarrassé de mes pompes, j'avançai dans le séjour et n'allumai que la lumière de la cuisine, ça me suffisait amplement. J'ouvris une fenêtre ; faire rentrer de l'air pourrait peut-être me donner l'impression d'être moins crade. Je me sentais sale, puant. Je me mis à faire les cent pas dans la pièce ; mon regard s'arrêtait partout : les cartables des enfants, le sac à main de Véra, le trombone cabossé de Joachim, les coussins en vrac sur le canapé, les photos de vacances qu'elle avait fait imprimer quelques jours plus tôt, les Lego des garçons, un diadème de princesse... La sueur dégoulina dans mon dos, mes mains tremblèrent. Toutes ces petites choses me narguaient, me rappelaient que j'étais en train de tout détruire. La bouteille de whisky près de la télé me fit de l'œil ; un verre ne me ferait pas plus de mal. Et puis, qui sait ? Je trouverais peut-être enfin le sommeil. Pour retarder encore un peu le moment de monter la rejoindre, je fumai une dernière cigarette à la fenêtre. Pourtant, il fallait bien que j'aille me coucher, Véra avait une sorte de radar, elle était capable de se réveiller parce qu'elle ne me sentait pas à côté d'elle dans le lit. En même temps, n'aurais-je pas été soulagé si elle était descendue ? Elle m'aurait vu, elle m'aurait interrogé sur ma sale gueule, et j'aurais enfin fini par tout lui avouer. J'y aurais gagné une forme de liberté. Avant de monter l'escalier, je passai voir les enfants dans leurs chambres, les trois ronflaient, paisibles. J'aurais donné n'importe quoi pour être à leur place, les bêtises des enfants n'ont pas les conséquences des conneries des adultes. Arrivé dans notre chambre, je me désapai sans faire de bruit. Ironie du sort, depuis que j'étais dans la dissimulation permanente, je me découvrais capable de discrétion. Je m'approchai de Véra et mis mon visage juste au-dessus du sien ; elle était sereine, sa respiration calme. Mon Dieu, qu'elle était belle ! Comment pouvais-je lui faire ça ? Qu'est-ce qui me prenait de la trahir de cette façon ? Comment était-ce possible qu'elle ne se rende compte de rien ? Me faisait-elle confiance à ce point pour ne pas voir le mal que j'étais en train de lui faire, ainsi qu'aux enfants ? Je finis par me glisser sous la couette en restant dans mon coin. Rester le plus loin d'elle possible. Sauf que son putain de radar se déclencha :

— Yanis ? marmonna-t-elle. Tu es rentré ?

Elle se colla à mon dos en passant son bras autour de ma taille. Je ne méritais pas qu'elle me touche.

— Ça va ? Tu es content de ta journée ?

Je serrai les poings quand elle embrassa délicatement mon dos et caressa mon ventre avec insistance. Je pris sur moi pour la repousser délicatement.

— Nickel.

Elle soupira et se tourna de son côté.

— Tant mieux. Endors-toi vite, tu vas être crevé.

— Dans deux minutes, il n'y a plus personne.

Elle retomba immédiatement dans les bras de Morphée. Mes mensonges avaient encore tenu ; elle m'imaginait à la garçonnière en train de peaufiner les plans de futurs contrats pour rattraper le retard que je prenais dans la journée en surveillant les finitions du concept store. La réalité était tout autre, j'étais bien à la garçonnière, mais j'y étais pour picoler, pour tenter d'oublier dans quelle merde noire j'étais, sans avancer une seule minute. Malgré ce que j'ingurgitais méthodiquement, je restais lucide ; je courais droit à la catastrophe. Je donnais le change, mais plus pour longtemps. La fin du chantier du concept store me fournissait des excuses en or pour fuir l'appartement, la fuir elle, et fuir les enfants. Ça n'allait pas durer. Dans une semaine, l'inauguration aurait lieu. Alors, c'était sûr ; ce soir-là, j'allais en mettre plein la vue, le champagne coulerait à flots, on viendrait me voir, on me courtiserait, on me tournerait autour, comme me l'avaient promis les patrons du concept store, qui comptaient bien me présenter à des gens. Je ferais le beau, je paraderais ; bref tout ce qu'on attendait de moi. Avec le risque que je sois démasqué. Qui serait là ? Qui ferait le déplacement pour me confronter ? Au bar resto du rez-de-chaussée où se déroulerait l'événement, tout le monde allait découvrir le comptoir en zinc acajou de douze mètres que j'avais dessiné ou encore le palmier qui poussait en plein milieu du bâtiment jusqu'à la verrière en alu qui avait remplacé la totalité du toit. Pour mon plus grand bonheur, mes clients avaient la folie des grandeurs, j'avais répondu à leurs attentes, et ça dès le premier jour. Raison pour laquelle ils avaient signé le bail avec Tristan. Durant les trois derniers mois, ils s'extasiaient à chacune de leurs visites, ils en redemandaient toujours plus. Et moi, comme le dernier des imbéciles, je balançais idée sur idée, assurant que rien ne posait problème, que tout était faisable. Je me mettais en avant, je roulais des mécaniques… Si j'avais su… Je les rendais heureux, grâce à moi ils allaient casser la baraque, me répétaient-ils sans cesse. J'étais incapable de rogner sur la qualité des matériaux ; dès que je constatais que nous n'avions pas du haut de gamme, je le changeais, en commandant mieux. Si un artisan me proposait en cours de route une amélioration garantissant un travail encore plus minutieux contre rallonge, je disais banco. Et il y avait les peu scrupuleux, ceux qui avaient fait un travail de merde, ceux que je n'avais pas pris le temps de surveiller parce que je courais partout, parce que le chantier était colossal et que, tout seul, je ne pouvais pas tout gérer. À plusieurs reprises, il avait fallu trouver des entreprises capables de refaire le job dans les temps. Forcément, ça coûte plus cher. J'avais explosé le budget ; l'argent disparaissait sans que je comprenne comment et à vitesse grand V. La réussite du chantier me protégeait, cachait la réalité merdique dans laquelle je m'étais fourré. Certains m'avaient percé à jour… Je faisais encore en sorte d'agir comme d'habitude, d'être le Yanis que tout le monde avait toujours connu… J'avais pourtant bien changé… J'étais devenu le roi de la combine pour éviter que ça n'arrive jusqu'aux oreilles de Véra. Le matin, dès qu'elle avait le dos tourné, je débranchais le fixe de l'appartement, évitant qu'elle ne trouve un message le soir sur le répondeur. Mon téléphone était saturé d'appels en absence de mes bourreaux, je ne les comptais même plus. Une fois par semaine, après plusieurs bières, je trouvais le courage de les rappeler et de faire face. Pour retarder le plus possible le moment où Tristan serait mis au courant, j'inventais des bobards. Je n'osais imaginer ce qui se passerait lorsqu'il découvrirait le pot aux roses. Comment pouvais-je à ce point le trahir ? Lui qui m'avait tout offert sur un plateau d'argent : son amitié indéfectible, sa confiance absolue. Chaque nuit, je regardais l'heure défiler sur le réveil en creusant mon cerveau de con pour trouver des solutions ; je devais me refaire.

— Yanis ! Yanis ! Tu es avec nous ?

Je relevai la tête de ma tasse de café. Mon regard, certainement vitreux et injecté de sang, tomba sur une Véra les yeux grands ouverts, qui se demandait visiblement ce qui m'arrivait. Les insomnies et les gueules de bois successives commençaient vraiment à se faire ressentir.

— Hein ? grognai-je.

— Tu as dormi cette nuit, ou quoi ?

— Ouais… Qu'est-ce que tu voulais me dire ?

— Tu te rappelles qu'on a Tristan à dîner ce soir ?

— Bien sûr ! lui répondis-je alors que j'avais totalement oublié.

Et merde ! Encore faire semblant. On ne me laissait aucun répit. Elle fronça les sourcils, je lui souris comme je pus.

— J'ai eu peur un instant, soupira-t-elle. Je te laisse acheter le vin en rentrant du boulot ? Ça ne te dérange pas ?

J'ai de la réserve à la garçonnière.

— Oui, oui, je m'en occupe. Tu as besoin d'autre chose ?

— N'oublie pas d'aller chercher ton costume pour l'inauguration, il est revenu des retouches hier.

Je déglutis à l'idée de devoir mettre en branle tous mes talents de comédien pour ne pas me trahir. Comme je devais par-dessus tout entretenir la légende, lorsque Véra m'avait suggéré d'investir dans un costard neuf en vue de l'inauguration pour être à la hauteur de l'événement et de mes clients, je n'avais trouvé aucune parade pour m'esquiver. Pour ne pas lui mettre la puce à l'oreille, j'en avais acheté un parmi les plus chers – sans oublier les pompes – et surtout la nouvelle robe de princesse que je lui avais offerte par la même occasion. Et je continuais de m'enfoncer, encore un peu plus.

— Je vais faire ça.

Je tapai dans mes mains en me levant, faussement joyeux.

— Les enfants, vous êtes prêts ?

Les déposer à l'école le matin et accompagner Joachim à son cours de trombone étaient les dernières choses que je faisais encore à la maison. Depuis le retour des vacances, Véra ne me demandait quasiment rien d'autre, elle avait décidé de se vouer à l'intendance, sans jamais plus râler, pour me soulager de tout. Et moi, je lui mentais, toujours plus. Comme chaque matin, elle nous accompagna jusqu'à la porte d'entrée, embrassa les enfants puis se tourna vers moi. Elle caressa ma joue en me souriant tendrement.

— Essaie de ne pas rentrer trop tard ce soir, quand même. Tu as vraiment une sale tête…

— Promis, je fais ce que je peux.

Je déposai un baiser furtif sur ses lèvres avant d'entraîner les enfants vers l'ascenseur.

Je pris sur moi pour respecter ma promesse. Je poussai la porte de l'appartement à 20h30, une caisse de bouteilles de vin sous le bras. À peine eus-je mis le pied chez nous que j'entendis les rires de Véra et Tristan. Les réserves de Véra à son égard m'avaient tracassé, surtout que je ne saisissais pas comment elle pouvait ne pas tomber sous son charme, façon de parler. Les vacances avaient complètement brisé la glace entre eux, c'était déjà ça. Avec la perte de Luc et de Charlotte, nous nous étions retrouvés seuls, particulièrement Véra. Par ma faute. Alors, qu'elle trouve une oreille attentive et bienveillante en Tristan ne pouvait que me rassurer, du moins pour l'instant. Mes mains se mirent à trembler. Je soupirai un grand coup. Puis je fis mon entrée.

— Eh ! Vous auriez pu m'attendre pour boire l'apéro !

Le visage de Véra s'illumina d'un immense sourire et elle vint jusqu'à moi de sa démarche sautillante. Elle caressa ma joue comme ce matin.

— Merci d'être rentré tôt.

Elle m'embrassa.

— J'en avais besoin, lui murmurai-je.

Je posai ma caisse de vin, Tristan me rejoignit, tout en jetant un coup d'œil aux bouteilles. Depuis les vacances, il était en pleine forme, toujours souriant, enthousiaste, il s'ouvrait.

— Eh bien, dis donc, commenta-t-il appréciateur. Quelque chose à fêter ?

— J– 8

Il planta son regard dans le mien. Son assurance me fit brusquement peur.

— Dernière ligne droite. Tu peux être fier de toi.

Véra vint se mettre dans mon dos, elle passa ses bras autour de ma taille, et tout en se hissant sur ses talons, réussit à poser son menton sur mon épaule. J'étais pris en sandwich entre les deux, les deux personnes que je trompais. Je tournai légèrement le visage vers elle, qui n'était pas loin de rire.

— Quand je pense que je n'ai toujours pas vu à quoi ça ressemble ! annonça-t-elle à Tristan. Je suis jalouse !

— Tu sais, je n'ai plus droit d'y mettre les pieds depuis près de trois semaines, lui répondit-il.

— On est dans le même panier !

— Uniquement parce que vous serez des invités très spéciaux de l'inauguration. Bon, je vais voir les enfants.

— Euh…

— T'inquiète, je vais faire attention à ne pas les exciter avant de dormir.

Après le dîner, on enchaîna sur le digestif, en l'occurrence une belle dose de whisky pour moi. Avant de m'asseoir sur le canapé à côté de Véra, j'ouvris les fenêtres, pour enfin m'en griller une. Je croisai le regard envieux de ma femme. Je savais que c'était dur pour elle, mais j'étais incapable d'arrêter de nouveau. La seule chose que je faisais, c'était de me retenir au maximum à la maison.

— Je voulais vous demander quelque chose à tous les deux… nous annonça Tristan, le ton grave. Je pense que ça vous concerne autant l'un que l'autre.

— On t'écoute, lui répondit Véra.

— Yanis, comptes-tu inviter Luc à l'inauguration ?

J'avalai une bonne rasade, puis je tirai sur ma clope. Ça faisait des jours que cette question me revenait comme une ritournelle. Tristan avait l'art et la manière de mettre les pieds dans le plat et de me mettre face à la réalité. Ce qui me plaisait, c'est que Véra soit toujours liée à ces conversations. Il avait compris que nous n'allions pas l'un sans l'autre, surtout à ce sujet. Ça entretenait un semblant de vérité…

— Je n'ai pas encore pris ma décision.

Véra attrapa ma main dans la sienne, je la regardai. Sa tristesse et son inquiétude me firent mal.

— Je ne savais pas que tu y avais pensé, souffla-t-elle.

— Je préférais ne pas t'en parler avant d'être sûr de moi. Mais franchement, je doute qu'il vienne.

— Tu ne crois pas que sa curiosité va être plus forte que son ressentiment ? reprit Tristan.

Je me levai brusquement et allai me poster à la fenêtre.

— Je ne sais pas quoi faire… n'est-ce pas encore un peu tôt ?

Je jetai un coup d'œil à Véra.

— C'est toi qui décides, je ne te forcerai pas la main. Je suis assez effrayée à l'idée de le revoir, m'avoua-t-elle.

Je me tournai vers Tristan.

— Tu en penses quoi, toi ?

Il finit son déca, se leva, et, les mains dans les poches de son pantalon de costard, il se mit à déambuler dans le séjour, lentement, l'air très calme. J'étais tellement au bout du rouleau que son attitude réfléchie m'hypnotisait. Ça faisait du bien de pouvoir encore me reposer sur ses facultés de raisonnement.

— Yanis, c'est ton heure de gloire, cette soirée-là, finit-il par lâcher. Que risques-tu à l'inviter ? Pas grand-chose à mon sens. Tu as même plutôt tout à y gagner.

— Où veux-tu en venir ?

Il fit les quelques pas qui nous séparaient.

— L'inviter lui prouve que tu as fait table rase du passé. C'est une main tendue. Réfléchis un peu… un jour ou l'autre, tu tomberas sur lui par hasard, ou alors vous vous retrouverez concurrents sur un appel d'offres. Tu as tout intérêt à ce qu'au moment où ça arrive les choses se soient apaisées, au moins que vous soyez capables d'avoir des rapports cordiaux sans que tu aies envie de lui taper dessus.

Il agrémenta sa dernière phrase d'un de ses sourires carnassiers. Il me connaissait trop bien. Je ris.

— Montre-lui que tu files droit dans tes bottes, que tu assumes tes décisions, ton nouveau statut, sans animosité à son égard. C'est bien le cas, n'est-ce pas ?

— Bien sûr que oui, j'ai tourné la page.

— Même si c'est normal que tu appréhendes de te retrouver face à lui, n'oublie pas que, aujourd'hui, c'est toi le boss ! Il n'y a rien qui te fait peur ?

Oh si… que tout le monde me tombe dessus ce soir-là.

— De quoi voudrais-tu que j'aie peur ? lui rétorquai-je en haussant les épaules.

— Alors vas-y, invite-le. Tu n'auras aucun regret. Enfin, ce n'est que mon avis, je ne suis pas concerné. Mais si j'étais à ta place, c'est ce que je ferais.

Tout paraissait si simple avec lui.

La semaine fila sans que j'aie le temps de me retourner. Encore moins de trouver une solution. Et nous y étions, à cette journée. Cette putain de journée dont je rêvais encore il y a deux mois. Aujourd'hui, c'était mon enfer personnel, ma mise à mort sous un tonnerre d'applaudissements et une fontaine de champagne. En fin de matinée, dans un état semi-comateux – première bière d'une longue série dès 10 heures – et après avoir déjà dégueulé plusieurs fois, je pénétrai dans le concept store. Le bruit me fit l'effet d'un marteau-piqueur dans le crâne. Autour de moi, c'était une ruche, un ballet incessant de personnes allant dans tous les sens, se percutant, se braillant dessus. Les employés finissaient la mise en place de la marchandise au milieu des derniers artisans. Les portants de vêtements roulaient à proximité des camions de peinture. C'était toujours comme ça, le dernier coup de rouleau serait donné à l'arrivée des premiers invités. Ça faisait partie du jeu, ça aurait manqué de piquant si tout avait été fini en avance. C'était l'embouteillage devant l'ascenseur de service qui desservait les trois étages. Les spécialistes du rayon déco époussetaient à l'aide d'un chiffon précieux des objets tous plus bizarroïdes les uns que les autres pendant qu'un peintre nettoyait le sol à grande eau. Les minettes – vendeuses stylées filiformes – regardaient dédaigneusement ceux qui portaient un bleu de travail, même si certaines finiraient pourtant la soirée dans le lit d'un de ces types. Les essais de la sono, dirigés depuis l'arrière du bar, étaient interrompus par le vacarme des perceuses, alors ça gueulait, à droite, à gauche. Les packs de Kronenbourg côtoyaient les bouteilles de Moët & Chandon. Choc des cultures. Choc des milieux. Et moi, j'avais le tournis, je déambulais au milieu de tout ça, incognito ou presque. Incognito pour le personnel du concept store, qui ne découvrirait mon identité que le soir. Beaucoup moins pour les artisans encore sur place, qui me trucidaient du regard, me menaçant très clairement de passer aux choses sérieuses. Sans essayer de me défendre ou de répondre par la même agressivité, je me dirigeai vers l'escalier central. Ce satané escalier qui avait engouffré des milliers d'euros, cet escalier de type industriel en métal noir qui tournait autour du tronc du palmier. En grimpant les marches, je fis glisser ma main sur la rambarde froide. Je m'y accrochai, je n'avais plus que ça. Arrivé sur la dernière mezzanine, je m'appuyai à la balustrade. La vue d'ensemble du bâtiment y était magnifique. Si seulement je n'avais pas déconné au lieu de me tirer une balle dans le pied, je pourrais savourer ce que j'avais été capable de faire, de diriger, de construire. Je me dirais que j'avais un avenir, que j'allais pouvoir réaliser les rêves de Véra et des enfants. Au lieu d'entrer dans le concept store comme un zombie qui rase les murs, je serais entré comme un cador. J'aurais serré des mains, donné des tapes sur les épaules, trinqué avec les derniers artisans. Ils me diraient de faire signe dès que j'en aurais besoin, parce qu'ils aimaient bosser pour moi. J'aurais fait le grand prince en réservant une chambre d'hôtel dans un palace pour y passer la nuit avec Véra. Ce midi, j'aurais invité Tristan dans le resto d'un chef étoilé pour le remercier, je l'aurais libéré de son engagement pour la banque. La bile me monta à la bouche. Je la ravalai vite fait. Les patrons m'avaient repéré à mon perchoir et m'appelaient en me proposant de déjeuner ensemble.

19 heures. Déjà. J'étais toujours enfermé dans la salle de bains chez nous. Je m'aspergeai le visage d'eau froide, j'avais encore gerbé – les restes du déjeuner et ce que j'avais bu l'après-midi à la garçonnière. J'étais certain que Véra n'avait rien entendu, elle était déjà prête et donnait les recommandations à la baby-sitter. En pantalon de costume et torse nu, je m'appuyai sur le rebord du lavabo et détaillai ma sale gueule ; mes yeux bleus explosés, mes traits amaigris, mon teint plus olivâtre que mat. Je serrai les poings, les veines de mes bras saillirent. J'allais devoir assurer dans les prochaines heures, ne pas me faire piéger par une attitude sombre, et jouer le type bien dans ses baskets qui réussit ce qu'il entreprend. Alors que je n'avais qu'une envie, me terrer dans un coin pour chialer comme un gosse. Véra m'appelait au loin, il était l'heure que je sorte de l'ombre. Sur notre lit, je trouvai la chemise blanche qu'elle avait repassée, la cravate noire, et ma veste. Cinq minutes plus tard, je descendis l'escalier escamotable, étonné de n'entendre aucun bruit, ça eut le mérite de me distraire. Mais pas longtemps :

— Surprise ! chantonnèrent les enfants et Véra.

Ils déplièrent devant moi une banderole en papier gigantesque sur laquelle il y avait une multitude de dessins plus colorés les uns que les autres, des « Bravo papa ! », des « Tu es le meilleur », et un « J'aurai toujours cette musique dans la tête ».

— Papa ! Papa !

J'étais incapable de réagir. *Je voudrais être mort.*

— Yanis ! Hou, hou ! Tu ne dis rien ?

Je levai des yeux hagards vers eux quatre. Véra était déroutée par ma réaction, je le sentais, et les enfants aussi.

— C'est magnifique, réussis-je à articuler.

Je toussotai pour me reprendre.

— Merci ! C'est le plus beau cadeau qu'on m'ait jamais fait.

— On s'est dit que tu pourrais le mettre à la garçonnière, me dit timidement Véra.

Ça me rappellera que je ne suis qu'une merde.

— Merveilleuse idée ! Je l'emporte dès demain. Venez là !

J'ouvris mes bras ; les enfants se jetèrent sur moi, autour de mes jambes, Véra se colla à eux, je les serrai fort pour m'empêcher de hurler.

— Je ne pensais pas que ça allait t'émouvoir à ce point, chuchota-t-elle.

Je fermai les yeux de toutes mes forces en embrassant ses cheveux où elle avait accroché une rose rouge, elle sentait bon. Elle leva le visage vers moi et me sourit. Elle était rayonnante, absolument magnifique, ça me déchirait le cœur. Je ne méritais rien de tout ça.

— Il va être temps de partir. On dirait que tu fais tout pour arriver en retard !

Son impatience et son excitation auraient dû me combler de bonheur, me gonfler d'orgueil, mais c'était autant de coups de poignard.

— Je me bois un petit verre et on y va.

Elle rit légèrement.

— Serais-tu stressé ?

Je plantai mes yeux dans les siens.

— Je vais être honnête avec toi. Je suis une boule de nerfs, il va y avoir plein de monde… J'ai peur…

— Depuis quand c'est un problème ? Tu adores ça ! Tout va bien se passer !

— Tu as raison.

Je me détachai d'eux, embrassai les enfants et filai avaler ma dose – sans laquelle je n'aurais pas tenu.

À notre arrivée, il nous fallut jouer des coudes pour traverser la foule. Assez impressionnante. Mes clients venant du monde de la nuit avaient rameuté tout leur réseau pour le lancement du concept store. Dès que je réussis à les trouver, je leur présentai immédiatement Véra. Tout en la reluquant de la tête aux pieds sans aucune discrétion ni gêne, ils ne tarirent pas d'éloges à mon sujet. Je posai une main possessive sur sa taille en sifflant ma première flûte. Véra assurait la conversation, même si sa curiosité l'emportait et qu'elle jetait de discrets coups d'œil autour de nous.

— On s'éclipse deux minutes, leur annonçai-je à renfort de clins d'œil.

Ils rirent et me firent promettre de revenir rapidement vers eux.

— Viens faire le tour, glissai-je à l'oreille de Véra.

— Ça peut attendre, tu as des obligations. Tout le monde te réclame.

— Tu es ma priorité.

J'attrapai deux nouvelles coupes sur le plateau d'un serveur qui passait par là. Puis je lui fis visiter l'ensemble du concept store, tout en me rechargeant régulièrement et le plus discrètement possible en champagne. L'espace d'un instant, je me laissai griser par l'alcool, mais aussi par sa réaction, voulant encore y croire, ou plutôt me bercer de l'illusion que tout était parfait, tel que je l'avais rêvé. Véra restait sans voix, regardant de tous les côtés, émerveillée par le résultat, elle commençait des phrases qu'elle n'arrivait pas à finir. Pas besoin qu'elle parle pour voir sa fierté, ça se lisait sur son visage. En un certain sens, j'avais réussi mon pari, elle était ébahie par son mari. Mais pour combien de temps encore ? Le cataclysme serait encore plus cruel. Elle se collait à moi, s'agrippait à ma main, m'embrassait dans le cou. Je paradais avec ma femme à mon bras, on la regardait. Personne à part elle n'aurait osé porter cette robe noire à la Esmeralda et arborer fièrement une rose rouge dans les cheveux. Elle dégageait une sensualité dont elle n'avait pas conscience. Et elle n'avait d'yeux que pour moi. Son amour avait été le moteur de ma réussite, mais de mon échec aussi. Je me dégoûtais de jouer avec elle de cette manière, de profiter jusqu'à en crever de ce qu'elle me donnait en cet instant. Comme si j'emmagasinais le maximum d'elle, de sa peau, de son parfum, de ses yeux, pour m'en souvenir le jour où tout m'explose-rait à la gueule. Parce que je savais que ça arriverait. Pas ce soir – personne n'était assez bête pour venir gâcher la fête –, mais demain, après-demain, dans les prochains jours, ou prochaines semaines. Le compte à rebours était lancé.

Je l'entraînai jusqu'en haut, à mon perchoir. Je voulais encore une fois la faire rêver, lui donner l'illusion que nous étions les maîtres du monde. De notre monde. Sans dire un mot, elle observa ce qui s'étalait sous nos pieds. Puis elle ferma les yeux en souriant durant quelques secondes. Quand elle les rouvrit, elle tourna un regard embué et son visage radieux vers moi.

— Bravo, murmura-t-elle. Tu n'imagines pas comme je suis impressionnée. Je suis tellement fière de toi… Et je voudrais aussi te demander pardon.

C'est plutôt à moi de le faire.

— De quoi ?

— D'avoir râlé dans ton dos ces dernières semaines. Je ne comprenais pas pourquoi tu étais si absent, si distant.

Quelque part, ça me rassurait qu'elle ait noté des changements. Pourtant, elle s'était contenue, elle n'avait rien dit. Nous qui nous étions promis de toujours tout nous dire, nous passions notre temps désormais à nous cacher nos sentiments, nos inquiétudes – et moi, évidemment, ma trahison. Nous avions terriblement changé…

— Quand je vois ça, j'ai conscience que c'était normal. Tu t'es tellement mis la pression… Le sacrifice en valait la peine. Maintenant, tu vas pouvoir souffler un peu, te voilà lancé.

— J'aurais dû faire plus attention à vous.

C'était tout ce que je pouvais lui dire pour ne pas me trahir. La tournure de la conversation était risquée. Comment allais-je pouvoir tenir si elle continuait dans ce sens ?

— Ne te fais pas de reproches ce soir, Yanis. Au contraire, savoure ta victoire, fête-la !

Elle caressa ma joue, se mit sur la pointe des pieds et m'embrassa. Je raffermis ma prise autour de sa taille, j'avais envie de la garder toujours comme ça contre moi. Je me noyai dans son baiser, j'y puisai la force nécessaire pour assurer encore le spectacle.

— Ne bouge pas, je reviens, murmurai-je, ma bouche encore sur la sienne.

Je descendis à l'étage inférieur récupérer deux nouvelles flûtes de champagne, puis je remontai rapidement la rejoindre. Elle n'avait pas bougé et continuait à observer ce qui se passait en bas.

— Regarde qui est arrivé, souffla-t-elle.

Je jetai un coup d'œil et repérai Tristan en pleine conversation avec ses locataires. Il dut se sentir observé, il leva le visage et nous décocha un de ses sourires en coin. Je levai ma coupe à son intention. Véra s'appuya contre mon bras.

— Dis-lui de nous rejoindre, si tu veux.

J'embrassai ses cheveux, et, d'un geste de la main, j'invitai Tristan à monter. Il glissa quelques mots à l'oreille de mes clients, qui regardèrent à leur tour dans notre direction et me firent de grands signes. Tristan fendit la foule sans difficulté, j'avais l'impression qu'on le laissait passer tant il en imposait. Cet homme était vraiment surprenant, un vrai caméléon. Habituellement plutôt austère et solitaire, il semblait parfaitement à son aise au milieu de cette soirée. Tellement à l'aise que je le vis même reluquer une femme qu'il croisa dans l'escalier.

— Il a l'air sacrément en forme, remarqua Véra en riant.

— Je vois ça ! C'est cool !

Quand il arriva sur la mezzanine, je m'avançai vers lui et lui donnai une grande accolade.

— Yanis, c'est exceptionnel ! me félicita-t-il une fois que je l'eus lâché.

— Merci ! Tu vois, ça valait le coup de ne pas venir pendant quelque temps.

— C'est un beau cadeau que tu m'as fait.

— Salut, Tristan, lui dit joyeusement Véra.

Ils échangèrent une bise.

— On peut être fiers de lui, déclara-t-il. Qu'en penses-tu ?

Elle se mit à côté de lui et ensemble, ils m'observèrent, clairement complices. Elle se pencha légèrement vers lui.

— Ce n'est même plus de la fierté à ce niveau-là ! renchérit-elle.

J'éclatai de rire pour masquer mon envie de leur hurler de se taire, que je ne méritais rien de tout ça, rien de l'amour de Véra, de l'amitié de Tristan, de leur confiance absolue en moi. Véra vint se blottir dans mes bras.

— En revanche, Yanis, m'interpella Tristan, ils t'attendent en bas.

Il désigna mes clients de la tête. Effectivement, ils m'appelaient. Ça allait me reposer de m'éloigner d'eux deux en m'étourdissant en mondanités. J'embrassai Véra, puis donnai une tape sur l'épaule de Tristan.

— Je te la confie, lui annonçai-je avec un clin d'œil.

Je pris la poudre d'escampette, sans me retourner. Dans l'escalier, je croisai un serveur, auquel je piquai une bouteille de champagne, histoire de me simplifier la vie. J'arrivai en grand prince au milieu du groupe que formaient les patrons du concept store et leurs relations.

À partir de là, j'évoluai dans un brouillard de fausse euphorie. J'assurais mon rôle de Yanis guignol qui réussit. Mes clients, m'associant à leur succès, me mettaient au centre des attentions. Ça me donnait le tournis, me faisait oublier ma triste réalité, mes emmerdes. Je tchatchais avec toutes les personnes qu'on me présentait en sortant des idées plus farfelues et coûteuses les unes que les autres, sans oublier de distribuer les cartes de visite que Tristan m'avait conseillé de me faire fabriquer en vue de la soirée. Je riais, je racontais des blagues, je jouais de mon charme avec les femmes, je dégainais les bouteilles de champagne. Pour moi, c'était open bar.

De temps à autre, j'utilisais ce qui me restait de lucidité pour jeter un œil en direction de Véra ; Tristan veillait toujours sur elle, tout allait bien, ils discutaient tous les deux, flûtes à la main. Au moins, elle n'était pas seule. Je ressentais un peu moins de culpabilité à l'abandonner, même si c'était moi qui aurais dû être avec elle. Lorsque nos regards se croisaient, je lisais dans le sien un mélange assez contradictoire : elle semblait à la fois perdue, amusée, inquiète et curieuse. D'un côté, j'étais le même que d'habitude, j'étais bruyant, je prenais de la place, ma place en l'occurrence, mais elle me connaissait assez pour constater que je ne buvais pas d'une manière si festive que ça, et elle devait s'interroger aussi sur mon absence prolongée à ses côtés, se demandant pourquoi je passais mon temps avec d'autres personnes qu'elle et Tristan aussi, sans qui tout ça n'aurait pas été possible. Puis, brutalement, son expression changea du tout au tout, elle se ferma en pâlissant, pinça les lèvres, et ses yeux lancèrent des éclairs. Tristan se rendit compte lui aussi de son changement d'attitude, il se pencha vers elle et lui parla à l'oreille, elle lui désigna l'entrée. En même temps que lui, je jetai un coup d'œil dans cette direction. Ce fut comme si un pavé tombait sur mon estomac : Luc était là. Pas seul, puisque Charlotte l'accompagnait. Il avait donc répondu à mon invitation. J'avalai cul sec mon champagne, m'ébrouai comme un chien et partis rejoindre ma femme. J'avais besoin de Véra et Tristan, ce n'était pas le moment de déconner. Il fallait donner le change, comme jamais. Véra soupira de soulagement en me voyant débouler devant elle.

— J'ai cru que tu n'arriverais jamais, m'avoua-t-elle d'une petite voix. Pourquoi est-il venu avec elle ?

Ses mains tremblaient, la chair de poule envahissait ses bras dénudés. Je caressai sa joue et rivai mon regard au sien, sans chercher à me défiler.

— Je n'en sais rien. Mais on les affronte ensemble.

— Yanis, nous interrompit Tristan, n'oublie pas mon conseil. C'est une main tendue.

Les yeux fermés, je soupirai profondément.

— Tu vas y arriver, insista-t-il. C'est toi qui as gagné.

— Oui…

Je constatai une fois de plus à quel point il avait confiance en moi. Il jeta un coup d'œil au-dessus de mon épaule, il surveillait leur évolution dans la foule.

— Je peux m'éclipser avant qu'ils arrivent, nous proposa-t-il. Voulez-vous que je vous laisse avec eux ?

— Non !

Nous avions répondu d'une même voix, Véra et moi.

— Main tendue ne signifie pas réconciliation. Tu restes avec nous, Tristan, affirmai-je durement. Ils ne vont pas nous éloigner de toi.

— Yanis a raison, enchaîna Véra.

Je déposai un baiser sur sa joue.

— Je vais aller les accueillir, c'est mon rôle. Restez là.

Je finis ma flûte, m'en débarrassai et pris la direction de mon ex-patron, mais encore beau-frère. Avec un grand sourire aux lèvres, j'allai à leur rencontre. L'un comme l'autre arboraient un air impassible. Luc avait toujours la même gueule renfrognée, ça ne présageait rien de bon.

— Salut, Luc ! Ça me fait plaisir que tu sois venu ! m'exclamai-je en lui tendant la main.

Il me la serra fortement tout en cherchant à accrocher mon regard. Je l'évitai en m'approchant de Charlotte.

— Toujours aussi superbe, la complimentai-je en lui faisant une bise.

— Bonsoir, Yanis, me répondit-elle froidement. Véra ne daigne pas venir nous dire bonjour.

— Ne commence pas, s'il te plaît, la coupai-je. On est là pour faire la fête. J'ai insisté pour venir vous accueillir. Venez donc boire un verre.

Sans leur laisser le choix, je tournai les talons et rejoignis Véra et Tristan, qui semblaient en grande conversation. Il faisait tout pour la détendre, je lui en étais reconnaissant. Quand elle me vit revenir, elle me sourit. Et puis l'impact eut lieu. La scène était complètement surréaliste, d'un côté Véra et moi, de l'autre Luc et Charlotte – nous nous regardions en chiens de faïence –, et au milieu, Tristan, bien décidé à jouer l'arbitre entre nous. Il s'arma de son plus beau sourire et s'avança vers Luc en lui tendant la main.

— Bonsoir, Luc, je suis ravi de vous recroiser.

— Tristan, lui répondit-il sombrement.

Notre ami ne se laissa pas démonter et se tourna vers Charlotte.

— Charlotte, enchanté de vous rencontrer enfin. Véra et Yanis m'ont tellement parlé de vous.

Elle accepta de mauvaise grâce la main qu'il lui proposait.

— J'aurais préféré ne jamais avoir à croiser votre route.

Je sentis Véra se tendre, prête à passer à l'attaque, elle broya ma main qu'elle tenait dans la sienne.

— Charlotte, s'il te plaît, lui murmura Luc en se penchant vers elle.

— Vous êtes une femme de caractère, reprit Tristan en riant. Je débattrais avec grand plaisir avec vous sur l'intérêt ou non de me connaître. Mais ce sera un autre jour. Ce soir, nous sommes là, vous aussi je présume, pour célébrer le succès de notre ami commun, Yanis. Ne gâchons pas son moment.

Luc secoua la tête et s'avança vers Véra. Le frère et la sœur se regardèrent de longues secondes sans dire un mot. Mais il finit par lui parler doucement, presque prudemment :

— Bonsoir, Véra, tu as l'air en forme.

— Pourquoi voudrais-tu que je ne le sois pas ? Le travail de Yanis est enfin reconnu.

— Tant mieux si tu vas bien.

Il recula de quelques pas. Charlotte et Véra se défièrent du regard. Ça me faisait mal de les voir toutes les deux comme ça, elles si complices avant, si drôles quand elles partaient dans leurs délires.

Je donnai un léger coup de coude à Véra. Elle soupira, avant d'ouvrir enfin la bouche.

— Bonsoir, Charlotte.

Celle-ci s'avança et l'embrassa. Elle allait lui répondre lorsque Tristan, en retrait depuis quelques instants, nous interrompit :

— J'ai trouvé du champagne.

Il tendit deux flûtes à Luc et Charlotte et les servit. Puis, il s'occupa de Véra et s'approcha de moi pour remplir la mienne.

— Merci, lui dis-je avec un clin d'œil.

— J'ai pensé que ça pouvait être utile.

— Tu es le meilleur !

On éclata de rire tous les deux en entrechoquant nos verres. En revanche, personne d'autre ne trinqua. Le silence s'installa, ça allait vite devenir pesant. Mon esprit un peu trop embrumé par les vapeurs d'alcool ne trouvait pas de sujet de conversation, je savais simplement qu'il fallait reculer au plus tard le thème du boulot. Véra ne m'aidait pas en regardant ostensiblement ailleurs. Quant à Luc, son œil d'expert passait au crible le concept store. Charlotte détaillait Tristan l'air mauvais. Il s'en rendait compte, mais ça semblait l'amuser. Son assurance était désarmante, j'étais admiratif : il se faisait très clairement attaquer, ça lui passait au-dessus et il ne répondait à aucune provocation. Bien au contraire, il trouva un terrain d'entente :

— Comment se passent les cours de trombone de Joachim ? nous demanda-t-il.

Véra soupira de soulagement, cette tension devait lui être insupportable. Et parler de nos enfants était la solution pour la détendre.

— Ça l'éclate toujours autant, lui répondis-je. Malgré son instrument de merde, il fait des progrès de fou.

— C'est vrai, compléta Véra. D'ailleurs, il aimerait bien qu'un jour tu accompagnes Yanis pour l'écouter.

Tristan eut un large sourire.

— Depuis quand Jojo accepte que des étrangers l'écoutent jouer ? s'étrangla Charlotte.

Elle commençait à devenir sérieusement pénible avec sa jalousie à deux balles.

— Depuis que quelqu'un s'intéresse à ce qu'il fait, lui balançai-je sèchement.

Charlotte leva les yeux au ciel, exaspérée.

— Comment s'est passée la rentrée des classes ? demanda-t-elle à Véra.

Luc m'empêcha de répondre ou même de participer à la conversation. Il réussit à m'isoler légèrement en se décalant pour se mettre face à moi tout en regardant à droite, à gauche, puis le sol, et enfin le plafond avec la verrière. Puis il braqua ses yeux sur moi, sérieux.

— Tu as été encore plus loin que ton projet initial.

Retour surprise de la nausée.

— Je me suis lâché ! fanfaronnai-je.

Il but un peu de champagne sans cesser de m'observer.

— Effectivement, Yanis, on peut voir les choses sous cet angle. Tu as dû développer des trésors d'ingéniosité pour remporter ton pari, c'est réussi.

— Tu me connais, le roi de la combine !

— Ça coûte cher, la combine, parfois.

Il savait, il avait tout compris. Comment avais-je pu imaginer un seul instant qu'il ne détecterait pas la catastrophe vers laquelle je courais ? Je sentis le sol s'ouvrir sous mes pieds. Il allait m'achever, me donner le coup de grâce en public, se venger de ma défection au cabinet. Ça me rendait fou de rage qu'il lise si facilement en moi. J'avalai une gorgée de champagne.

— Tu es sur d'autres projets ? enchaîna-t-il.

Je haussai un sourcil crâneur.

— Ça se bouscule au portillon. Et toi, les affaires ?

— Oh ! C'est moins grandiose que ce que tu fais, mais ça tourne. Je viens d'ailleurs d'embaucher quelqu'un.

— Tant mieux !

— Fais attention à toi, me conseilla-t-il.

Puis il jeta un coup d'œil appuyé à Véra.

— Et à elle aussi, s'il te plaît.

Mes mâchoires se crispèrent.

— Je n'ai pas besoin de tes conseils, je m'en sors très bien. Nous nous en sortons très bien.

Il eut un sourire désabusé.

— Si tu le dis.

Il n'avait pas l'air de se réjouir de mes emmerdes. Il me tourna le dos et s'approcha de Charlotte.

— Rentrons, lui glissa-t-il à l'oreille.

Elle le regarda tendrement. Charlotte regardait *tendrement* Luc ! L'alcool me donnait des hallucinations. Ça ne pouvait pas être autrement.

— Oui, allons-y, on n'a plus rien à faire là, acquiesça-t-elle.

Je croisai le regard de Véra, tout aussi effarée que moi.

— À bientôt, nous salua Luc. Embrassez les enfants pour moi.

— Véra, à l'occasion, fais signe, cracha Charlotte, sans sembler y croire ou même le vouloir.

— Ouais, c'est ça.

Ils se contentèrent d'un signe de tête pour saluer Tristan.

— Au revoir, Charlotte, ça a été un vrai plaisir de vous rencontrer. Luc, bonne continuation.

Ils partirent sans un mot de plus. Il posa la main dans le creux des reins de Charlotte.

— Tu vois ce que je vois ? souffla Véra.

— Ils ont bien caché leur jeu. Qu'ils fassent ce qu'ils veulent, ça ne nous concerne pas.

— Tu as raison.

Elle se tourna vers Tristan.

— Je suis navrée du comportement qu'ils ont eu vis-à-vis de toi.

— Ne t'excuse pas pour eux. Ni toi ni Yanis n'êtes responsables. Ce qui m'inquiète, c'est ce que Luc a pu te dire, ajouta-t-il à mon adresse. Il t'a coincé, non ?

— Il a cherché à avoir des renseignements sur mes prochains contrats et a tenu à m'annoncer qu'il avait trouvé quelqu'un pour me remplacer au cabinet.

— Logique. La meilleure défense, c'est l'attaque.

— Et comment le prends-tu ? me demanda Véra, inquiète.

— Tu sais quoi ? répondis-je en repoussant une de ses mèches rebelles sur son front. Je m'en contrefous ! C'est le cadet de mes soucis ! Buvons un dernier verre avant de rentrer !

12

Véra

Il y avait encore six mois de ça, avant que Yanis se mette à son compte, avant que tout m'échappe, avant que je ne comprenne plus rien, ce soir aurait été un soir normal. Aujourd'hui, ce dîner représentait un véritable événement, nous étions tous les cinq à table. Yanis nous faisait l'honneur de sa présence. Enfin, de son enveloppe corporelle, devrais-je plutôt dire, puisqu'il n'ouvrait la bouche que pour ingurgiter son satané pinard. Je me débattais comme je pouvais pour distraire les enfants de l'humeur sombre – désormais habituelle – de leur père. Ils avaient beau être désemparés, ils essayaient encore d'accrocher son attention. Pourtant, ça faisait un bout de temps que ça durait. Jusqu'à la fin du chantier du concept store, j'avais pris sur moi, je n'avais rien dit, me convainquant, et essayant de convaincre les enfants aussi, que son comportement des plus étranges était dû au stress. J'étais persuadée que tout reviendrait à la normale après cette soirée. Elle avait eu lieu il y avait maintenant plus de deux semaines, ça avait été une vraie réussite d'un point de vue professionnel. Pourtant, la situation à la maison n'avait fait que se détériorer. À l'humeur ombrageuse s'ajoutaient désormais une passivité, une mollesse que je ne lui connaissais pas. Il donnait l'impression de se traîner, de ne plus rien faire, de ne plus avoir envie de rien. Jamais je ne l'avais vu comme ça. J'essayais de le faire parler, de lui faire cracher ce qui lui pesait, il esquivait toujours, me disant que tout allait bien, qu'il n'y avait aucun problème, qu'il était simplement débordé et crevé par le boulot. Pourtant, je sentais qu'il y avait autre chose. Rien qu'en le regardant dîner, je voyais bien qu'il n'allait pas bien ; il ne mangeait pas, se contentant de triturer le contenu de son assiette avec sa fourchette.

— Papa, l'appela timidement Violette.

— Quoi ? lui répondit-il sans lui adresser un regard.

— Tu peux me lire une histoire ce soir, s'il te plaît ?

Je retins mon souffle. Yanis leva le visage de son verre et daigna la regarder. Il fit une grimace qui aurait pu passer pour un sourire. Pourquoi était-il si mal, si triste ? J'avais en permanence l'impression qu'il aurait préféré être ailleurs. Et les soirées qu'il passait, soi-disant, à la garçonnière en étaient la preuve. Comment pouvais-je croire qu'il travaillait là-bas alors qu'il ne me parlait plus d'aucun de ses contrats ni de ses projets ?

— Pas ce soir, je suis fatigué. Peut-être demain, si je suis là.

Même ça, il ne pouvait plus ou ne voulait plus l'assurer. Mon ventre se serra. Il se leva, verre à la main, et alla ouvrir la fenêtre. Les grands yeux de Violette se remplirent de larmes.

— Ne t'inquiète pas, ma poupée, je vais te lire ton histoire, moi.

Je captai le regard que Joachim envoya à son père, ses yeux étaient de vraies mitraillettes.

— Non, maman, intervint-il, autoritaire. C'est moi qui vais la lui lire.

Je serrai mes poings, médusée qu'on en soit là.

— Merci, mon grand. Finissez vos yaourts et après on va au lit.

Je sentis l'odeur de la fumée de cigarette et bondis de mon tabouret.

— Tu fais quoi, là, Yanis ? Tu pourrais quand même attendre qu'ils soient au lit pour allumer ta clope ! Ou c'est trop te demander ?

— OK ! C'est bon, ne t'énerve pas.

Il écrasa sa cigarette dans le cendrier sur le rebord de la fenêtre et partit dans le séjour. Je débarrassai la table, trop furieuse pour prononcer un mot. Puis j'accompagnai les enfants, sans qu'il esquisse le moindre mouvement pour venir m'aider à les coucher. Après le brossage de dents, on s'installa tous les quatre sur le lit de Violette, et Jojo nous fit la lecture ; je retins difficilement mes larmes. Quand il eut fini, Violette lui fit un gros câlin pour le remercier.

— Maman, tu crois que je peux aller chercher papa ? me demanda Ernest. Il ne va pas gronder ?

Même notre petite tête brûlée commençait à craindre les réactions de Yanis.

— J'y vais, mettez-vous au lit, je reviens avec lui.

Il allait devoir se bouger. Qu'arrivait-il à notre famille ? Je ne comprenais plus rien.

— Yanis ! l'appelai-je.

— Ouais… ronchonna-t-il.

— Tes enfants aimeraient que tu viennes leur dire bonne nuit. Peut-être que ça te dérange ?

— J'arrive.

Il extirpa sa grande carcasse du canapé comme si c'était un exploit surhumain et avança vers moi en traînant des pieds. Brusquement, il se figea et sortit de sa poche son portable qui vibrait. Il fixa l'écran, la main tremblante.

— Qui t'appelle à cette heure-là ? demandai-je en m'approchant de lui.

— Personne.

Il coupa son téléphone comme s'il le brûlait, le rangea aussitôt dans sa poche et passa à côté de moi sans un mot, sans un geste. Tandis qu'il souhaitait de beaux rêves aux enfants, je restai totalement statique, le cœur en miettes, j'avais mal, je happais l'air avec la sensation d'étouffer. J'entendais sa voix : celle d'un inconnu.

— Ils t'attendent, me dit-il quelques minutes plus tard en se dirigeant vers la cuisine.

Je le suivis des yeux et le vis récupérer son verre et se servir un whisky. Encore un. Certes, Yanis avait toujours eu une bonne descente, mais depuis plus d'un mois il franchissait les limites du supportable. Je lui avais fait la remarque qu'il devrait un peu restreindre sa consommation, il m'avait envoyée sur les roses. Armé de sa dose, il se posta devant la fenêtre de la cuisine, s'alluma une cigarette et regarda au loin. Il donnait tellement l'impression de vouloir être autre part ! En tout cas pas avec nous. Mais mon esprit luttait pour ne pas croire à ce qui me trottait dans la tête, qui m'obsédait, ne pas croire à ce qui était en train de nous arriver. Pas à nous. Impossible. Et pourtant…

— Maman !

Mes enfants me sauvaient. Je repris ma respiration, comme si je sortais d'une apnée en eaux troubles et profondes, avant d'aller les voir à mon tour.

J'étais couchée depuis plus de deux heures quand Yanis arriva dans la chambre. Rien qu'au bruit de ses pas, je sus qu'il titubait. Il se déshabilla dans le noir et s'écroula sur le lit. Après un bon bout de temps, où je sentais qu'il ne dormait toujours pas, je me tournai vers lui. Visage tendu à l'extrême, il fixait le plafond. C'était comme ça chaque nuit.

— Dis-moi ce qui ne va pas, murmurai-je.

— Rien, Véra, je te l'ai déjà dit. Laisse-moi dormir.

Il me tourna le dos, comme chaque nuit depuis l'inauguration. J'approchai ma main de sa peau, j'avais envie de le toucher, de me blottir dans ses bras, pour qu'il me rassure, qu'il me réchauffe, qu'il me dise que je me faisais des films, que je devenais parano. J'attendais qu'il me dise : « Non, il n'y a personne d'autre. Comment peux-tu imaginer une chose pareille ? » Qu'il me dise aussi qu'il avait toujours notre musique dans la tête, qu'il m'embrasse, me caresse, me fasse l'amour. Des semaines qu'il ne m'avait pas touchée. Nous ne partagions plus que des baisers, et toujours à mon initiative. Il fuyait mon contact. À croire que je le dégoûtais. Ma main retomba sans même l'avoir effleuré. Mes premiers doutes étaient apparus à cette foutue soirée, ravivant le malaise ressenti lorsqu'il nous avait laissés pendant les vacances. Mon cœur s'était serré douloureusement quand je l'avais vu parader au milieu de toutes ces personnes que je ne connaissais pas, je l'avais vu parler à des femmes splendides, il les faisait rire, il les charmait, il les servait en champagne.

Et elles, elles dévoraient des yeux mon Yanis, mon mari. Tristan s'était rendu compte de mon malaise, il avait tout fait pour me rassurer, ça n'avait pas marché, lui-même m'avait toutefois semblé assez dérouté par l'attitude de Yanis. Ce soir-là, tellement de monde lui avait tourné autour pour le féliciter, pour le connaître, certains pour exprimer leur envie de collaborer avec lui. Je commençais à me dire, sans arriver à l'accepter, qu'il s'était perdu au milieu de tout ça. Il avait peut-être oublié celui qu'il était et découvert qu'il voulait plus encore. Après tout, ça avait débuté par le travail, sa quête farouche d'indépendance. Après plus de quatre mois, il envisageait peut-être de changer totalement de vie, de se délester de sa famille. Sa crise de la quarantaine était peut-être en train de se transformer en démon de midi. Mais avait-il déjà franchi la ligne rouge ? Qu'il ait pu mettre ses mains sur un autre corps que le mien me donna envie de hurler de douleur, je mordis mon oreiller. Tous les jours, je me promettais de le prendre entre quatre yeux, sans qu'il puisse se dérober. La peur m'en empêchait, j'étais terrifiée à l'idée de découvrir que j'avais visé juste, puisqu'au fond de moi je savais que ça ne pouvait être que ça. Rien d'autre ne pouvait être assez grave pour expliquer un tel changement d'attitude. Je me sentais tellement seule, avec personne à qui parler.

Je mis plus de deux jours à me décider à composer ce numéro de téléphone. Je profitai de ma pause déjeuner pour l'appeler. Il décrocha dès la première sonnerie.

— Oui, répondit-il.

— Euh… Bonjour, Tristan, c'est Véra. Excuse-moi si je te dérange.

— Bonjour, Véra, tu ne me déranges jamais. Que puis-je faire pour toi ?

— Tu as vu Yanis dernièrement ?

— J'ai réussi à l'entrapercevoir avant-hier, il a l'air très occupé. Pourquoi ?

— Euh… non, rien… En fait…

— Que se passe-t-il ?

— Comment l'as-tu trouvé ?

— En forme, même s'il est un peu nostalgique du chantier du concept store, l'adrénaline est retombée, mais à part ça, il a l'air d'aller. Enfin, je crois… Il y a un problème ?

— Non, rien, je n'aurais pas dû t'embêter avec ça.

— Véra, tu sais que tu peux tout me dire. Je sens bien que tu es soucieuse. On peut se voir si tu préfères ne pas en parler au téléphone.

— Non, non. Tout va bien. À bientôt.

Sans lui laisser le temps de répondre, je raccrochai. J'avais été stupide de m'adresser à lui ; les loups ne se mangent pas entre eux. Tristan était le seul ami de Yanis, il ne le trahirait jamais. Il ne me restait qu'une chose à faire, rassembler mon courage, me préparer au pire, et avoir une conversation cash et franche avec Yanis. Depuis quand avais-je peur de parler à mon mari ? C'était pathétique.

Un peu plus tard en fin de journée, alors que je recevais une cliente, mon téléphone n'arrêta pas de vibrer. Je jetais régulièrement des coups d'œil à mon sac à main à mes pieds, comme s'il allait me dire qui m'appelait de cette façon. Un mauvais pressentiment m'envahit. Je finis par craquer.

— Excusez-moi, dis-je à la cliente, ma collègue va s'occuper de vous. Lucille !

— Oui.

— Tu peux t'occuper de madame, s'il te plaît ?

— Que se passe-t-il ?

— Je ne sais pas encore, lui répondis-je, la tête déjà dans mon sac.

Je trouvai mon téléphone, qui sonnait de nouveau ; c'était l'école. Pourquoi m'appelait-on ? Nous étions jeudi, jour du cours de trombone de Joachim. Ils devraient être partis depuis longtemps.

— Allô !

— Bonjour, madame.

— Il est arrivé quelque chose aux enfants ? demandai-je sans plus de manière.

— Votre mari n'est pas venu les chercher.

Je me levai d'un bond de ma chaise.

— Quoi !? hurlai-je. Mais ce n'est pas possible.

J'enfilai déjà ma veste.

— Je suis désolée, mais ils sont devant moi et ils attendent. Votre mari est injoignable. La garderie ferme bientôt, j'ai préféré vous prévenir.

— Vous avez eu raison. Dites aux enfants que j'arrive. Je fais au plus vite.

Je raccrochai, fis le tour de mon bureau. Lucille m'interpella :

— Qu'est-ce qui se passe ?

— Je suis navrée, il faut que je parte, ce sont les enfants.

Je partis en laissant la porte de l'agence grande ouverte. Je courus comme une folle dans la rue en direction du métro, je bousculai tout le monde, mes pieds avaient beau toucher le bitume, c'était comme si je tombais dans un puits sans fond. J'essayai de joindre Yanis, il ne décrocha pas. Je lui laissai un message essoufflé : « *Où es-tu ? Les enfants, tu as oublié les enfants ?! »*

Une heure et demie plus tard, je poussais la porte de l'appartement, avec Violette toujours en larmes dans mes bras, Ernest pendu à ma main, le visage ravagé par le chagrin. Joachim, défiguré par la colère, fonça vers son étui à trombone – Yanis aurait dû venir le récupérer dans l'après-midi –, l'attrapa et le roua de coups de pied. Ce qui fit redoubler les pleurs de Violette et peur à Ernest, qui se cacha davantage derrière mes jambes.

— Je n'en ferai plus jamais, maman ! cria-t-il. C'est terminé, la musique !

Il disparut dans sa chambre, dont il claqua la porte. J'aurais aimé faire comme lui, me terrer sous ma couette, et essayer d'oublier. Sauf que j'allais arrêter de faire l'autruche, Yanis était certainement en train de détruire notre couple, je ne le laisserais pas détruire nos enfants. Qu'il ait une maîtresse, c'était mon problème ; Joachim, Ernest et Violette n'avaient pas à en payer les conséquences. Yanis pouvait me faire souffrir, moi, mais pas eux.

— Maman, il est où papa ? me demanda Violette.

Je l'embrassai sur le front, ne sachant pas quoi lui répondre. Je devais me ressaisir pour eux, c'était mon rôle de maman.

— Il nous a oubliés ? enchaîna Ernest. Il nous aime plus ?

— Mais non ! Il vous aimera toujours, il a dû avoir un problème au travail, c'est tout.

Je les emmenai directement à la salle de bains pour la douche. Joachim refusa de sortir de sa tanière. Je le laissai tranquille, il était trop grand pour que je puisse lui inventer un bobard. Je consacrai le peu d'énergie qu'il me restait à tout tenter pour amuser Ernest et Violette, les faire penser à autre chose, en les aspergeant d'eau, en les chatouillant. Rien à faire, ils ne quittaient pas cette mine triste, inquiète. Ils scrutaient le moindre bruit dans l'appartement, espérant plus que tout que leur père arrive d'une minute à l'autre, les prenne dans ses bras, leur dise qu'il les aimait plus que sa propre vie. Quand ils furent en pyjama, je les installai devant la télé, préparai le dîner, et allai m'enfermer dans les toilettes. Je ne voulais pas qu'ils m'entendent parler au téléphone. Je commençai par appeler une nouvelle fois Yanis, sans réponse. Je ne laissai pas de message. Ensuite, je téléphonai à la concierge, pour lui demander si sa fille était libre pour un baby-sitting. Elle arriverait chez nous dans une heure. Sans espoir qu'il décroche, je rappelai Yanis. Répondeur : « *C'est encore moi. Ne rentre pas ce soir, je te retrouve à la garçonnière.* » Toujours assise sur la cuvette, je reniflai, je tremblais des pieds à la tête, j'avais terriblement froid, j'étais épuisée. Je passai mes mains sur mon visage, et sortis de ma cachette. Ernest et Violette étaient l'un contre l'autre sur le canapé, c'était bien la première fois que je ne les voyais pas se chamailler pour le programme, j'aurais donné n'importe quoi pour qu'ils se tirent les cheveux en hurlant. J'allai frapper à la porte de chambre de Joachim. Pas de réponse.

— Je vais entrer, mon Jojo.

Je le découvris assis à son bureau, avec sa pile de partitions toutes déchirées, il ne restait plus rien. Je m'assis sur le lit d'Ernest.

— Tu peux faire une pause de trombone, et reprendre quand tu veux.

— Non !

— Pourquoi ?

— Papa, il s'en moque.

J'inspirai profondément.

— Moi, je ne m'en moque pas. Et je peux t'emmener à tes cours si tu veux.

— Tu travailles.

— Je me débrouillerai.

— Sans papa, je ne veux pas.

Je voyais ses épaules se lever au rythme de sa respiration saccadée.

— Viens t'asseoir à côté de moi, Jojo.

Tête baissée, il se leva et m'obéit. Je le pris contre moi et nous installai plus confortablement contre l'oreiller. Il se blottit dans mes bras.

— Je ne vais pas te mentir, je ne sais pas où est papa. Mais je vais le trouver, je veux savoir ce qui s'est passé. Caroline va venir vous garder ce soir.

Il leva un visage affolé vers moi.

— Pourquoi ? Pars pas, maman !

— Je vais aller voir si papa est à la garçonnière et je reviens après, c'est promis. Mais je ne veux pas que tu m'attendes pour dormir. D'accord ?

Il hocha la tête.

— Je vais te demander quelque chose, mon Jojo. J'ai besoin de toi, j'ai besoin que tu m'aides avec ton frère et ta sœur. Ils sont très tristes et très inquiets eux aussi. Je sais que ce n'est pas juste, je suis désolée.

— Je vais t'aider, maman.

Ses beaux yeux bleus, les mêmes que ceux de Yanis, débordèrent de larmes. Je le serrai encore plus fort.

— Pleure, mon grand, ne te retiens pas.

Après bien des câlins et des bisous, je réussis à partir vers 20 heures. J'avais conscience qu'imposer mon absence aux enfants après cette fin de journée épouvantable était un calvaire pour eux, une souffrance supplémentaire, mais je n'avais pas le choix. J'étais incapable de rester sur mon canapé toute la soirée à appeler Yanis tous les quarts d'heure pour savoir où il était. Il fallait que j'agisse, que je sache ce qui se passait. La situation pourrissait depuis trop longtemps. J'avais toujours aussi froid, et ça n'avait rien à voir avec les températures automnales de cette fin d'octobre. Dans le métro, je réussis à m'asseoir sur un strapontin. Malgré la rage, mes jambes me portaient difficilement, la tête me tournait, je la posai contre la vitre, et fixai le noir du tunnel. J'avais rarement eu aussi peur. Peur de ce que j'allais découvrir à la garçonnière, peur des conséquences de la vérité. Jamais je n'aurais pu imaginer que Yanis deviendrait un étranger à ce point. Comment avait-il pu oublier nos enfants, les mettre de côté, les mettre en danger ? Notre vie était-elle en train de voler en éclats ? Je me pliai en deux en me tenant le ventre, tant cette idée m'était douloureuse. Je me sentais tellement impuissante face à l'incompréhension, avec le sentiment d'être plongée dans une autre vie que la mienne depuis des semaines. Comment avions-nous pu passer du bonheur absolu à cette descente aux Enfers ? Qu'est-ce que je n'avais pas vu ? Comment expliquer aux enfants que plus rien ne serait comme avant ? Étais-je capable de faire face, sans lui ?

Je courus du métro à l'immeuble. En poussant la porte cochère, je découvris la garçonnière plongée dans la pénombre. Ça ne calma pas pour autant mes angoisses. Mes clés à la main, je traversai la cour, puisant au fond de moi l'énergie nécessaire à l'affrontement. C'était fermé, j'ouvris avec mon trousseau. Deux choses me frappèrent ; il n'y avait personne, et la garçonnière était en sale état. Une odeur de bar, mélange d'alcool et de tabac froid, me souleva le cœur. J'allumai la lumière et découvris l'ampleur des dégâts. Jamais la garçonnière n'avait été un tel champ de bataille. J'avançai lentement au milieu des ruines – des cendriers dégueulant de mégots, des cadavres de bouteilles de bière, des piles de papier, de courriers non ouverts, des rouleaux de plans pour la plupart abîmés, une tonne de vaisselle crade dans l'évier. Et puis j'aperçus notre banderole, la surprise que j'avais préparée avec les enfants pour le féliciter, elle reposait dans un coin, pas dépliée, à croire qu'il avait tout fait pour la dissimuler, comme s'il refusait de la voir. J'eus mal pour Joachim, Ernest et Violette qui y avaient mis tout leur cœur. La garçonnière était devenue un dépotoir, le contraire d'une cachette pour amours interdits. L'idée que Yanis me trompait commença à s'estomper, mais ça ne me rassura pas pour autant. Bien au contraire. Je m'écroulai sur le canapé défoncé. Sans réfléchir à mon geste, je remis un coussin en place, et découvris son portable en dessous. J'aurais pu continuer à l'appeler encore longtemps ! Jusque-là, je n'avais jamais eu idée de fouiller dedans. Comme Yanis m'évitait, me fuyait, je cédai à la tentation. J'allumai l'écran. D'emblée, je vis mes appels en absence, ceux de l'école, du prof de trombone, et puis une bonne dizaine de sa banque, rien que pour la journée d'aujourd'hui. Je posai le portable à côté de moi sans chercher à écouter les messages. Comme un automate, je me levai et fonçai vers ce qui avait été à une époque son bureau. Je compulsai tous les papiers sur lesquels je tombai, à la recherche du moindre indice. Je ne tardai pas à en trouver. Ça commença par une lettre de relance d'un artisan ; à première vue, il attendait de se faire payer depuis mi-août, et il était loin d'être le seul. Toutes les factures et les rappels concernaient le chantier du concept store. Ensuite, je découvris les relevés de compte des derniers mois, ceux du compte que Yanis avait ouvert pour sa boîte. J'en ouvris un au hasard ; le montant du découvert me donna le vertige. Ça ne s'appelait même plus un découvert à ce niveau-là, six chiffres. *Un montant à six chiffres !* Je chancelai et m'effondrai à genoux au milieu de toutes les preuves de la catastrophe financière dans laquelle nous avait mis Yanis. Mon regard accrocha un dossier caché sous la table basse. En me traînant par terre, je m'en approchai pour l'attraper. Ce que j'y découvris me glaça le sang ; il avait signé en notre nom à tous les deux plusieurs prêts à la consommation. Il était allé jusqu'à imiter ma signature pour les obtenir. Nous étions criblés de dettes. Je me pris la tête entre les mains en m'accoudant à la table basse. Mon corps n'était que tremblements, j'avais mal partout, mes membres perclus de courbatures à force de me contracter. Yanis me bernait depuis des semaines, peut-être même des mois sur sa réussite, sur son travail. Nous vivions dans le faux. Mais depuis quand exactement ? Certes, mon ego de femme était sauvegardé, il ne me trompait pas, mais j'arrivais à un point où je m'en foutais, tant sa trahison était monstrueuse : le mensonge, la faillite, la précarité, la solitude. Il avait gâché notre vie. Un réflexe vieux de plus de cinq ans me saisit, j'attrapai une cigarette dans un paquet abandonné sous mon nez et l'allumai en m'adossant au siège du canapé. Je fixai la fumée qui volait au-dessus de moi, totalement perdue et dépassée par la montagne d'emmerdes qui se dressait devant moi. J'allais devoir repenser notre quotidien, grappiller le moindre euro. Nous n'avions jamais roulé sur l'or, cependant nous ne connaissions pas souvent des fins de mois difficiles. On ne s'en sortait pas si mal que ça par rapport à d'autres. La situation venait de changer du tout au tout. Allions-nous pouvoir garder l'appartement ? Nous devions à la banque l'équivalent de plusieurs années de mon salaire. Au-delà de la banque, nous devions cette somme pharaonique à Tristan. Mon Dieu ! Tristan était caution de l'entreprise de Yanis. Les conneries de Yanis allaient lui retomber sur le dos.

Je venais d'écraser un deuxième mégot lorsque la porte d'entrée s'ouvrit. Yanis me repéra immédiatement, et se statufia. Il n'avait plus figure humaine ; ses yeux étaient injectés de sang, ourlés de cernes noirs et profonds, son visage creux, son dos voûté. J'attrapai son téléphone posé derrière moi et le lui lançai violemment. Il ne le rattrapa pas ; ses réflexes n'étaient pas au beau fixe. Mais ça le fit réagir. Sans un mot, il referma la porte et s'avança, en prenant garde toutefois à ne pas s'approcher de moi. Il s'appuya contre le mur qui me faisait face et se laissa glisser lourdement jusqu'au sol. On resta là à se regarder dans les yeux durant un long moment. C'était lui sans être lui ; il semblait vidé de lui-même, vidé de toute substance.

— Joachim arrête le trombone, lui annonçai-je froidement.

Ses traits se crispèrent, il ferma les yeux et donna un coup de poing dans le mur. Puis il se prit la tête entre les mains et recroquevilla ses genoux contre son torse. Sa détresse était telle qu'il se balançait d'avant en arrière en gémissant de douleur. Je respirais plus vite, je me blindais pour ne pas réagir à sa souffrance, je n'avais pas le droit. Je devais avant tout protéger mes enfants. Pour le moment, c'était tout ce qui était en mon pouvoir.

— Quand toute cette merde a-t-elle commencé ? lui demandai-je durement.

— Je ne comprends pas ce qui s'est passé. Je te jure. Mais je vais me refaire, Véra, je te promets que je vais me refaire, sanglota-t-il, le visage toujours dissimulé.

— Comment ? Tu ne fais plus rien ! Quand ? insistai-je en élevant la voix. Réponds !

Il secoua la tête sans dire un mot. Sa passivité me fit sortir de mes gonds, je me levai brusquement, et l'assommai de questions :

— Je répète, Yanis, quand nous as-tu mis dans cette merde ? Depuis quand tu joues la comédie, tu joues celui qui réussit tout alors que c'est un échec total ? Tu as tout foiré ! Comment allons-nous nous en sortir ? Tu peux me dire ? Non, tu ne peux rien dire, tu t'embourbes dans ta connerie, dans ton irresponsabilité ! Tu mens à tout le monde ! Tu te fous de ma gueule, tu ne regardes plus les enfants, pire, tu les oublies !

Il se ratatinait à chacune de mes attaques.

— Je vais aller m'excuser auprès d'eux, murmura-t-il en me montrant son visage ravagé par les larmes.

— Hors de question ! hurlai-je. Tu n'iras pas les voir ! Je refuse que tu t'approches d'eux, et que tu t'approches de moi !

Il blêmit davantage, si tant est que ce soit possible.

— Quoi ?

— Tu m'as très bien entendue ! On dirait un déchet ! Ils méritent mille fois mieux que ça ! Pour le moment, ils ont peur de leur père, ils n'ont plus confiance en toi. Moi non plus, je n'ai plus confiance. Tu es une loque ! Incapable de réagir face à l'épreuve ! Où es-tu ? Regarde ce que tu es devenu, Yanis ! Même l'ombre de toi-même aurait meilleure mine que ce que j'ai sous les yeux !

Toutes ces paroles sorties sous le coup de la colère étaient autant de lames de rasoir dans ma bouche, pourtant, elles sortaient les unes après les autres sans que je puisse m'arrêter. Ça avait beau être des vérités, elles étaient monstrueuses à prononcer ; rien que le fait de ressentir toutes ces choses à l'égard de Yanis était douloureux.

— Tu te rends compte qu'il n'y a plus rien de tout ce que nous avons construit tous les deux ! Comment as-tu pu nous faire ça ? Tu nous as abandonnés ! Où es-tu ? Que t'est-il arrivé ?

Je ne pouvais pas rester plus longtemps. Je fis le tour de la table basse, sans m'approcher de lui, récupérai mon sac à main abandonné près de la porte d'entrée.

— Tu fais quoi, Véra ? m'appela-t-il la voix pleine d'angoisse.

Je me retournai. Je le vis prendre appui contre le mur pour se mettre debout puis faire quelques pas dans ma direction.

— Véra, je t'en prie, ne me laisse pas seul, je n'y arriverai pas sans toi.

— Il fallait y penser avant.

Il s'approcha davantage de moi, les yeux pleins de larmes, me suppliant de ne pas le quitter. Il tendit les mains vers moi, je reculai. Je devais m'en aller très vite. J'ouvris brutalement la porte et traversai à toute vitesse la cour de l'immeuble. Sa voix m'appelant encore et encore me hanterait très longtemps. Je venais de m'amputer volontairement d'une partie de moi-même, peut-être la plus importante de ma vie, celle sur laquelle je me reposais jusque-là, confiante et en sécurité.

Durant le trajet de retour vers la maison, j'eus l'impression de ne plus sentir le sol sous mes pieds, j'avais l'impression qu'il allait se dérober et que j'allais tomber toujours et encore plus bas, j'entendais mal les bruits, les paroles autour de moi, mes oreilles bourdonnaient, ma vue était trouble, je distinguais mal les gens dans la rame de métro, comme dans un rêve, même si j'étais en plein cauchemar.

Devant notre porte, j'inspirai profondément, en priant pour que les enfants dorment, je voulais reculer la conversation inévitable jusqu'au lendemain matin, ne serait-ce que pour réfléchir à ce que j'allais leur dire. Je trouvai la baby-sitter en train de travailler ses cours sur le canapé. Elle se leva, souriante.

— Ça a été ? chuchotai-je.

— Très bien, même si Joachim a mis du temps à s'endormir.

Le principal, c'est qu'il dorme.

— D'accord.

Je fouillai dans mon portefeuille, réalisant qu'apprendre la vérité me coûtait bien cher pour mes nouveaux maigres moyens. En lui tendant ce que je lui devais, mes mains se mirent à trembler.

— Ça ne va pas, Véra ? s'inquiéta-t-elle.

Je lâchai l'argent.

— Je suis fatiguée et j'ai froid. C'est tout. Rentre bien. Bonne nuit.

Je la poussai presque à la porte tandis qu'elle me fixait, éberluée. Mais je voulais être seule. « Bonjour à Yanis », furent les dernières paroles que j'entendis avant de me barricader chez moi, et je m'en serais bien passée. Mécaniquement, je fis le tour de l'appartement, éteignis toutes les lumières et entrai dans les chambres des enfants. Violette dormait profondément, pouce dans la bouche et mains crochées autour de son doudou. Quant aux garçons, Ernest s'était étroitement roulé en boule dans sa couette – son habitude quand quelque chose lui faisait peur – et Joachim, lui, était en nage, même s'il dormait, il n'arrêtait pas de gesticuler. J'aurais pu passer la nuit à faire l'aller-retour entre les deux chambres, rien que pour les regarder, m'assurer qu'ils allaient bien, espérant que leur présence me calme, mais je ne voulais pas prendre le risque de les réveiller. Tant qu'ils dormaient, ils étaient encore un peu protégés. Aussi montai-je dans notre chambre. Je fis comme chaque soir, je me démaquillai, me brossai les dents, enfilai une chemise de nuit, et me glissai sous la couette à ma place, de mon côté, sans avoir un regard pour celle désormais vide de Yanis. Je mis mon réveil un peu plus tôt que d'habitude et plongeai la pièce dans l'obscurité. Je passai la nuit à regarder les minutes défiler sur le réveil. Je somnolai un quart d'heure par-ci, un quart d'heure par-là. Je me réveillai en sursaut, avec l'impression d'étouffer, de me noyer, mais mon rythme cardiaque revint lentement à la normale. J'avais l'impression d'avoir perdu toute capacité à ressentir, je n'avais certes jamais été une grande pleureuse, mais je ne comprenais pas pourquoi, là, ça ne sortait pas. J'avais froid, j'étais rigide, tétanisée. Dès que des visions de Yanis, écroulé par terre dans la garçonnière, comme un animal blessé, apparaissaient dans mon esprit, je les chassais, en pensant aux enfants, à l'argent que nous devions, à ce que j'allais pouvoir faire le lendemain, le surlendemain et tous les jours suivants. Je devais tenir éloignée de mon cœur et de mon esprit la douleur d'avoir perdu Yanis.

Nous étions tous les quatre attablés pour le petit déjeuner, les enfants buvaient leur chocolat chaud. De mon côté, le café avait du mal à passer, leurs mines tracassées me retournaient le ventre. Et je continuais à grelotter, le froid qui m'avait envahie la veille semblait impossible à combattre. Joachim avait dû sacrément briefer son frère et sa sœur, aucun des trois n'ouvrait la bouche. Mais les questions, je les voyais dans leurs regards paniqués et interrogateurs. Je me forçai à avaler une gorgée de café, puis je me lançai :

— Pendant que vous étiez avec Caroline, j'ai vu papa.

Trois paires d'yeux aux abois se braquèrent sur moi.

— Il s'excuse pour hier.

— Pourquoi ce n'est pas lui qui nous le dit ? aboya Joachim.

— Il est où ? enchaîna Ernest.

— À la garçonnière.

— Je veux voir papa ! pleurnicha Violette.

— Il rentre quand ? voulut savoir mon fils aîné.

Il emprisonna mes yeux dans les siens.

— Je ne sais pas.

— Il reviendra pas ?

— Écoutez, les enfants, papa n'est pas en forme, il a beaucoup de travail et ne peut pas s'occuper de vous pour le moment.

— On va faire comment ? s'inquiéta Ernest.

— Moi, je suis là, et je m'occuperai toujours de vous.

Ils piquèrent tous les trois du nez. J'étais nulle avec eux, je n'avais aucune idée de ce que je pouvais leur dire. Malgré ma colère – froide, comme mon corps –, je ne me voyais pas démolir Yanis devant eux, mais en même temps, je ne voulais pas les laisser rêver à un retour à la normale. Rien ne serait plus comme avant, leur monde, celui qu'ils connaissaient depuis toujours, venait de s'écrouler. Comment dire ça à mes enfants ?

Forcément, on prend des décisions sans réfléchir, sans penser aux conséquences ; mon instinct de protection maternel – qui m'avait fait quitter Yanis la veille – leur faisait du mal, leur procurait une souffrance qui, jusque-là, m'avait toujours semblé inimaginable. J'aurais juré que nous étions invincibles Yanis et moi, que notre couple était plus solide que tout, j'en aurais mis ma main au feu, mes bras en gage, ma vie même. Il s'était perdu, Yanis, l'homme fort, indestructible, s'était effondré, et il l'avait fait seul, sans partager ses soucis avec moi, sans chercher une solution pour régler ce qui pouvait l'être, il m'avait exclue de sa vie, et il avait exclu ses enfants par la même occasion. Qu'il ne se batte pas me désarçonnait, me décevait. C'était si

263

violent de découvrir que je ne pouvais plus compter sur celui sur qui ma vie reposait. Que s'était-il passé ? Et moi, de quoi étais-je responsable ? Pourquoi avais-je fermé les yeux ? Toutes ces dernières semaines, j'avais mis la tête dans le trou pour ne pas voir qu'il n'était plus lui-même, qu'il était devenu un étranger. Je m'étais butée sur la première idée qui vient dans la tête d'une femme : j'étais bafouée, trompée, il m'en préférait une autre. Rien de tout ça. Mais sa trahison et son mensonge n'en étaient pas moins graves. Son irresponsabilité nous avait volé notre avenir, nos projets, tous nos rêves pour les enfants, leurs études. Nous n'aurions pas assez de notre vie pour rembourser nos dettes, et nous ne pourrions pas repartir de zéro, ça n'était pas permis dans une situation telle que la nôtre. Je n'avais plus que mes enfants, ils avaient toujours été mon moteur. J'allais dorénavant leur consacrer toute mon énergie, pour tenter d'apaiser leur chagrin, faire en sorte qu'il reste un peu de soleil et de sourires dans leur quotidien. Quand je voyais leurs beaux visages malheureux, perdus, je me disais que jamais je ne pourrais pardonner à Yanis de les faire souffrir de la sorte.

— Allez, les enfants ! Il est l'heure de partir à l'école ! leur annonçai-je, faussement joyeuse.

Au moment de fermer la porte de l'appartement, Joachim tira sur mon bras pour me dire quelque chose à l'oreille.

— Comme papa n'est plus là, je vais m'occuper de toi, maman.

Je ne devais sous aucun prétexte leur imposer ma douleur. J'allais la faire taire, l'enfouir au plus profond, renoncer à ressentir quoi que ce soit, quitte à avoir froid en permanence. Si je voulais combattre, je n'avais pas le choix.

— Je suis une grande fille, ne t'inquiète pas pour moi.

Après l'école, je laissai un message à Lucille pour la prévenir de mon retard et m'excuser. Ensuite, terminé les incartades en ce qui concernait les horaires de travail ; il n'aurait plus manqué que je me fasse virer. Puis, sur le chemin du métro, je composai le même numéro que la veille. Ça me semblait loin, cet appel à Tristan où j'avais voulu lui tirer les vers du nez sur le supposé adultère de Yanis.

— Véra, comment vas-tu ? me demanda-t-il, toujours aussi charmant, dès qu'il décrocha.

— Ta proposition d'hier pour qu'on se parle tient toujours ?

— Bien sûr, mais que se passe-t-il ? Je m'inquiète pour vous, ton mari est injoignable.

— On peut se voir maintenant ? Où es-tu ?

— Encore chez moi.

— J'arrive.

Sans lui laisser le temps de répondre, je raccrochai et pressai le pas.

Moins de quarante-cinq minutes plus tard, je sonnais à sa porte. Il m'ouvrit dans les dix secondes.

— Bonjour, Véra.

Vu sa tenue, cravate nouée autour du cou, il était prêt à partir au boulot ; j'arrivais au pire moment. Mais ça ne pouvait pas attendre.

— Tristan, c'est gentil de me recevoir comme ça à l'improviste.

— Je t'en prie, ça avait l'air important.

— Ça l'est.

Il se décala pour me laisser entrer.

— Je te débarrasse de quelque chose ?

Je serrai mon manteau autour de moi.

— Non, je te remercie.

Il pencha la tête sur le côté, visiblement inquiet, et chercha à accrocher mon regard, je l'évitai.

— Installe-toi, me dit-il une fois dans le séjour.

Je posai mes fesses sur un bout de canapé, je n'avais qu'une envie : m'enfuir et oublier. Mais je n'avais plus le choix.

— J'ai l'impression qu'un café chaud te fera du bien, tu sembles transie.

— C'est le cas.

Sans un mot, il disparut dans la cuisine, j'entendis le bruit de la machine à expressos. Impossible de faire cesser le tremblement de mes mains, j'étais terrifiée à l'idée de ce que j'allais lui annoncer. Il me tendit une tasse quelques minutes plus tard. Je bus une gorgée bouillante qui ne me fit aucun effet. Il s'appuya contre la table de la salle à manger et me fixa, interrogateur.

— Je ne suis pas pressé, Véra, m'encouragea-t-il doucement. Prends ton temps. Mais je suis inquiet pour toi.

Je posai mon café sur la table basse et levai le visage vers lui. Il était extrêmement sérieux.

— Euh… je ne sais pas par où commencer… Hier soir… hier soir… je… Yanis… Merde !

Je piquai du nez en serrant les poings. Je tremblais comme une feuille morte.

— Que se passe-t-il ?

Je fermai les yeux de toutes mes forces, mes jambes tressautaient.

— J'ai découvert quelque chose hier soir, au sujet de Yanis. Et…

Je frottai mon visage, reniflai, puis osai de nouveau le regarder.

— Ça te concerne directement, j'en suis navrée.

Il fronça les sourcils. J'inspirai profondément.

— Il nous vend du rêve depuis des semaines, des mois, et tout est faux.

Je consacrai le quart d'heure suivant, en bégayant, à lui détailler l'ampleur de la catastrophe, les impayés, le découvert dont il était caution, les prêts à la consommation. Il m'écouta sans rien dire ni manifester, il demeurait sérieux, d'apparence insensible à ce que je lui apprenais. Mais je commençais à le connaître suffisamment pour savoir que sa froideur n'était que le signe d'une extrême concentration. Lorsque je m'arrêtai de parler, il resta silencieux. Il joignit les mains devant son visage en fermant les yeux. Se contenait-il avant d'exploser ? Comment lui en vouloir ? Il avait toutes les raisons d'entrer dans une colère noire, et j'allais prendre pour Yanis. Comme si je n'avais pas assez de choses à subir. Je finis par ne plus le regarder, je rivai mon regard vide sur le sol, attendant la sentence. Tristan poussa un profond soupir, je gardai tout de même la tête basse.

— Je n'ai pas été un bon ami pour lui, je n'ai pas voulu voir qu'il avait un problème. Je l'ai abandonné.

Je redressai si brusquement le visage que j'en eus presque un vertige. Qu'était-il en train de me raconter ? Il n'allait pas en plus lui trouver des excuses et s'auto-flageller pour les conneries de Yanis !

— C'est lui qui nous a abandonnés ! Il nous a menti. Mais la banque ne t'a pas prévenu ?

— J'ai bien réinjecté de l'argent à un moment, mais sur le coup, Yanis m'avait dit qu'il était en attente d'un versement de ses clients, je n'ai pas été chercher plus loin, je lui faisais confiance. C'est pour ça que je n'ai pas demandé plus d'explications.

Il soupira, d'un air dépité.

— Il nous a manipulés, toi, moi, la banque. Tu sais, Véra, quand on est au pied du mur, on est capable des pires choses, je peux le comprendre.

Ses propos me sidéraient.

— Tu… Tu lui pardonnes ? hoquetai-je.

— Je ne dis pas ça, mais je ne suis pas dans la même position que toi.

Il se redressa et, mains dans les poches, alla se mettre devant la baie vitrée du séjour. Cette scène, je l'avais déjà vécue, mais de nuit, quelques secondes avant que Tristan propose à Yanis de se porter caution.

— Où est-il ?

— À la garçonnière ou ailleurs… Je n'en sais rien.

Il me regarda par-dessus son épaule, sidéré.

— Comment ça, tu n'en sais rien ?

Je le fuis du regard. Je sentis qu'il s'approchait de moi.

— Je crois saisir où tu veux en venir, murmura-t-il.

J'inspirai profondément, frottai mes bras avec mes mains, puis relevai le visage vers lui. Il me sembla encore plus grand que d'habitude. Il plongea son regard dans le mien.

— Que vas-tu faire ? lui demandai-je, pour esquiver d'autres questions sur Yanis et moi.

— Prendre le temps de réfléchir à la situation, refaire tous les comptes, appeler la banque, et aller voir Yanis.

Il inspira profondément.

— Merci de m'avoir prévenu.

— Ça me semblait normal. Bon, je vais te laisser, je suis déjà bien en retard au travail.

Je me levai brusquement, mes défenses se fissuraient.

— Comment vont les enfants ? me demanda-t-il tandis que je me dirigeais vers la porte.

— C'est compliqué, m'entendis-je répondre, la voix peu assurée.

— Et toi ?

Je stoppai ma progression.

— Moi, je vais très bien.

— Tu mens très mal, Véra.

— Je n'ai pas le choix, Tristan, je ne peux pas craquer, pleurer, hurler.

— Avec tes enfants, tu ne peux pas, tu as raison, avec moi, c'est autre chose.

Mes tremblements redoublèrent, je sentais les vannes s'ouvrir. Mes yeux se remplirent de larmes, malgré mes efforts, pour la première fois, elles montaient, sournoises et vicieuses. Je sentis Tristan se rapprocher de moi, je gardai le dos tourné. Pourquoi étais-je aussi faible ? Je sursautai lorsqu'il mit sa main, qui me sembla gelée, sur mon épaule et la serra.

— À qui vas-tu te confier ? Charlotte ?

Je secouai la tête.

— Luc ?

— Non, répondis-je avec un filet de voix.

— Ils te feraient la morale, te diraient qu'ils avaient raison depuis le début sur Yanis, et je crois assez te connaître maintenant pour deviner que ça ne t'aiderait pas à faire face.

Que pouvais-je lui répondre, alors qu'il avait raison sur tout ? Il réduisit encore la distance entre nous, son corps me frôlait.

— J'ai tellement mal, sans lui, Tristan. Il m'a menti, c'est insupportable et ça lui ressemble si peu...

Je dissimulai mon visage entre mes mains, en me voûtant. Il me laissa pleurer de longues minutes, sans rien dire, juste avec sa main froide mais protectrice sur mon épaule.

— Je vais te déposer à l'agence de voyages.

Je n'essayai même pas de dire non.

— Merci.

Le trajet se fit en silence. Alors que nous arrivions presque, Tristan le rompit :

— Si je peux t'aider en quoi que ce soit, n'hésite pas.

Je me sentais toujours aussi mal, pourtant la présence de Tristan me rassurait ; j'avais craint de subir sa colère, et il ne m'abandonnait pas.

— Tu en fais déjà tellement... Comment oserais-je te demander quoi que ce soit, alors que tu vas devoir payer les conséquences de l'irresponsabilité de Yanis ?

— Véra, que les choses soient claires, une bonne fois pour toutes, je ne me répéterai pas ! Je ne vous laisserai pas tomber, ni l'un ni l'autre. Peu importe ce qui se passe entre vous. Préserve-toi et protège les enfants, c'est le principal.

L'autorité qu'il dégageait ne laissait pas de place à la moindre protestation. La voiture s'arrêta en double file devant mon travail.

— Alors, je ne te demande qu'une chose, murmurai-je. Occupe-toi de lui.

Je sortis de la voiture et claquai la portière.

13

Yanis

Véra avait découvert l'étendue de ma médiocrité et ouvert les yeux sur mon incapacité à m'occuper d'elle et des enfants, mon incapacité à les protéger. J'avais tout détruit, et c'était entièrement ma faute. L'homme que j'étais ne reposait que sur du flan. La seule force que j'avais en moi jusque-là reposait sur sa force à elle, son amour. Et ça aussi, je l'avais détruit. La dureté de ses paroles et de ses regards la veille m'avait prouvé à quel point je la décevais, à la limite du dégoût, à quel point aussi je pouvais être néfaste pour nos enfants. Je savais que ça finirait par arriver. Déjà que je ne valais pas grand-chose avant, mais maintenant qu'elle n'était plus là, que les enfants n'étaient plus là, je n'étais plus rien du tout. Sans eux, j'étais *personne*. Si, en réalité, sans eux, j'étais un bon à rien, sans esprit combatif, sans énergie, incapable de réagir, de sortir la tête de l'eau. Que m'était-il arrivé pour que je tombe si bas ? Je n'avais pas eu besoin d'aide pour qu'on me lave le cerveau et qu'on me retire tout sens des responsabilités, toute notion de la réalité. Je m'étais cru dans un jeu vidéo où les vies se rechargent au bout d'une heure ou deux, sauf que, dans la vraie vie, on n'a pas de seconde chance. Finalement, j'avais joué à la roulette russe, et j'étais tombé direct sur la balle.

On frappa à la porte de la garçonnière. À travers la vitre, je reconnus la silhouette sombre de Tristan. Il ne manquait plus que ça. Dans mon flingue, il y avait une seconde balle, j'allais me faire achever d'ici quelques minutes, pourtant ça n'abrégerait pas mes souffrances.

— Tu n'as qu'à pousser la porte ! gueulai-je sans me lever.

Ce qu'il fit. Il pénétra dans la garçonnière, impeccable, comme d'habitude, doté d'une prestance impressionnante dans son costard sans faux pli. Depuis quelque temps, je trouvais qu'il avait meilleure mine, qu'il émanait de lui une assurance, une puissance de plus en plus écrasante. À mesure que je m'enfonçais, lui rayonnait davantage. À croire qu'il me pompait mon énergie. Il pouvait bien après tout, je lui pompais son fric. Après m'avoir détaillé, il slaloma au milieu de mon bordel, en jetant des coups d'œil chargés de mépris envers la paperasse jonchant le sol, envers toute ma crasse. Il attrapa quelques courriers qu'il parcourut attentivement avant de les reposer sur mon bureau. Je n'essayai pas de l'en empêcher. À quoi bon ? Depuis que Véra était au courant, tout m'avait explosé à la gueule, alors un peu plus, un peu moins… Puis il s'approcha du plan de travail de la cuisine, il mit de l'eau à bouillir, versa une généreuse dose de café moulu dans la cafetière à piston. Ensuite il rinça deux tasses sous le jet d'eau de l'évier. Pendant qu'il jouait au serveur de bistrot, je m'allumai une clope. Il resta de dos tout le temps de l'opération, je ne distinguais que ses mains raffinées, qui me semblaient pourtant bien plus solides que mes paluches calleuses et abîmées. Quand il vint vers moi, je n'eus pas la force de me lever, je restai au sol pour attraper le café qu'il me tendit. Il recula de quelques pas, et s'appuya à mon bureau, sans s'asseoir. Il m'observait, impassible, impénétrable. Et moi, je me sentais encore plus minable.

— Véra est passée chez moi ce matin, m'annonça-t-il d'une voix métallique.

Je pris ma tête entre mes mains et tirai mes cheveux.

— C'est surprenant, Yanis. Je pensais être perspicace, je me suis trompé. L'image que j'avais de toi était celle d'un homme fort, battant, courageux, que rien ne peut atteindre, encore moins abattre. Et surtout sur qui on peut compter, en qui on peut avoir une confiance absolue. Je ne sais plus quoi penser…

Il avait raison de m'achever, c'était tout ce que je méritais.

— C'est ma faute, je me suis trompé sur toi. Quand je vois l'étendue du désastre… je me demande ce qui t'a poussé à mettre ta famille dans une situation pareille. As-tu pensé à Véra, à tes enfants ? Leur avenir ? Tu as donné raison à tes détracteurs. À croire que Luc avait raison depuis le début sur toi et ta valeur ! Que s'est-il passé ? Parle-moi !

— Je n'en sais rien. Je ne comprends pas comment j'ai pu en arriver là. Je suis tombé dans une spirale infernale. Comme si j'avais signé un pacte avec le diable et qu'il réclamait son paiement.

— Pourquoi es-tu resté seul ? Ce qui me fait le plus de peine, c'est que tu ne sois pas venu me voir. Et dire que je croyais que nous étions amis !

Je levai subitement le visage vers lui. Comment avais-je pu le trahir de cette façon ? Lui faire payer mes erreurs ? Il m'avait offert son amitié et sa confiance comme personne auparavant, il croyait en moi.

— Mets-toi à ma place, le suppliai-je d'une voix pathétique. J'avais tellement honte du merdier dans lequel j'étais… Mais je te jure que nous sommes amis, Tristan. Jamais je n'ai cherché à te planter un couteau dans le dos.

— Comment te croire ? Te faire de nouveau confiance alors que tu m'as utilisé comme instrument de ton autodestruction ? Te rends-tu compte de la situation dans laquelle tu m'as mis ?

— Si j'avais quelque chose à te donner pour compenser le mal que j'ai fait, je te le donnerais. Je te dirais de prendre tout ce qui est à moi.

Son foutu rictus ironique s'imprima sur son visage. J'eus soudainement envie de lui sauter à la gueule et de le cogner pour me défouler, pour cracher la honte et la douleur qui me rongeaient. Il se redressa et se mit à marcher de long en large les mains dans les poches. Il s'arrêta et regarda en l'air. Je me repris la tête entre les mains, les coudes sur les genoux pour canaliser mon agressivité. Mes poings me démangeaient sans que je comprenne pourquoi. C'est lui qui aurait dû me taper dessus. Quelques minutes plus tard, je me sentis comme un chien, en voyant ses Berluti sous mon nez. J'étais pieds nus. J'étais à poil, je n'avais plus rien, et lui, il avait tout, tout pour m'anéantir. J'étais à terre, lui me toisait.

— Que vas-tu faire ? lui demandai-je en le regardant.

Il secoua la tête en soupirant.

— Est-ce que j'ai le choix ? Je ne te laisse pas tomber. Pour commencer, je vais appeler la banque pour te couvrir, pour les assurer de mon soutien malgré tes dettes. Tu te rends compte de la somme ?

— Pourquoi fais-tu ça ? Pourquoi m'accordes-tu une seconde chance ?

Je nageais en plein délire, je m'attendais à ce qu'il porte plainte, qu'il me plonge la tête au fond du trou, et il me tendait la main. Pourtant, son regard était froid, pour ne pas dire glacial. Je ne décelais aucune bienveillance en lui.

— Attention, il y a une condition.

— Tout ce que tu veux.

— À partir de maintenant, tu fais ce que je te dis.

Son ton était implacable, dénué d'émotion.

— Il va falloir rétablir tes comptes. Ça suppose que tu me laisses mettre mon nez dans tes papiers, tes paiements, ta facturation, tes contrats. Je sais très bien que tu voulais diriger ta société *seul*, mais tu ne sais pas faire. Tu comprends ?

Comme si j'avais le choix. De toute manière, j'avais maintenant la preuve que j'étais incapable de gérer quelque chose tout seul. Luc avait raison depuis le début. J'avais besoin d'une tutelle.

Je hochai la tête.

— Mais tes problèmes sont loin d'être finis, Yanis.

— Je sais, il faut que je rembourse tout ce que je te dois.

— Effectivement. Les honoraires de tous tes contrats vont y passer, pas seulement ceux que tu as avec moi. Tu vas travailler pour rien. Il faut que tu repartes de zéro. Ça va prendre beaucoup de temps, vu l'étendue de tes dettes. Ensuite, il n'y a plus qu'à croiser les doigts pour que tu t'en sortes.

— Je vais me défoncer, Tristan, je te promets.

— Ne fais pas de promesses en l'air. On voit ce que ça a donné. Je te laisse, je dois passer à la banque.

Il s'éloigna de moi et prit la direction de la sortie.

— Attends !

Je me mis enfin debout, malgré mes jambes engourdies.

— Je ne pourrai jamais assez te remercier.

— Mets-toi au travail, ça sera suffisant pour débuter.

Je soupirai fortement. Puis j'osai le regarder dans les yeux, je devais affronter ça, je devais savoir.

— Comment va-t-elle ?

Il s'avança vers moi en haussant un sourcil.

— Tu as du culot, Yanis, de demander ça après ce que tu lui as fait.

Je piquai du nez en serrant le poing. Il croyait quoi ? Bien sûr, que la honte me mortifiait, mais j'avais besoin d'avoir de ses nouvelles.

— Véra est très forte. Elle m'impressionne. Malgré tout ce qu'elle a perdu, elle tient debout et fait face. Elle est venue chez moi, pour assumer tes conneries. Elle a endossé ce rôle. Et pourtant, quand je lui ai ouvert ma porte ce matin, je ne pouvais pas imaginer une seule seconde qu'elle allait m'annoncer une catastrophe, tant elle était elle-même.

Savoir qu'elle allait bien me rassurait et me détruisait en même temps.

— T'a-t-elle dit quelque chose sur moi ?

— Elle ne parle que des enfants. Sans même t'en rendre compte, tu t'es éloigné d'elle, tu l'as laissée de côté, j'imagine que tu la fuyais ?

J'acquiesçai.

— Elle a déjà commencé à vivre sans toi. Elle veut protéger ses enfants, je crois que c'est son unique priorité. Malheureusement, les hommes passent toujours après, j'en sais quelque chose. Tu vas devoir faire sans elle. Elle a certainement besoin de temps. Il faut te ressaisir, Yanis. Mets de côté Véra, ça t'aidera.

Je reculai, sous le choc. Tristan s'approcha de moi et posa une main sur mon épaule, il la serra.

— Tu n'es pas seul, je suis là.

— Je peux te demander une dernière faveur ?

— Je t'écoute.

— Occupe-toi d'elle, s'il te plaît. Ne la laisse pas, elle n'a plus que toi.

— Tu peux me faire confiance.

Il serra plus fortement mon épaule et me lâcha. Puis il disparut.

– 14 –

Véra

Je venais enfin de réussir à coucher les enfants, il était 21 h 30. Je m'écroulai sur le canapé en m'enroulant dans un plaid. Depuis que Yanis n'était plus là – trois longues semaines –, les soirées étaient infernales. Et dire que je me plaignais avant du 18/20 heures ! Gérer seule les enfants n'était pas un problème en soi. Ce qui l'était : leur tristesse et leurs angoisses. Chaque soir, il fallait leur expliquer, répéter pourquoi leur père n'était pas à la maison, j'étais à court d'arguments, je ne savais plus quoi leur dire ni comment justifier son absence. Et, pour couronner le tout, nous étions déjà fin novembre, Noël approchait à grands pas, et la question de savoir s'ils verraient leur père à cette époque-là revenait de plus en plus souvent. Que pouvais-je leur dire, à part que je n'en savais rien ? Résultat des courses : ils allaient mal, me réclamaient beaucoup d'attention, mobilisaient toute mon énergie. Joachim, fermé comme une huître en permanence, ne travaillait plus à l'école et faisait tout pour monter son frère et sa sœur contre Yanis ;

278

Ernest, lui, piquait crise de colère sur crise de colère, tout était prétexte à hurler, à casser. Quant à Violette, on ne l'entendait plus, elle ne disait rien, mais chaque nuit, elle faisait pipi au lit, ça la réveillait, elle venait me réveiller, et après avoir changé ses draps, il fallait que je reste à lui tenir la main jusqu'à ce qu'elle se rendorme, épuisée de lutter contre le sommeil. J'étais éreintée, je n'avais plus de jus, et pourtant, je n'arrivais à dormir que quelques petites heures par nuit. Moi aussi, j'allais mal. Je pensais sans cesse à Yanis, c'était plus fort que moi, je m'inquiétais pour lui, et il me manquait affreusement. Je n'arrivais pas à vivre sans lui, je survivais, en faisant en sorte de ménager le plus possible nos enfants. Régulièrement, j'étais hantée par mes dernières images de lui, faible, à terre, qui n'avait plus rien à voir avec mon Yanis, mon mari. C'était lui qui me manquait au point d'avoir mal dans tout mon corps en permanence, de ne plus manger, de ne plus dormir. Mon ultime contact avec lui datait du lendemain de ma découverte, il avait passé une partie de la journée à essayer de me joindre sur mon portable, et, dans l'après-midi, il avait fini par téléphoner à l'agence de voyages.

J'assurais tant bien que mal, en frissonnant toujours, la prise en charge clientèle, lorsque Lucille m'avait interpellée :

— Téléphone pour toi, c'est Yanis, il me dit que c'est urgent.

J'avais dû la regarder totalement hagarde.

— Véra ! Véra ! Hou, hou ! C'est ton mari ! Tu prends la ligne ?

Je m'étais tournée vers mes clients, en m'excusant. Puis, la main tremblante, j'avais décroché en leur tournant le dos.

— Ne m'appelle pas ici, avais-je murmuré.

— Je veux te voir, te parler, s'il te plaît !

Sa voix suppliante avait été à deux doigts de me faire flancher.

— Non !

— Je suis devant l'agence de voyages.

— Quoi !? avais-je hurlé en regardant à travers la devanture.

Effectivement, il était là, et en sale état, guère mieux que la veille. J'avais dû lutter contre les larmes, tellement le voir me faisait mal. Il pleuvait des cordes, il était trempé des pieds à la tête, ses cheveux dégoulinant sur son visage ravagé.

— Véra, on ne peut pas rester comme ça, avait-il dit en me fixant. Si tu ne sors pas, j'entre.

— Reste dehors, j'arrive.

J'avais raccroché pour de nouveau accorder mon attention à mes clients, tout du moins en apparence. Dès leur départ, j'avais enfilé mon imper tout en m'excusant auprès de Lucille. J'avais ouvert mon parapluie avant de franchir le seuil de la porte. Cigarette aux lèvres, Yanis faisait les cent pas sur le trottoir sans chercher à s'abriter. Un élan de protection m'avait saisie douloureusement ; j'avais eu envie de me jeter sur lui, de le prendre dans mes bras, pour lui dire que nous allions trouver une solution, et que je l'aimais malgré tout par-dessus tout. Je me croyais plus forte que ça, mais face à lui j'étais peu de chose. Ce n'était que la gravité de la situation qui m'en avait empêchée.

— Tu n'as pas fait assez de dégâts comme ça, tu veux en plus que je me fasse virer ? avais-je craché.

Je combattais ma douleur par l'agressivité. Il s'était avancé vers moi, j'avais reculé.

— Véra, je t'en prie. Écoute-moi, je te promets que je vais me refaire. Tristan va m'aider, il est venu me voir ce matin.

J'avais pensé que, s'il y avait bien une personne sur qui on pouvait compter, c'était Tristan. Alors même que les erreurs de Yanis lui coûtaient des centaines de milliers d'euros, il était encore prêt à le soutenir.

— Eh bien, alors ? Ressaisis-toi. Que fais-tu là, dans cet état pitoyable ? Je m'en moque, de tes promesses. Je veux des preuves ! Tant que tu n'iras pas mieux, ça ne sert à rien de t'approcher de moi, encore moins des enfants, je te l'ai dit hier.

Ses grands yeux bleus creusés, rougis, se remplirent de larmes. Finalement, Yanis se révélait être un colosse aux pieds d'argile.

— Maintenant, va-t'en, avais-je soufflé. C'est préférable.

« J'ai toujours notre musique dans la tête », avaient murmuré silencieusement ses lèvres. Il avait encore tenté de s'avancer vers moi, en me tendant sa main, mais j'avais secoué la tête. Il était parti en reculant, sans me quitter des yeux. J'avais fini par tourner les talons pour me réfugier dans l'agence de voyages. Le soir même, Tristan était venu récupérer à l'appartement un sac de voyage avec quelques affaires pour Yanis. Et, depuis ce jour, c'était silence radio, nous ne nous étions pas reparlé, pas téléphoné, rien, pas un message. Comme s'il avait disparu de la surface de la Terre. J'avais beau être à l'origine de notre séparation, la douleur provoquée par le manque était chaque jour plus virulente. Je devais prendre sur moi pour m'empêcher de courir à la garçonnière ou l'appeler pour entendre sa voix. La peur de ce que j'aurais pu y trouver m'en dissuadait.

La sonnerie de mon portable me fit redescendre sur Terre. Tristan.

— Salut, lui dis-je en décrochant.

— Bonsoir, Véra, je suis en bas de chez toi, je peux monter cinq minutes ?

— Bien sûr.

Tristan passait régulièrement le soir en rentrant de son travail. Nous faisions semblant de ne pas savoir qu'il faisait un détour pour venir s'assurer que nous allions bien. Je m'extirpai du canapé lorsque j'entendis l'ascenseur arriver à notre étage et allai lui ouvrir la porte, sans faire de bruit.

— Ça va ? me demanda-t-il en entrant.

— Oui, lui répondis-je avec un léger sourire.

— Papa ! appela Violette depuis le séjour.

Mes épaules s'affaissèrent, je fermai les yeux en soupirant. Dès qu'elle entendait le bruit de la porte d'entrée, elle espérait le retour de son père, au point même que ça la réveillait parfois. Tristan posa une main réconfortante sur mon épaule et la serra, le seul geste qu'il s'autorisait.

— Je m'en occupe.

Il franchit la distance qui le séparait de ma fille, elle titubait de sommeil. Il la souleva et la prit contre lui.

— Ce n'est que moi, petite princesse. Tu devrais être au lit.

— Je veux papa.

— Papa travaille dur en ce moment, tu le verras plus tard, la rassura-t-il en caressant ses cheveux.

— Allez, intervins-je, on retourne au lit.

Tristan me la tendit, elle s'agrippa à moi.

— Sers-toi quelque chose à boire, je reviens, proposai-je à mon invité du soir.

Je passai le quart d'heure suivant assise à côté de Violette dans son lit, en lui caressant la joue pour l'aider à se rendormir. Sa tristesse me rendait malade et ravivait ma colère contre Yanis. S'il n'avait pas tout fait de travers, nous n'en aurions pas été là. Les enfants n'auraient pas été en train de perdre tous leurs repères. Lorsque je fus certaine qu'elle dormait de nouveau à poings fermés, je quittai sa chambre à pas de loup. Tristan s'était fait un café et m'avait préparé une tisane. Je repris ma place sur le canapé, il me tendit mon plaid.

— Tu as dû le perdre en m'ouvrant la porte.

— Merci.

Je m'emmitouflai dedans, puis attrapai ma tasse, soufflant sur ma verveine bouillante avant d'en boire une gorgée.

— Je sors de la garçonnière, m'apprit-il après quelques minutes de silence.

— Et comment va-t-il ?

Il nous servait d'intermédiaire, j'avais des nouvelles de Yanis par lui – pas des plus encourageantes –, et inversement. Tristan prit une mine grave qui ne présageait rien de bon.

— Il n'a rien fait aujourd'hui, il n'est pas sorti de chez lui, s'il continue comme ça, il va perdre tous les contrats qu'il avait décrochés. Je ne sais plus quoi faire. Ça me rend dingue de ne pas réussir à l'aider.

— Ne te reproche rien, tu fais tout ce que tu peux…
À croire qu'il n'a pas envie de s'en sortir. Il boit encore beaucoup ?

Tristan riva ses yeux aux miens ; j'avais ma réponse. Je remontai la couverture sur mes épaules, toujours ces frissons.

— Tu crois que, si je lâchais du lest avec les enfants, en le laissant les voir, ça lui ferait du bien ?

— Ce n'est pas à moi de te dire quoi faire…

— J'ai besoin de tes conseils, Tristan, s'il te plaît… Tu ferais quoi à ma place ?

Il se carra au fond de son fauteuil.

— C'est évident que le fait de ne plus voir les enfants n'arrange pas les choses. En revanche, je ne sais pas si l'image qu'il donnerait de lui aux garçons et à Violette leur ferait du bien à eux. À toi non plus, d'ailleurs.

— C'est bien ce qui me fait peur.

Il fronça les sourcils en regardant à côté de moi sur le canapé.

— C'est quoi, tous ces papiers ?

J'eus un sourire désabusé.

— Oh… ça… Je voulais faire les comptes ce soir, et puis tu vois, finalement, non…

— Comment tu t'en sors ? Tu as besoin de quelque chose ?

— Non, rien du tout, Tristan.

Il se leva et vint s'asseoir sur la table basse en face de moi, j'avais noté que, depuis quelque temps, il était moins maniéré, plus naturel. Ça lui allait bien.

— Véra, comment vas-tu faire pour les cadeaux de Noël des enfants ? Je sais que tu y penses et que ça te tracasse. Laisse-moi t'aider, je peux te prêter…

Je le fis taire en levant la main.

— Hors de question ! On te doit déjà assez d'argent.

— C'est Yanis qui m'en doit, pas toi.

— Je te remercie, mais je m'en sors.

C'était vite dit. Avant toute cette merde, mon salaire servait à rembourser les traites mensuelles de l'emprunt immobilier, plus quelques petits extras. Aujourd'hui, il devait aussi prendre tout le reste en charge. Forcément, il y avait une erreur de casting. D'ici peu, pour faire les courses – sans parler de la hotte du Père Noël –, si je voulais éviter de creuser le découvert déjà énorme, je devrais me résoudre à piocher dans ma cagnotte des anniversaires de Yanis et de notre mariage. De toute manière, je n'avais aucune idée d'où nous en serions dans un an.

— J'ai rarement vu aussi fière que toi, me dit-il avec son habituel rictus aux lèvres.

Ce sourire en coin, j'avais appris à le décoder, il signifiait que Tristan me faisait un compliment et que je le faisais rire en même temps.

— Je fais ce que je peux.

Il emprisonna mon regard.

— Je m'inquiète pour toi, tu sembles très fatiguée.

— Je dors peu, mais ce n'est pas grave. Ça va aller…

Nous échangeâmes un sourire.

– Je vais te laisser dormir, dit-il en se levant. Ne bouge pas, je connais le chemin.

Il s'approcha de moi et m'embrassa sur la joue. Même ça, Yanis ne le faisait plus…

— Bonne nuit, Véra.

— Merci d'être passé.

J'observai sa silhouette sombre quitter l'appartement. Plus Yanis s'affaiblissait, plus Tristan me semblait fort. Ce qui aurait été inimaginable il y a encore quelques semaines. Mais avant, Yanis prenait tellement de place. Qui pouvait l'affronter sur le terrain de la force avant qu'il devienne un autre ?

Les instants passés en compagnie de Tristan me faisaient du bien, et pourtant nous parlions presque exclusivement de Yanis et de la situation dans laquelle nous étions. Mais son regard – sa façon de voir les choses – m'apaisait. Même si je ne lui demandais rien de particulier, aucune aide – je m'y refusais –, j'étais moins seule grâce à lui. S'il avait fait volte-face, s'il m'avait abandonnée, je me serais sentie terriblement mal. À aucun moment je n'avais eu envie d'appeler Luc ou Charlotte.

Le lendemain soir, je partis en retard du travail, et, pour couronner le tout, le métro resta coincé un bon quart d'heure dans un tunnel. À peine sortie de la station, je piquai un sprint pas franchement recommandé pour mon organisme déjà bien fragilisé. En arrivant devant l'école, j'aperçus les derniers retardataires quitter les lieux, j'accélérai et crus tomber dans les vapes devant la porte. La responsable de la garderie me regarda, éberluée.

— Bah… les enfants sont déjà partis, avec un peu d'avance, pour une fois, m'annonça-t-elle.

En temps ordinaire, sa remarque sur mes retards m'aurait fait sortir de mes gonds. Mais nous n'étions pas en temps ordinaire. Une impression de froid me saisit de nouveau, je me crispai.

— Où sont-ils ? m'affolai-je. Avec qui sont-ils partis ?

Elle avait l'air de me prendre pour une folle.

— Le papa, pourquoi ?

C'était exactement la réponse que je redoutais. Pourquoi était-il venu ? Où les avait-il emmenés ? Je tournai les talons et puisai dans mes toutes dernières forces pour repartir en courant. Je slalomai entre les passants, les bousculai en leur disant de dégager. Ma peur était irrationnelle, je le savais, Yanis avait peut-être changé, mais pas au point d'embarquer les enfants je ne sais où et sans me prévenir. Les enfants étaient tout ce qu'il me restait de notre ancienne vie, c'étaient eux qui me rappelaient que nous avions été heureux – ils étaient le fruit de notre amour démesuré à Yanis et moi. Ils étaient ma seule raison de me lever le matin depuis que tout partait en vrille. Le seul instant où j'avais l'impression de mieux respirer était le soir lorsque je les récupérais à la sortie de l'école et que nous nous racontions nos journées, c'était la petite pause dans le tumulte. Ce trajet, c'était comme une zone franche. Et Yanis m'avait volé cette respiration indispensable. Arrivée devant l'ascenseur, je m'acharnai sur le bouton d'appel en appuyant dessus sans discontinuer, même si je savais bien que ça ne le ferait pas venir plus vite. J'entrai avec fracas dans l'appartement et avançai dans le séjour après avoir claqué la porte. J'entendis immédiatement le babillage de Violette qui racontait sa vie à Yanis, assis sur le canapé. Il n'y avait qu'elle pour manifester une quelconque joie. Elle était dans ses bras en train de l'étrangler tellement elle le serrait. Joachim et Ernest – certainement menacé de représailles par son

287

grand frère – boudaient dans leur coin. Quand il leva la tête vers moi, Yanis n'essaya même pas de sourire. Il paraissait plutôt penaud, comme pris en faute. Il était amaigri, méconnaissable, avec une inhabituelle barbe de trois jours qui mangeait son visage émacié et lui donnait une mine effroyable. Il dégageait une telle impression de laisser-aller que j'eus envie de lui hurler qu'il devait se battre, se ressaisir. Mais, malgré son état, j'avais sous les yeux un semblant d'image de notre famille d'avant : des parents et des enfants, chez eux, après la sortie de l'école. Joachim et Ernest vinrent se coller à moi, Joachim devant, comme pour me protéger, Ernest dans ma jupe pour se protéger.

— Maman ! cria Violette. Tu as vu ? Papa est revenu ! C'est trop bien.

J'étais incapable de répondre.

— Bonjour, Véra, me dit Yanis timidement.

— Les enfants, filez dans vos chambres, j'arrive dans cinq minutes pour la douche.

— Non ! Je veux pas ! brailla Violette.

— Tu obéis, un point c'est tout ! criai-je.

Depuis quelques jours, la fatigue, ma nervosité permanente me rendaient incapable d'être douce avec eux. Je m'énervais de plus en plus, et bien souvent pour des broutilles. Sauf que la présence de Yanis n'avait rien de comparable à un détail.

— Écoute maman, lui dit-il doucement.

— Mais papa !

Il lui fit un bisou d'Esquimau.

— S'il te plaît.

Elle finit par obtempérer, sauta de ses genoux et disparut dans le couloir.

— Je vais avec elle, me dit Joachim.

— Merci, mon grand.

Il suivit sa sœur sans un regard pour son père. Quant à Ernest, il se dégagea de mes jambes et prit la direction des chambres, mais se ravisa pour aller se jeter dans les bras de Yanis, qui le broya contre lui, les yeux fermés, respirant son fils. Je préférai m'éloigner d'eux. Je m'accrochai au plan de travail près de l'évier sans pouvoir pour autant échapper à leur conversation, à moins de me boucher les oreilles. Yanis chuchotait à Ernest que tout allait s'arranger. Qu'en savait-il ? Notre fils lui expliqua que Joachim lui répétait tout le temps qu'ils n'avaient plus de papa, que papa les oubliait, qu'il était méchant avec moi. Yanis lui répondit alors qu'il nous aimait tous les quatre plus que tout, s'excusa de nous gâcher la vie, de ne pas faire ce qu'il fallait pour nous. Puis je l'entendis lui demander d'aller rejoindre Jojo et Violette, lui expliquer qu'il devait parler à maman.

— Véra ? m'appela Yanis quelques minutes plus tard.

Je me tournai et le vis de l'autre côté de l'îlot de la cuisine. Ce morceau de bois taillé, poncé, assemblé par ses mains nous séparait, ce même morceau de bois où nous avions décidé de tant de choses, où Yanis m'avait assise plus d'une fois, où il m'avait embrassée, où il aidait les enfants à dessiner, où il avait travaillé sur le dossier du concept store qui avait déclenché sa perte. Et voilà que ce morceau de bois qui ne faisait pas plus d'un tout petit mètre semblait soudain d'une taille infranchissable.

— Pourquoi es-tu venu ? aboyai-je.

L'agressivité toujours comme ma meilleure arme de défense.

— Je ne pensais même pas leur parler. Je voulais juste les apercevoir, vous apercevoir.

— Hein ? Tu t'es planqué dans un coin pour les épier ? Mais tu es malade ?

Il me fuit de regard.

— Ce n'est pas la première fois que je viens.

J'abattis ma main sur le plan de travail. Yanis sursauta, il ne me connaissait pas violente.

— Quoi ? Depuis quand ça dure ? Tu nous surveilles ? Je n'y crois pas !

— Mais non, c'est simplement qu'ils me manquent, tu me manques.

— Tu deviens cinglé, ma parole ! Tu es devenu une espèce de sale voyeur ou quoi ? As-tu réfléchi qu'ils auraient pu te voir sans que tu t'en rendes compte ? Ça leur aurait fait quoi, à ton avis ?

Il piqua du nez.

— Je vais te dire, moi. Ça leur aurait encore plus brisé le cœur !

Il reprit sa respiration, ses mains tremblaient.

— Pardon. Je n'ai pas réalisé ce que je faisais.

— Ça devient récurrent, chez toi. Tu ne réalises rien. Tu as perdu tout sens des responsabilités. Et tu voudrais que je te fasse de nouveau confiance alors que je vais me dire maintenant que tu es toujours caché derrière mon dos ?

— Je n'ai pas le droit de m'inquiéter pour vous ? s'énerva-t-il. Pour toi ?

— Ta soi-disant inquiétude ne t'a pas gêné pour nous mettre dans les ennuis jusqu'au cou !

Il s'agrippa au bois. Ses mains me semblèrent plus grandes et plus abîmées encore que dans mon souvenir. Il soupira.

— Venir vous regarder à la sortie de l'école est tout ce que j'ai trouvé pour avoir de vos nouvelles, de vraies nouvelles.

Je croyais que Tristan lui en donnait.

— Mais tu n'imagines quand même pas que je puisse vous faire du mal ?

Sa voix flancha, je venais de lui infliger une épouvantable blessure.

— Peut-être pas volontairement, sauf que tu n'es plus toi-même. Tu me fais peur, Yanis.

Il se voûta, passa sa main sur son visage.

— Véra, je te promets que je bosse comme un fou pour rattraper tout ce merdier.

Je secouai la tête de gauche à droite, en levant les yeux au ciel.

— N'importe quoi ! Je suis certaine que tu passes tes journées à picoler tes bières sans rien faire.

Il eut un sourire triste.

— C'est normal que tu ne me croies pas avec tous mes mensonges et la sale gueule que j'ai. Mais c'est pourtant la vérité, je travaille jour et nuit, et je vais te le prouver.

Il semblait tellement sincère.

— Ne reviens plus à la sortie de l'école. Pas pour le moment. Je ne veux plus avoir un coup de flip comme tout à l'heure.

— Véra, si je me suis permis de faire ça, c'est parce que tu avais du retard, sinon…

— Tu n'essaies quand même pas de dire que c'est ma faute ?

— Bien sûr que non. Je ne suis pas stupide à ce point ! Les enfants ne pourraient pas avoir une meilleure mère que toi. C'est juste qu'ils me faisaient mal au cœur à attendre derrière la grille, il faisait froid, et je me suis dit qu'ils seraient mieux ici. Mais je ne le ferai plus si tu crois que ça peut les perturber davantage.

Je détournai le regard.

— Maintenant, va dire au revoir aux enfants et va-t'en.

— Très bien, si c'est ce que tu veux.

Il me laissa. Violette fondit en larmes à la minute où Yanis leur annonça son départ. Il la prit dans ses bras et lui parla à l'oreille en lui caressant le dos, ça dut la calmer car ses pleurs s'espacèrent. Elle continuait malgré tout à s'accrocher à lui.

— Va avec maman, finit-il par lui dire. Elle va te faire un gros câlin, et ça ira mieux.

Il l'arracha de ses bras et me la tendit. Nous échangeâmes un regard qui m'ébranla. À cet instant, j'eus envie de lui dire de rester, de croire de nouveau en lui. Je serrai des dents pour ne pas craquer. Il m'avait trompée trop longtemps avec ses regards depuis qu'il était à son compte pour que je tombe dans le panneau si facilement. Yanis s'approcha des garçons, Joachim le défia du regard.

— Continue à bien veiller sur maman, mon grand, lui dit son père.

Joachim tourna le visage. Puis Yanis s'adressa à Ernest, en s'accroupissant à sa hauteur, il caressa sa joue, ses bras.

— Au revoir, papa.

— Écoute ton grand frère. D'accord ?

— Promis.

Il se remit debout, puis esquissa un pas vers moi. Il se ravisa en soufflant douloureusement.

— Véra, si tu as besoin de moi, je suis là. Je ne te décevrai plus.

Il regarda les enfants l'un après l'autre, se força à leur sourire et ouvrit la porte d'entrée. Il la referma sur lui doucement, presque sans bruit. Yanis était devenu silencieux. J'étouffai un sanglot. Nous allions tous mal dormir la nuit prochaine.

Un matin, quelques jours plus tard, à peine le pied posé par terre, je me sentis groggy. Rien à voir avec la fatigue accumulée ces dernières semaines, non, les enfants m'avaient simplement refilé leur rhume, qui chez moi allait prendre de sacrées proportions. Pour autant, hors de question de m'écouter en restant au chaud sous la couette. Avant, j'aurais passé un coup de téléphone à Lucille et je lui aurais dit de ne pas compter sur moi, elle m'aurait répondu pas de problème, reviens demain en forme, Yanis aurait fait des sauts depuis le cabinet dans la journée, il m'aurait monté un grog, quelques magazines de pétasses comme il disait, et le lendemain je serais repartie au travail, certes avec le nez encore bouché, mais plus en forme tout de même et ayant évité le pire. Aujourd'hui, il allait falloir éviter le pire sans ces petits rituels bien confortables. Déjà, c'était tout bonnement impossible d'imposer à Lucille de me couvrir et d'assurer seule la journée à l'agence de voyages, elle faisait déjà bien assez pour moi. Depuis que Yanis n'était plus à la maison, elle composait avec mes retards, mes départs précipités, mon humeur changeante, et ça devait être loin d'être facile. Ensuite, il fallait que j'assure pour les enfants.

Sauf que rien ne se passa comme prévu ; les gouttes d'huile essentielle que je me collais sous le nez et sur la gorge, mis à part embaumer le bureau d'une odeur d'herboristerie dont tous les clients s'étonnèrent, ne furent d'aucune efficacité. Au fur et à mesure de la journée, ma tête se transforma en pastèque, mes yeux devinrent brûlants et certainement vitreux, les frissons me gagnèrent, ma gorge se mit à me faire un mal de chien, sans compter l'apparition de courbatures. Je parvins tant bien que mal à tenir le coup au travail, je récupérai les enfants, leur donnai la douche et réussis encore à préparer à dîner. Lorsqu'ils furent attablés, je m'allongeai sur le canapé, totalement incapable d'avaler quoi que ce soit, et surtout incapable de rester debout, la simple idée de m'asseoir sur une chaise me semblait épuisante. Visage calé sur les coussins de l'accoudoir, pelotonnée sous mon plaid remonté jusque sous le menton, je me disais qu'au moins ça me permettait de garder un œil sur eux. Celui qui en gardait un sur moi, c'était Joachim. Je lui faisais réguliè- rement des sourires que j'espérais rassurants. Un peu plus tard, pendant qu'ils se brossaient les dents tous les trois en rang d'oignons devant le lavabo, chance- lante, je m'adossai au mur à côté d'eux.

— Maman, t'es malade ? me demanda Violette.

Ces quelques mots tambourinèrent dans mon crâne.

— Oui, mon trésor, mais ce n'est rien, un gros rhume, comme toi la semaine dernière.

— Tu as une tête bizarre.

Je jetai un coup d'œil à mon reflet dans le miroir, la pertinence de la remarque de ma fille me fit esquisser un sourire. Effectivement, j'étais transparente, légèrement luisante à cause des sueurs froides et de la fièvre qui gagnait du terrain.

— Qui va te soigner, maman ?

— Je vais me débrouiller. Au dodo, maintenant.

Je bénis le ciel ; ils se laissèrent faire sans difficulté pour se coucher. En grand frère responsable, Joachim se chargea de la lecture de l'histoire du soir ; de mon côté, j'en aurais bien été incapable. J'avais rarement été aussi mal, avec cette grippe dès l'ouverture de la saison. Mes jambes me portèrent avec difficulté jusqu'en bas de l'escalier, puis je pris appui sur la rambarde pour monter jusqu'à ma chambre. La tête me tournait, j'eus une quinte de toux, je n'arrivais à respirer qu'en ouvrant la bouche, et je grelottais de plus en plus. En me déshabillant, je sentis de douloureux picotements sur toute ma peau. Je fouillai dans le dressing à la recherche de ce que j'avais de plus chaud, j'enfilai un vieux pyjama qui ne serait pas suffisant, puis j'aperçus un gros pull en laine de Yanis, son plus chaud, son plus vieux, son plus troué, celui qui n'avait plus de forme et que je n'avais pu me résoudre à jeter. Je m'emmitouflai dedans, puis me traînai jusqu'au bord du lit, et refermai mes bras sur moi-même. J'avais besoin de la chaleur du corps de Yanis contre moi, de ses mains dans mes cheveux, j'avais besoin qu'il rassure les enfants. Je me sentais si seule, si peu en sécurité… Je décidai de faire la seule chose raisonnable, et qui aurait valeur de test, mais surtout qui me soignerait mieux qu'une armée de médicaments. Mais les dieux étaient contre moi, j'avais oublié mon portable au salon. À pas précautionneux, je descendis l'escalier et m'écroulai sur le canapé. Chaque sonnerie me donnait de plus en plus envie de l'entendre. Ce ne serait pas pour cette fois car je finis par tomber sur le répondeur. Je m'allongeai et décidai de lui laisser le bénéfice du doute, peut-être n'avait-il pas entendu son téléphone. Je rappelai. De nouveau ces bips qui me firent monter les larmes aux yeux, lorsque la messagerie se déclencha, je ne raccrochai pas : « *C'est moi, j'ai besoin de toi, Yanis, viens à la maison, je suis malade, j'ai froid, j'ai peur sans toi, les enfants, viens pour eux s'il te plaît.* » Puis je coupai. Tout en serrant mon portable dans la main, je laissai enfin couler les larmes que je contenais depuis des semaines, j'avais un tel besoin de lui, j'abandonnais la lutte, je ne pouvais pas m'en sortir toute seule, je n'en pouvais plus de braver, de tenir bon pour les enfants, le travail, et tout le reste. Je ne savais pas faire sans lui, je voulais qu'il vienne, je voulais le retrouver, je voulais l'aider à s'en sortir. Alors je rappelai une troisième fois, mais là son téléphone était carrément éteint, il l'avait coupé. Il n'avait pas voulu me répondre, il m'avait laissée l'appeler sans me parler, je n'imaginais pas qu'il n'ait pas écouté mon message désespéré, et ça ne le faisait pas réagir. Et il disait qu'il ne me décevrait plus… Il m'avait encore menti ; non, il n'était pas là pour nous, encore moins pour moi. J'avais définitivement perdu l'homme que j'aimais. C'était fini. Yanis, celui que je connaissais par cœur, à qui j'avais consacré ma vie, était parti. Je l'avais quitté, mais là, c'était lui qui partait. La fièvre et la douleur eurent raison de moi. En position fœtale, grelottante, sur le canapé, je dormis sans dormir, je délirais, je voyais Yanis partir, je l'appelais, je pleurais. Dans mon coma fiévreux, je crus entendre les voix des enfants, j'avais beau lutter pour essayer d'émerger, je n'y arrivais pas, j'aurais pourtant dû m'assurer qu'ils allaient bien.

— Véra… réveille-toi… Il faut que tu ailles dans ton lit…

Une main froide passa sur mon front, dégagea mes cheveux. Je réussis à entrouvrir les yeux et découvris tout près de moi Tristan, visiblement soucieux, puis j'entendis les pleurs de Violette et d'Ernest. J'essayai de me lever, Tristan me repoussa délicatement.

— Attends, prends ton temps pour te mettre debout.

— Qu'est-ce que tu fais là ?

— Joachim m'a téléphoné, en panique.

Je n'avais plus mon portable dans la main, il avait dû me le prendre.

— Quoi ? Mais pourquoi ?

— Tu es brûlante de fièvre, tu as dû délirer, il ne savait pas quoi faire. Ils ont eu très peur. Reste là, allongée, pour le moment, je vais les recoucher et je m'occupe de toi ensuite.

Il se releva après avoir de nouveau touché mon front, puis il s'approcha des enfants. Il prit Violette dans ses bras.

— Je veux maman, pleura-t-elle.

— Il faut laisser maman se reposer, tu la verras demain, petite princesse.

— Tu vas la soigner ? s'inquiéta Joachim.

— Oui, mon grand. Allez, venez maintenant.

Je les suivis du regard tous les quatre, puis, en fermant les yeux, je me concentrai pour les écouter, malgré mes larmes silencieuses. Tristan prit son temps avec chacun des trois, il les rassura, leur expliqua que c'était simplement une méchante grippe, mais que j'étais forte, et que dans quelques jours ils retrouveraient leur maman en pleine forme. Il coucha les garçons, leur promettant de s'occuper de l'école le lendemain, ils n'avaient pas à s'en faire. Ensuite, il lut une histoire de princesse à Violette, et lui promit de laisser sa porte entrouverte. S'il n'était pas venu, cette nuit aurait viré au cauchemar.

— Tu peux te lever ou pas ? me demanda-t-il.

J'ouvris mes yeux.

— Je vais me débrouiller.

Il prit malgré tout la précaution de me soutenir par le coude. Heureusement, car je chancelais.

— Ça va aller, l'escalier ? s'inquiéta-t-il.

— Je n'en sais rien.

— Donne-moi la main.

Je la lui tendis, il la saisit fermement, et m'entraîna à pas lents. Je m'agrippai à lui comme une désespérée, terrifiée à l'idée de tomber, d'être seule de nouveau, avec l'impression pénible et douloureuse de dépendre de lui, mais je n'avais pas le choix. Ce lâcher-prise me parut indispensable et salvateur. Dans la chambre, il m'escorta jusqu'au lit.

— Allonge-toi.

Je lui obéis sans réfléchir, je n'aspirais qu'à dormir et à oublier. Il remonta la couette sur moi, je tremblais comme une feuille. Sa main froide retrouva mon front.

— Ça fait combien de temps que tu n'as rien pris contre la fièvre ?

— Euh… je ne sais pas… J'ai dû prendre quelque chose en rentrant du travail, je crois…

— Si tu permets que je fouille, je vais aller te trouver un médicament. Tu ne risques pas d'aller mieux si tu ne te soignes pas.

— La pharmacie est dans la salle de bains, lui répondis-je en esquissant un mouvement pour me lever.

Il me repoussa doucement.

— Reste allongée, j'y vais.

J'entendis les portes du placard s'ouvrir, se refermer, puis le bruit de l'eau dans le lavabo. Mes yeux avaient du mal à lutter, ils se fermaient tout seuls. Je les ouvris en sentant un gant de toilette humide sur mon front, mes joues, Tristan m'épongeait doucement, visage concentré, puis il sécha ma peau avec une serviette de toilette. Ensuite, il m'aida à me redresser pour que j'avale un comprimé avec un peu d'eau. Sans un mot, il repartit dans la salle de bains, dont il éteignit la lumière quelques minutes plus tard. Revenu à côté de moi, il se pencha et repoussa les cheveux de mon front. Sa main était si froide.

— Tu devrais dormir, maintenant. Ne t'inquiète de rien, je m'occupe des enfants demain matin.

Les larmes me montèrent aux yeux.

— Si tu as besoin de quelque chose, appelle-moi, je serai en bas.

— Ne me laisse pas toute seule, s'il te plaît.

Il se redressa, retira sa veste, desserra sa cravate, abandonna les deux sur le fauteuil et vint s'asseoir à la place de Yanis par-dessus la couette en s'adossant à la tête de lit. Je restai recroquevillée dans mon coin, dos à lui, les larmes coulaient sur mes joues.

— Pourquoi il n'est pas venu ? lui demandai-je. Il n'a pas répondu à mes appels. Il ne veut plus s'occuper de nous.

— Je n'en sais rien, Véra. Je ne comprends pas plus que toi, je ne l'ai pas vu depuis deux jours. Sur le chemin pour venir ici, je n'ai pas arrêté de l'appeler, je suis tombé directement sur son répondeur.

— Comment peut-on changer à ce point ? Oublier sa famille ?

— Il n'y a aucune explication logique et acceptable.

Il se rapprocha de moi, et me prit contre lui, dans ses bras. Il posa sa main sur ma tête, ça me rassura.

— N'y pense pas, chuchota-t-il.

Je pleurai plus bruyamment.

— Chut…

Il se mit à caresser mes cheveux, pour me calmer, en continuant à murmurer des *chut*. Ses caresses, combinées à l'effet du médicament, m'apaisaient, je finis par m'endormir.

J'entendais au loin les voix des enfants, du bruit de vaisselle, le bip du micro-ondes. *Tiens, les chocolats chauds sont prêts.* Je papillonnai des yeux et souris ; Yanis préparait le petit déjeuner.

— Tristan, je veux des tartines ! brailla Violette.

La réalité me tomba dessus violemment ; la soirée de la veille, l'absence de Yanis, la présence de Tristan à mes côtés. Ma respiration se coupa un bref instant. J'avais encore de la fièvre, mais rien de comparable à la nuit dernière. En revanche, j'avais mal partout, particulièrement au cœur qui était bien lourd. Je me levai avec mille précautions et restai assise au bord du lit de longues minutes. Malgré leur faiblesse, mes jambes me portèrent jusqu'à la salle de bains. J'évitai de croiser mon reflet dans le miroir et aspergeai mon visage d'eau, ça me fit du bien, sans pour autant me donner les idées claires. Je retirai mon pyjama et le pull de Yanis, humides de sueur fiévreuse. Sans me doucher – pas le courage –, j'enfilai un vieux jogging et j'attachai mes cheveux en chignon.

Lorsque je descendis l'escalier, les voix se turent progressivement. Arrivée en bas, je les découvris tous les quatre ; Tristan debout, de nouveau avec sa veste et sa cravate, les enfants bien installés devant leur petit déjeuner. Cette image me mit mal à l'aise. Je leur offris un sourire certainement fatigué.

— Ce n'est que moi.

Joachim sauta de son tabouret et courut dans ma direction. Je lui ouvris les bras, il se jeta sur moi, ce qui me fit un peu chanceler, et se colla à mon ventre. J'embrassai ses cheveux.

— Maman, j'ai eu peur, tu sais.

— Pardon, mon Jojo. Tu as été très courageux en demandant de l'aide à Tristan, tu peux être fier de toi.

Il serra plus fortement ma taille, puis leva un regard triste vers moi.

— J'ai fait ce que papa voulait.

— Comment ?

— Il m'a dit de veiller sur toi.

Ça me broyait le cœur que mon fils de huit ans et demi se retrouve chargé d'autant de responsabilités, et surtout au centre de nos problèmes, à Yanis et moi. Et pourquoi cette tristesse lorsqu'il parlait de son père ? Où était passée sa rage ? Je crois que je la préférais encore.

— Joachim, laisse maman venir s'asseoir, intervint Tristan.

Le corps de mon fils se raidit sous mes mains.

— Ça va, mon Jojo ?

— Oui, maman.

Il se détacha de moi et retourna à sa place en regardant ses pieds. Je le suivis, embrassai Ernest et Violette et m'approchai de Tristan.

— Merci.

Il me sourit.

— Installe-toi, je te sers un café ou tu préfères autre chose ?

— Un café, c'est très bien.

— Tu as faim ?

— Non, pas trop.

— Il va falloir que tu manges si tu veux reprendre des forces, me dit-il très sérieusement.

— Peut-être plus tard.

Je me hissai sur un tabouret et observai la mine bien fatiguée de mes enfants.

— Ça va être un peu dur à l'école, mes trésors. On essaiera de se coucher tôt ce soir.

— T'es guérie ? s'inquiéta Ernest.

— Pas complètement, mais bientôt.

Une dizaine de minutes plus tard, après avoir jeté un coup d'œil à sa montre, Tristan décréta qu'il était l'heure de partir à l'école. Ils ne risquaient pas d'être en retard ! Ils partirent enfiler leur manteau, sous l'œil de notre protecteur de la nuit.

— Maman, tu viens ! m'appela Violette.

— J'arrive.

Je descendis de mon tabouret, et pris le chemin de l'entrée.

— Ils auraient pu te dire au revoir sans que tu te déplaces, remarqua Tristan.

— Bah, non, lui répondit Violette à ma place. Quand papa nous emmène à l'école, maman, elle vient toujours nous faire des bisous à la porte.

Sauf que ce n'était pas Yanis. La situation me dérangea, pour ne pas dire plus. Le même sentiment qu'au tout début de nos liens avec lui m'envahit, c'était trop. Il eut un sourire en coin, puis se tourna vers moi :

— Souhaites-tu que je repasse après les avoir déposés ?

— Non, ça va aller. Je vais appeler le médecin et le boulot, je me recoucherai après.

— Ne t'inquiète de rien, tu vas pouvoir te recoucher très vite. J'ai appelé mon médecin, il devrait être là d'ici une petite demi-heure, il me déposera au bureau ton ordonnance et ton arrêt maladie, je m'occupe de tout. Et je me suis permis de laisser un message sur le répondeur de l'agence de voyages pour leur dire que tu ne viendrais pas aujourd'hui et certainement jusqu'à la fin de semaine.

— Oh… mais… je…

— Ne pense qu'à te reposer. Tu as besoin d'aide et de soutien, tu ne vas pas pouvoir t'en sortir toute seule. Je suis là.

— Merci, soufflai-je, bouleversée par ce dernier échange.

Décidément, c'était trop. Ses initiatives finissaient par me mettre très mal à l'aise, j'étais encore capable de prendre rendez-vous chez le médecin – *mon* médecin – et de prévenir *mon* travail. Certes, cette nuit, j'avais appelé à la rescousse, mais c'était mon mari que j'avais appelé à l'aide, pas lui. Ça ne me serait pas venu à l'idée. Alors, évidemment, je ne crachais pas dans la soupe, il m'avait plus qu'aidée ces dernières heures, je ne pouvais que l'en remercier. Mais il y avait des limites. Comment lui faire comprendre que je pouvais faire sans lui, sans le vexer ? Je lui devais tellement depuis quelque temps. Je m'éloignai de lui pour vérifier la tenue des enfants et les embrasser avant qu'ils ne partent.

— Bonne journée, travaillez bien.

— Promis, maman, chantonna Ernest.

Tristan ouvrit la porte d'entrée et les fit sortir sur le palier. En attendant l'arrivée de l'ascenseur, il s'approcha de moi et me regarda droit dans les yeux.

— Je te les ramène ce soir. Ça ne te pose pas de problème si je les récupère à la fin de l'école, sans qu'ils aillent à la garderie ?

— Euh… non, mais ton travail ?

— Je pense qu'ils ont besoin de se distraire, ça me fait plaisir de passer du temps avec eux.

Étais-je si faible et dépendante que ça ?

— Tristan, je ne sais pas quoi dire…

Il eut un sourire charmeur.

— Ne dis rien alors. Veux-tu que j'essaie de joindre Yanis ?

Là, j'avais le choix. Encore heureux.

— Non, soufflai-je, et puis, de toute manière, je ne crois pas que j'aie envie de le voir, ni même de l'entendre.

Immédiatement, je regrettai mes paroles.

— C'est toi qui choisis. À ce soir.

— Oui…

Le médecin de Tristan fut d'une ponctualité spectaculaire. J'appris que j'avais une surinfection des bronches, d'où la fièvre, certainement due à l'affaiblissement de mon organisme. Bref, j'en avais pour une semaine d'arrêt et d'antibios, assortie d'une cure de vitamines et de magnésium. Sitôt la porte refermée sur lui, je me fis un nouveau café et me forçai à avaler quelques gâteaux secs. J'avais dans l'idée de m'allonger sur le canapé et d'allumer la télé, quitte à m'endormir devant enroulée dans mon plaid. Je venais de m'installer quand la porte d'entrée s'ouvrit avec fracas.

— Véra ! Bordel ! Où es-tu ? Que se passe-t-il ?

Yanis déboula dans le séjour comme un fou furieux. Livide, il se précipita sur moi, saisit mon visage entre ses mains chaudes, palpa mes bras, plongea ses yeux bleus dans les miens. J'essayai de me dégager.

— Lâche-moi ! Qu'est-ce qui te prend ? Tu es malade ?

— Comment te sens-tu ? Je vais m'occuper de toi…

— Tu arrives trop tard !

Je le poussai, et réussis à m'extirper du canapé.

— Et puis, d'abord, comment as-tu su ?

— L'école m'a appelé pour me dire qu'un inconnu avait déposé les enfants à l'école et que, d'après eux, tu étais malade, ils voulaient des précisions. J'ai flippé, j'ai essayé de t'appeler, mais je suis tombé dix mille fois sur ta messagerie.

— Ça fait un drôle d'effet, non ? crachai-je.

— De quoi tu parles ? Pourquoi tu ne m'as pas prévenu ? Je serais venu m'occuper des enfants et je t'aurais soignée.

— Tu te fous de ma gueule, Yanis ?

— Mais pas du tout !

— Je t'ai appelé plusieurs fois hier soir, pour te demander de l'aide. (Ma voix se brisa, je ressentis la même détresse que la nuit dernière.) C'était horrible,

repris-je en luttant contre les larmes et l'étourdisse-
ment que je sentais poindre. Tu ne pourras jamais
savoir à quel point.

— Je n'ai vu aucun de tes appels, je te promets,
j'ai découvert ce matin que mon téléphone était éteint.

La colère me saisit, je serrai les poings.

— Tu mens, il a sonné à deux reprises, je t'ai même
laissé un message. Et après, oui, tu as dû l'éteindre,
pour que je ne t'emmerde plus.

Il ouvrit les yeux en grand.

— Comment peux-tu penser un truc pareil ? Je
deviens dingue, ce n'est pas possible.

— Il est temps que tu t'en rendes compte !

Il se tira les cheveux, se frotta le visage. Puis, le
regard affolé, il s'approcha de moi.

— Je n'ai jamais eu ton message, je te jure.

— Tu mens avec un tel aplomb, Yanis. C'est
incroyable ! J'avais tellement de fièvre cette nuit que
j'ai déliré, j'ai réveillé les enfants sans m'en rendre
compte, ils m'ont trouvée en train d'agoniser, et
Joachim a réussi à prévenir Tristan, qui lui a accouru,
sans réfléchir une seule seconde.

— Quoi ? Tristan ? Il est venu hier soir s'occuper
de toi ?

Il sembla choqué, sans que je comprenne pourquoi.

— Il m'a veillée toute la nuit, il a pris soin de moi
et des enfants, comme tu n'es plus capable de le faire !

Il recula sous l'impact du coup que je venais de lui
porter.

— Et tu vois, cet inconnu dont t'a parlé l'école,
c'est lui. Tristan a habillé *tes* enfants, il a préparé *leur*
petit déjeuner. Et c'est lui qui a déposé *tes* enfants à
l'école ! Et c'est encore lui qui s'est occupé d'appeler

son médecin pour *ta* femme ! Et toi, pendant ce temps-là, où étais-tu, Yanis ?

Il fit encore deux pas en arrière.

— Je n'étais pas là, souffla-t-il.

— Exactement. Alors, maintenant, tu n'as plus à te préoccuper de rien. Je vais téléphoner à l'école pour les rassurer sur l'identité de Tristan qui les récupère cet après-midi. Et nous allons parfaitement nous en sortir sans toi.

Je le défiai du regard, pourtant, au fond de moi, je n'en menais pas large, je n'aimais pas du tout la teneur des propos que je venais de lui tenir. Sans même m'en rendre compte, je venais de créer de la compétition entre eux, alors qu'elle n'avait pas lieu d'être. Il se redressa. Je fus impressionnée par la force qu'il dégagea, un peu la même qu'avant, en plus abîmée, plus enragée. Il me regarda dans les yeux, de longues secondes, sérieusement, intensément. Je crus voir le Yanis déterminé et sûr de lui, encore une fois celui d'avant. Je venais de réveiller quelque chose en lui, sans même le vouloir.

— Je serai devant la porte demain matin à 8 h 15 pour les emmener à l'école. Soigne-toi bien. Et vérifie que ton téléphone fonctionne.

Sans me laisser le temps de répondre, il tourna les talons et partit en claquant la porte d'entrée. Je restai bête de longs instants, piquée debout dans le séjour. Je partis finalement en quête de mon portable pour appeler l'école, je mis du temps à mettre la main dessus. En le trouvant, je découvris qu'il était éteint, et ce n'était pas de mon fait.

– 15 –

Yanis

Je dévalai l'escalier de notre immeuble quatre à quatre, en donnant plusieurs coups de poing dans le mur. Dans la cour, ce fut la poubelle qui en prit pour son grade, cette fois-ci à coups de pied. Arrivé dans la rue, j'allumai directement une clope. J'aurais donné n'importe quoi pour être au milieu d'un désert ou sur une falaise face à la mer, seul ; j'aurais pu hurler ma rage et mon désespoir. Qu'était-il en train de se passer ? Je devenais dingue, je maîtrisais de moins en moins les choses, et vu le niveau où j'étais rendu, c'était carrément l'apocalypse dans ma tête et dans ma vie. J'attrapai mon foutu portable dans la poche de mon blouson, je le fixai à travers la fumée de cigarette. Je me retins de l'éclater contre le bitume. Je ne gagnais pas un centime ; si je le pétais, je n'aurais pas les moyens de m'en racheter un. Pourquoi s'était-il éteint hier soir ? Bon Dieu, pourquoi ? J'aurais dû demander à Véra à quelle heure elle avait essayé de m'appeler. Elle m'aurait envoyé bouler, à juste titre. De quel droit pouvais-je lui poser cette question alors qu'elle croyait que je l'avais abandonnée ? Pourtant il fallait que je repasse le film de la soirée, la sienne comme la mienne. Même si je ne faisais plus confiance à mon instinct depuis de nombreuses semaines, celui-ci me dictait qu'il y avait un truc pas net du tout dans cette histoire. Je le sentais au plus profond de moi. Quelque chose m'avait-il échappé à un moment ? Jamais je n'éteignais mon téléphone, de peur mélangée d'espoir qu'elle ne m'appelle. Ce matin, quand j'avais découvert l'écran noir, j'avais pensé être en rade de batterie, j'avais quand même essayé de l'allumer, et la batterie était chargée à fond. Un malaise profond s'insinuait en moi. Je devais immédiatement régler le problème et savoir à quoi m'en tenir ; je regardai une dernière fois la façade de notre immeuble puis je courus jusqu'à ma moto. Je devais voir Tristan.

Hier soir, il avait passé la soirée à la garçonnière. Il était venu faire le point sur mes derniers contrats, sur mes avancées, il m'avait aussi tabassé de nouveaux chantiers pour son compte, et surtout il était venu pour récupérer les chèques de mes derniers honoraires. Il m'avait prévenu que je bosserais pour rien, c'était exactement ce qui se passait, dès que j'encaissais un peu de pognon, il récupérait tout. Et j'avais le sentiment de toujours lui en devoir autant. Ça me rendait fou, je n'avais pourtant pas le choix, il fallait que je rembourse la dette abyssale du concept store. Mais là, je m'en foutais du fric qu'il avait embarqué la veille, je le revoyais au moment où j'étais revenu après avoir pissé la bière que je m'étais enfilée pour me remonter de ma journée de travail. Il m'avait servi un whisky bien tassé pendant mon absence et me l'avait tendu, un sourire en coin aux lèvres.

— Tiens, tu mérites un remontant après le boulot que tu as abattu !

— Non, merci.

Je faisais gaffe à ce que j'ingurgitais : plus d'alcool fort, ça ne me réussissait pas.

— Allez, ne boude pas ton plaisir.

Comme le dernier des cons, j'avais cédé. Je n'avais pas voulu le vexer ; nos rapports étaient assez tendus, doux euphémisme pour dire glacials. Nous avions pris de la distance depuis qu'il surveillait mon compte en banque, ne partageant plus grand-chose à part mes chèques. Alors qu'il redevienne le Tristan de l'époque de notre rencontre me faisait plaisir, je devais le reconnaître. Il avait attendu que j'en aie avalé une bonne rasade et que je me sois écroulé sur le canapé pour m'annoncer qu'il rentrait chez lui.

— Reste encore un peu, et prends-en un avec moi.

— Pas ce soir, je dois partir. J'ai des choses sur le feu.

Et il était parti, comme ça, me balançant un signe de la main distant et hautain. Perplexe, j'avais fini mon verre, et le sommeil m'était tombé dessus sans que je m'en rende compte. J'avais ouvert les yeux ce matin, dans les vapes, le dos en compote, une sensation de bouillie dans la bouche, et mon téléphone éteint.

Maintenant, je savais que les choses sur le feu de Tristan étaient ma femme et mes enfants, il savait au moment où il partait que Véra appellerait à l'aide. Et franchement, c'était de plus en plus difficile de ne pas penser qu'il me coupait du monde et d'elle. Sinon, pourquoi ne m'avait-il pas appelé ce matin pour me prévenir de ce qui se passait *chez moi* ? Ses conseils à la noix – « laisse-lui le temps, elle a besoin de prendre du recul, elle reviendra quand tu te seras rétabli, sois patient » – commençaient déjà depuis quelque temps à me courir. Là, je les dégueulais, et ils m'apparaissaient sous un autre jour. J'estimais avoir droit de savoir que *ma* femme était malade et que *mes* enfants avaient besoin de moi. Que Véra doute de mes capacités à gérer la situation, soit, vu ce que je lui montrais depuis des semaines. En revanche, Tristan, lui, me voyait me défoncer au boulot, je bossais comme un âne en prenant n'importe quel chantier en charge, même les plus petits, les moins intéressants, je ne m'arrêtais de travailler que pour dormir quelques heures la nuit. Il savait aussi combien je souffrais de notre séparation, combien je m'inquiétais pour ma famille. Mais tout ça n'était valable que s'il jouait franc-jeu avec moi. J'en doutais de plus en plus, sinon pourquoi ce silence, cette dissimulation ? Ce n'était pas sa place de s'occuper de ma famille, même si je lui avais demandé de le faire quand Véra m'avait quitté. À l'époque, tellement isolé dans mon coin, je n'avais confiance qu'en lui pour prendre soin d'eux. Mais aujourd'hui, si je voulais être honnête avec moi-même, je ne lui confierais plus ma famille. Plus le temps passait, plus j'avais l'impression de me faire foutre à la porte de chez moi, plus par lui que par Véra. Finalement, je n'avais aucune idée du temps qu'il passait avec elle et les enfants. Quant aux nouvelles qu'il était censé me donner d'eux, il esquivait de plus en plus mes questions. Voilà pourquoi j'avais rapidement déconné en venant en planque devant l'école pour apercevoir les enfants. Je crevais de ne pas être avec eux, de ne plus sentir Véra à côté de moi, chaque jour, chaque nuit. Tristan avait construit une frontière entre elle et moi.

Il faisait en sorte d'effacer tous les liens qui nous unissaient jusque-là. Les paroles de Véra me revinrent en mémoire : « Il m'a veillée toute la nuit. » Il avait été avec elle dans notre chambre, peut-être même dans notre lit, il l'avait certainement touchée, il avait posé ses sales pattes de menteur sur son corps, sous prétexte de la soigner. Il en voulait à ma femme, il la voulait. Et moi, comme un con, je lui ouvrais un boulevard. Depuis combien de temps me menait-il en bateau, m'assurant tout faire pour m'aider à recoller les morceaux entre elle et moi ? Et depuis combien de temps la convoitait-il ?

En me garant devant ses bureaux, je me forçai à canaliser mes nerfs le temps d'une clope, sinon, je crois qu'à peine devant lui je lui aurais démoli la gueule. Je devais me méfier, Tristan était un homme d'une extrême intelligence. Si je ne me trompais pas, tout était calculé avec lui, je commençais juste à le comprendre. À moins que je ne devienne parano. Une fois à peu près certain de pouvoir conserver mon calme – du moins au début –, je grimpai jusqu'à ses locaux. Je patientai sagement à l'entrée qu'il vienne me chercher, je respirai lentement, serrai, desserrai les poings.

Il arriva dans mon dos, le fourbe.

— Yanis ! Que me vaut le plaisir de ta visite ?

Tout ce qu'il était – ses manières, ses politesses – m'apparaissait à présent sous un autre jour. C'était un serpent hypnotiseur. Comment allais-je l'affronter ?

— Je passais dans le coin, lui annonçai-je en lui faisant face.

Il puait le mal à plein nez. J'eus envie de lui faire bouffer sa cravate.

— Suis-moi, nous serons plus confortablement installés dans mon bureau.

Arrivé dans la pièce, il s'assit dans son fauteuil de ministre. Même si je restai debout, je me sentis écrasé par lui.

— Tu es bien rentré, hier soir ? finis-je par lui demander.

— Parfaitement, me répondit-il en me regardant droit dans les yeux.

Il savait que je savais.

— Bien dormi, alors ?

Il arbora un sourire ironique. Il voulait s'amuser. Je me forçai à respirer calmement.

— J'ai connu de meilleures nuits, mais celle-ci était particulièrement intéressante.

Je fis craquer mes poings.

— Yanis, si c'est par politesse que tu es passé me voir, tu aurais dû d'abstenir. Tu n'as pas de temps à perdre pour des choses qui ne te concernent plus. N'oublie pas que tes priorités sont le travail et le remboursement de ta dette.

— Là, si tu veux tout savoir, je m'en contrefous, sifflai-je entre mes dents.

Il s'enfonça plus confortablement dans son fauteuil. Derrière ses mains croisées, je pouvais distinguer son rictus à la con.

— Tu es en train d'oublier une chose. Sais-tu à qui tu t'adresses ? Je t'ai fait, Yanis. Tu me dois tout. Ce que tu prétends être, c'est grâce à moi. Sans moi, tu n'es plus rien.

J'abattis mes deux mains sur son bureau.

— Arrête de te foutre de ma gueule, maintenant, on joue cartes sur table !

Il éclata de rire en rejetant sa tête en arrière.

— Mon pauvre Yanis ! Tu n'es qu'une merde ! Tu arrives trop tard, tu n'existes plus, ta vie m'appartient.

— Qu'est-ce que tu veux dire ? Tu veux quoi, à la fin ?

Il se frotta le menton.

— Je viens de te répondre... Véra a raison, c'est vrai que tu es un peu long à la détente pour certaines choses. Tu m'as plu dès notre rencontre. J'ai eu envie de jouer. Depuis la première fois où je t'ai vu, je veux ce que tu as. Je veux ta vie, ta place, tes enfants, et ta femme...

Il fit une pause. L'horreur de ses paroles me rendait muet. Son sourire s'agrandit.

— Ta vie... Ta femme... C'est presque la mienne maintenant, à un petit détail près...

Salopard ! Mon sang ne fit qu'un tour, je me jetai sur lui, l'attrapai par le col en l'extirpant de son fauteuil à la con, et le plaquai violemment contre le mur. Il ne se démonta pas, ne chercha pas à se défendre, je le serrai par sa cravate. Nos visages se frôlaient, j'écumais de rage, lui conservait son rictus abominable aux lèvres en me regardant droit dans les yeux, sûr de lui.

— Elle ne sera jamais à toi ! Ne la touche pas ! Je t'interdis de t'approcher d'elle !

— C'est ta faute, Yanis, il ne fallait pas baiser ta femme sous mon toit et laisser les portes entrouvertes. Véra ne m'excitait pas plus que ça au début, mais j'avoue que vous observer m'a donné certaines idées de ce que je pourrais faire avec elle. J'aurais pu en profiter la nuit dernière, mais, malade, elle ne m'intéresse pas. Je veux qu'elle sache que c'est moi qui la prends dans ton lit, à ta place.

— Ferme ta gueule ! hurlai-je.

Je le cognai de nouveau contre le mur et serrai davantage ma prise sur lui, autour de son cou. Pour la première fois de ma vie, j'eus des envies de meurtre. Il chercha un peu d'air, mais trouva le moyen de sourire.

— Yanis, maintenant, tu vas être sage, très sage, et me lâcher.

— Je vais te faire la peau !

— Non, tu ne feras rien. Parce que, si tu me touches, je porte plainte, j'ai de très bons avocats qui se feront un plaisir de te mettre en taule. Je resterai l'investisseur généreux dont tu as englouti l'argent et voulu te débarrasser. Quelqu'un devra payer à ta place, et Véra et les enfants finiront à la rue.

Il avait tout prévu et irait jusqu'au bout, c'était une certitude. J'étais tombé dans le piège d'un malade. J'avais sous-estimé qui il était.

— Yanis, s'il te plaît, sois raisonnable, pour une fois.

Je poussai un cri de rage en frappant de toutes mes forces le mur à un centimètre de son visage. Puis je le poussai une dernière fois avant de le lâcher. Poings serrés, je reculai sans le quitter des yeux, lui me regarda dédaigneusement, époussetant son costard comme si je l'avais souillé. Ensuite, il se dirigea vers son bureau, attrapa le téléphone et, tout en remettant sa cravate en place, passa un appel à l'accueil pour qu'on nous serve un café, comme si de rien n'était. Pendant qu'il sifflotait, moi, agité de tremblements d'une mauvaise adrénaline, je gardai le silence, corps et regard tournés vers la fenêtre, si j'ouvrais la bouche, je dégueulais. Quelqu'un servit des cafés sans que je bouge. Lorsque nous fûmes de nouveau seuls, je me tournai vers lui, il était assis à son bureau, calme, tout-puissant, écrasant de suffisance. Si je n'avais pas vécu les cinq dernières minutes, j'aurais pu croire que tout était comme avant. J'aurais pu croire être face à celui qui avait cru en moi, celui à qui j'avais donné ma confiance, à qui j'avais confié ma famille.

— Tu aurais peut-être préféré quelque chose de plus fort ? suggéra-t-il, imperturbable.

— Ta gueule, soufflai-je.

J'étais coincé, pieds et poings liés.

— Permets-moi de te demander une précision, persifla-t-il. Qui t'a prévenu pour la nuit dernière ? Véra ? Ça m'étonnerait, ce matin quand je suis parti de la maison pour emmener les enfants à l'école, elle… d'ailleurs, au passage, très mignon, le rituel où elle vous accompagne jusqu'à l'ascenseur. Bientôt, elle me dira que c'est *ma* musique qu'elle a dans la tête.

Ma respiration s'accéléra, des larmes de rage me montèrent aux yeux. Il savait tout de nous, il avait tout épié, nos mots, notre intimité. Je lui avais donné accès à tout.

— Jamais, sifflai-je entre mes dents.

— Excuse-moi, je dévie, reprit-il. Donc, ce matin, elle m'a dit qu'elle ne voulait ni te voir ni même entendre ta voix. Je suis assez curieux de savoir comment tu as su.

— L'école, c'est l'école qui m'a appelé. Pour eux, je suis encore leur père.

— Ton téléphone fonctionne de nouveau ?

— C'est toi qui l'as éteint ?

— Si tu avais entendu le message désespéré de Véra, je te jure, ça m'a fendu le cœur.

— Stop ! gueulai-je en avançant, prêt de nouveau à cogner.

— Oh, oh, attention, Yanis ! Ne crois pas que, parce que tu ne m'as pas frappé, je ne suis pas démangé par l'envie de te détruire et de nuire à Véra.

— Que peux-tu me faire de plus ? lui rétorquai-je avec un rire triste et mauvais.

Qu'est-ce qui pouvait être pire ?

— C'est très simple, Yanis. Tant que tu restes à ta place, enfin ta nouvelle place, en retrait, je continue à te couvrir pour tes dettes. Si tu as ne serait-ce qu'un geste déplacé, si tu essaies de dire quelque chose à Véra ou de monter les enfants contre moi, j'appelle la banque et je me retire. Et tu n'as même pas dû te rendre compte lorsque tu signais les papiers que Véra est solidaire de tes dettes, c'est-à-dire que, si les banquiers souhaitent se faire payer, ils pourront saisir son salaire, elle ne pourra plus assumer le remboursement de votre emprunt immobilier ni nourrir vos enfants, je te laisse imaginer la descente aux Enfers.

Nous étions mariés sous le régime de la communauté. Mais comment avais-je pu être aussi stupide ?

— Tu es le diable incarné.

— Tu me fais trop d'honneur… et puis, tu sais, Yanis, si tu ne t'étais pas fourvoyé avec toutes ces dépenses pour le concept store, nous n'en serions pas là… en tout cas, pas encore…

Il se leva, fit le tour de son bureau et s'approcha de moi.

— Bon… Je crois que tu as du travail. L'argent ne va pas rentrer tout seul. Et de mon côté, je dois avancer, je vais chercher les enfants à l'école cet après-midi.

— Stop !

— Allez, je vais t'accorder une petite faveur. Veux-tu t'occuper un peu d'eux les prochains jours ?

— Je n'ai pas attendu ton autorisation. À partir de demain, c'est moi qui gère l'école, Véra est prévenue.

Il fronça les sourcils, puis sourit.

— Très bien, jouons encore un peu. On va se faire un petit combat entre hommes, mais tu sais, j'ai pris une bonne avance sur toi. Ça a été tellement facile ! Entre nous, Yanis, tu as été au-delà de mes espérances. Véra a une image tellement pitoyable de son mari. Et puis, en plus, ça évitera que les enfants ne dépriment trop par ta faute. Mais tu sais, ça ne changera pas grand-chose. Joachim est très remonté. Et figure-toi que, dès qu'elle me voit, Violette m'appelle papa.

Je fis un pas vers lui en serrant le poing. Il leva la main.

— Attention, n'oublie pas ce que je t'ai dit. Ne fais rien qui me contrarierait, compris ?

Une lueur diabolique éclaira son regard.

— Notre petite conversation reste privée, n'est-ce pas ? Tu as déjà tellement menti à Véra… un peu plus, un peu moins…

Il fallait que je sorte de là ; j'avais envie de le frapper, encore et encore, pour lui fermer sa grande gueule de malade, pour exorciser ma rage, mon dégoût. Il avait violé notre vie, et si je ne voulais pas que la situation vire davantage à la catastrophe, il fallait que j'assiste en spectateur à la fin de notre famille.

— Bonne journée, me dit-il au moment où j'ouvris la porte.

En réponse, je la claquai, c'était peu de chose et assez ridicule, mais c'était tout ce qui m'était autorisé. Jusque-là, je ne pensais pas que l'enfer existait, je me trompais, et je brûlais dans ses flammes. Jamais je n'aurais imaginé qu'un homme comme lui puisse exister. Il voulait ma vie. Ça signifiait quoi ? Qui étais-je, au final ? Un mec normal marié, père de famille avec un boulot pas si extraordinaire que ça, en pleine crise de la quarantaine. Pourquoi moi ? Pourquoi nous ? Pendant des mois, il nous avait retourné le cerveau. Je n'avais pas le droit de me défendre, de me battre pour garder, sauver et protéger ma famille de ce psychopathe que j'avais fait entrer chez nous. S'il avait été normal, comme je le croyais il y a encore quelques jours, quelques heures même, je me serais battu à armes égales pour garder ma femme, pour rester le père de mes enfants, mais il me tenait par tous les bouts. Tout était prévu, manigancé depuis le début. Je ne pouvais rien faire, je devais rester passif, et laisser Véra et les enfants se faire engloutir par lui. Même dire à Véra qu'elle devait se méfier m'était impossible, c'est moi qu'elle prendrait pour un dingue, sans compter qu'elle était peut-être déjà complètement sous son emprise, elle fermerait complètement la porte de la maison, et je ne pourrais plus surveiller ce qui s'y passait. L'abattement me saisit, j'étais sonné. Quelle solution avais-je à part aller me terrer à la garçonnière et attendre de me réveiller de ce cauchemar ? Je pouvais boire pour oublier, me faire oublier. Tristan n'attendait que ça, je savais qu'il m'observait, à travers la vitre de son bureau, il devait jubiler. Je refusais de le laisser gagner si facilement. Je n'avais aucune idée de comment m'y prendre, mais je ne lui faciliterais pas la tâche.

Le lendemain matin, à 8 h 15 pétantes, je frappai à la porte de chez moi. J'entendis les voix des enfants derrière, ce qui m'arracha mon premier sourire depuis des lustres, et un sacré regain d'énergie – je n'avais pas fermé l'œil de la nuit, me creusant la tête pour trouver la parade qui me permettrait d'échapper à la vigilance de Tristan, et à sa mainmise sur notre vie. Je n'avais pas eu de révélation, mais j'avais pris une décision ; faire comprendre à Véra qu'elle devait se méfier de lui. Tant pis pour le risque encouru. Je ne pouvais pas la laisser se jeter dans la gueule du loup sans la prévenir. Il fallait qu'elle sache que celui qui comptait mettre ses sales pattes sur elle était une ordure de la pire espèce. Je devais à tout prix la protéger, je ne pouvais plus faillir à mon rôle. Elle m'ouvrit et était déjà habillée, prête à partir pour l'école. Elle avait encore petite mine et semblait surprise de me trouver là. Chaque fois que je la voyais depuis qu'elle m'avait quitté, je devais me retenir pour ne pas la toucher, repousser sa mèche de cheveux sur le front, la prendre dans mes bras. Avec toujours la même question obsédante : m'aimait-elle encore ?

— Salut, lui dis-je.

— Tu es venu…

— Oui…

Je réussis à capter son regard quelques secondes, je sentis le trouble naître en elle. Mais elle rompit le charme en tournant la tête.

— Ils sont prêts.

— Papa ! crièrent en chœur Ernest et Violette.

Ils ne m'avaient pas complètement oublié. Ils me sautèrent dessus, je les soulevai et les serrai fort contre moi, en respirant leur odeur. J'ouvris les yeux au bout de quelques secondes et mon regard croisa celui de Joachim, suppliant, rongé par la tristesse. Je françai les sourcils et lâchai mes deux petits pour m'avancer vers lui.

— Mon Jojo, qu'est-ce qui ne va pas ?

Il se renfrogna.

— On va être en retard à l'école.

Il mit son cartable sur le dos, embrassa Véra et sortit appuyer sur le bouton de l'ascenseur. Je me tournai vers elle.

— Qu'est-ce qu'il a ?

Elle secoua la tête, désappointée.

— À ton avis ? Il ne sait plus où il en est, où nous en sommes.

Elle soupira en esquissant un vague sourire.

— Excuse-moi, je ne voulais pas t'agresser dès le matin.

— Ne t'inquiète pas pour moi.

— À quelle heure on rentre à la maison ? demanda Ernest en se glissant entre elle et moi.

Je lançai à Véra un regard interrogatif.

— Après la garderie, lui répondit-elle avant de s'adresser de nouveau à moi. Hier, Tristan a insisté pour les récupérer plus tôt, il les a baladés. Mais je pense que tu es d'accord avec moi, on ne change pas nos habitudes, ils sont déjà assez perturbés comme ça. Et de toute manière, quand je reprendrai le boulot, ils se taperont l'étude.

Je doutais tellement de moi et de mes impressions que je n'étais pas certain d'avoir oui ou non décelé de l'agacement chez elle, au sujet de Tristan. Ouvrait-elle aussi les yeux ?

— Il n'a pas à décider pour nos enfants. Compte sur moi pour te les ramener.

— Non, je vais le faire.

— Véra, tu es malade, et quand tu es malade je vais les chercher à l'école, tu le sais bien, on a toujours fait comme ça. Allez, les enfants, c'est parti !

Ernest et Violette m'attrapèrent les mains pour m'entraîner vers l'ascenseur.

— Yanis ! m'appela Véra.

Je la regardai par-dessus mon épaule, sa fragilité me frappa.

— Merci, souffla-t-elle. À ce soir, les enfants.

— Au revoir, maman.

Elle referma la porte d'entrée, sans me laisser le temps de lui glisser un mot. Durant le trajet vers l'école, Violette jacassa, accrochée à moi comme à une bouée, Ernest courut dans tous les sens, et Joachim s'enferma dans le silence. Lorsque nous fûmes devant les grilles de l'école, il leva son visage triste vers moi. Je posai Violette au sol et m'accroupis au niveau de mon fils.

— Tu veux me dire ou me demander quelque chose ?

— C'est toi qui viens ce soir ?

— Oui.

— Tu promets ?

— Bien sûr, je suis là.

— C'est pas Tristan qui va venir ? Tu promets, vraiment ?

La panique dans sa voix était perceptible.

— Il y a un problème avec lui ?

Il me fuit du regard.

— Jojo ? Réponds-moi.

— Pardon, papa, je n'aurais pas dû lui téléphoner quand maman était malade, mais on avait trop peur.

— Tu as eu raison. Tu ne dois pas t'en vouloir, c'est ma faute, tout ça. C'est ça qui te tracasse, ou il y a autre chose ?

Il donna un coup de pied dans le vide.

— Il est trop chez nous. J'aime pas comment il est avec maman, il est bizarre, et puis…

— Quoi ?

— Il veut me forcer à retourner au trombone. Il m'en a parlé hier après l'école et il veut m'acheter un instrument neuf.

Tristan cherchait à tout me voler, sa folie n'avait pas de limites. Mes poings me démangèrent de nouveau, il passait à l'attaque avec les enfants.

— Et tu ne veux vraiment plus y aller ?

— Si, mais avec toi, pas avec lui. Je veux que tu reviennes à la maison, papa. Que tout redevienne comme avant, quand tu travaillais avec Luc.

Ses grands yeux bleus se remplirent de larmes. Je l'attrapai dans mes bras.

— Je vais arranger les choses mon grand, pardon…

Je le détachai de moi et le tins par les épaules en le regardant droit dans les yeux.

— Maman sait pour le trombone ?

— Non.

— Si Tristan veut t'emmener à la musique, vas-y.

— Je veux pas !

— Pour le moment, c'est important que tu fasses ce qu'il dit.

— Il est méchant, en fait ?

Je n'eus pas besoin de lui répondre.

— Je vais t'aider, papa.

— Fais surtout attention à toi, ton frère et ta sœur. Allez, ne sois pas en retard, à ce soir.

J'embrassai mes trois enfants et les laissai filer à l'école sans les quitter du regard jusqu'à ce qu'ils disparaissent.

Le soir, j'utilisai mes clés pour ouvrir la porte de l'appartement, un vieux réflexe, je reprenais vite mes habitudes. En revanche, je laissai les enfants débouler en trombe dans le séjour, en restant sur le seuil.

— Maman !

— Bonsoir, mes trésors ! C'était bien, l'école ?

— Oui !

Ils entreprirent de lui raconter leur journée ; en retrait, je me nourrissais de leurs voix, de la sienne à elle, sa voix douce lorsqu'elle leur parlait, qu'elle riait avec eux d'une anecdote de la récréation. Je ne pouvais réellement pas abandonner ma vie à cette pourriture. Il salissait tout, il allait les démolir, les asservir à sa volonté.

— Il est où, papa ? les interrogea-t-elle.

Cette toute petite question fit s'emballer mon cœur.

— Je suis là, lui répondis-je en avançant de quelques pas.

Elle me rejoignit, sourire aux lèvres.

— Ça leur fait du bien de te voir.

— À moi aussi.

— Tu as passé une bonne journée ?

— Occupé, mais plutôt bonne.

— Tu es sur des chantiers en ce moment ?

— Bien sûr, j'en ai plusieurs en cours et d'autres en préparation ou en négociation de contrat. Je n'ai jamais arrêté de travailler.

— C'est vrai ?

— Tu en doutais vraiment ?

Ses mains se mirent à trembler, elle les tordit nerveusement, puis elle baissa le visage.

— Excuse-moi.

— Si quelqu'un doit s'excuser, c'est moi, ça sera toujours moi, jusqu'à la fin de ma vie.

Elle me fixa, les yeux brillants.

— À quel moment on a arrêté de se parler, Yanis ?

— Si seulement je le savais…

On soupira en même temps.

— Bon, se reprit-elle. Les enfants doivent aller prendre leur douche.

— Je vais leur dire au revoir.

Elle se décala pour me laisser passer. J'eus droit à des câlins, même de Joachim.

— À demain, soyez sages avec maman.

Véra me raccompagna jusqu'à la porte. Elle était encore chez nous, alors que moi j'étais déjà dehors. Je mourais d'envie de l'embrasser, elle esquissa un pas vers moi, puis se ravisa.

— Bonne soirée, me dit-elle.

— Fais attention à toi.

— Il ne peut pas m'arriver grand-chose ici, m'assura-t-elle, un petit sourire aux lèvres.

Je passai ma main sur mon visage et dans mes cheveux.

— Je suis sérieux, Véra… Tu vas me prendre pour un dingue, mais…

— C'est quoi ça ?

Elle m'attrapa la main, dont elle observa le dessus minutieusement. Ses doigts parcoururent délicatement mes phalanges blessées ; je m'étais bien éclaté la peau la veille en fracassant le mur du bureau de Tristan et la cage d'escalier de l'immeuble.

— Yanis, tu t'es battu ?

J'aimais quand elle me parlait comme aux enfants après qu'ils avaient fait une bêtise. Un sourire, impossible à combattre, se dessina sur mes lèvres.

— Contre des murs.

Je ne voyais que sa main qui caressait la mienne. Des semaines que nous ne nous étions pas touchés. Ce tout petit contact était la preuve qu'il y aurait toujours quelque chose entre nous, quand bien même on tentait de nous séparer.

— Les murs d'où ou de qui, plutôt ?

Que lui répondre ?

— J'en ai une petite idée, reprit-elle. C'est ma faute. Je n'aurais pas dû te dire hier que Tristan s'occupait mieux de nous que toi, c'est faux. J'étais en colère, j'ai cherché à te faire du mal, je le regrette. Ne t'engueule pas avec lui à cause de moi. Malheureusement, on dépend de sa générosité.

— Non, rien n'est ta faute. Tu es parfaite, Véra.

Je craquai, c'était plus fort que moi, je la pris dans mes bras, elle se lova contre mon torse, j'enfouis mon visage dans ses cheveux.

— Maman !

Elle soupira, puis se détacha de moi. J'étais vide de nouveau sans elle contre moi, et la peur me saisit de plus belle.

— Je dois y aller.

— Je te demande juste de faire attention à toi. Méfie-toi de Tristan, s'il te plaît.

— Ne t'inquiète pas pour ça, je suis une grande fille, je sais me défendre et, de toute façon, je ne vois pas ce qu'il pourrait me faire.

— Mais…

— Ne fais pas le jaloux…

Elle recula encore un peu, commença à fermer la porte en me faisant un petit sourire.

— Moi aussi, ça me fait du bien de te voir. J'ai l'impression de te retrouver. À demain.

Elle se barricada à l'intérieur. J'aurais dû me sentir plus léger, je savais désormais que Véra ne m'excluait pas de sa vie. Elle était peut-être même prête à entrouvrir la porte, peu importe le temps que ça prendrait, du moment qu'un jour ou l'autre on puisse se retrouver. Mais nous étions dans une situation inextricable. Si Tristan lui sortait un numéro de charme, qu'est-ce qui me disait qu'elle n'y céderait pas ? La menace planait de plus en plus fort. J'en pris plus intensément conscience encore lorsque mon téléphone sonna sitôt que je fus dans la rue. *Lui.*

— J'ai failli attendre. Tu t'es un peu trop attardé.

Je regardai de tous les côtés, affolé.

— Où es-tu ?

— C'est un détail dont tu n'as pas besoin. Maintenant, tu vas être bien gentil et rentrer à la garçonnière. Il ne faudrait pas que tu aies l'idée de rapporter le pain. Je vais te suivre pour être certain que tu ne changes pas d'avis en cours de route.

Il raccrocha. Et me suivit.

Le lendemain matin, Véra ne s'attarda pas avec moi sur le pas de la porte, les enfants m'attendaient, prêts à partir dans l'entrée. Elle m'envoya un sourire puis s'enferma chez nous, chez elle. Sur le chemin de l'école, Joachim me glissa à l'oreille que Tristan lui avait téléphoné dans la soirée, mais qu'il n'était pas venu. Encore un jour, encore une nuit de gagnés. Ça me rendait dingue de ne pas savoir ce qu'ils se disaient. Après avoir déposé les enfants, je ne perdis pas de temps, je devais traverser Paris, refaire ce chemin que j'avais emprunté près de dix ans, matin et soir, parfois avec bonheur, parfois avec flemme. Mais jamais avec un nœud à l'estomac comme aujourd'hui. Ma seule chance de trouver une solution était de faire appel aux conseils de Luc, à la condition qu'il me laisse entrer dans son cabinet. Après mon départ fracassant, ce n'était pas dit. De toute façon, je n'avais plus rien à perdre. Si j'y arrivais, je commencerais par lui présenter mes excuses. Je mettais mon orgueil – pour ce qu'il valait – bien au fond de mes poches ; si je l'avais écouté, si je n'avais pas joué le gamin capricieux six mois auparavant, nous n'en serions pas là, je n'en serais pas là. Toutes ses prédictions s'étaient malheureusement révélées fondées ; son scepticisme vis-à-vis de Tristan, mon plantage en règle, mon irresponsabilité, les projets trop grands pour moi, le malheur de Véra et des enfants. Durant tout le trajet, je vérifiai que Tristan ne me suivait pas. Indéniablement, s'il me voyait en compagnie de Luc, il déclencherait les hostilités. Arrivé à proximité, je laissai volontairement ma moto à une bonne centaine de mètres du cabinet, par mesure de sécurité et histoire de me griller une clope pour y puiser un peu de courage. Devant la devanture, je pris quelques instants pour observer l'intérieur, rien n'avait changé si ce n'est qu'un autre avait pris ma place, un petit jeune avec une bonne gueule, d'après ce que je pouvais voir de là. Si ma situation n'avait pas été ce qu'elle était, j'aurais eu envie de rire en le voyant s'escrimer à parler tout sourires à Luc qui faisait la tronche, comme d'habitude. Pauvre garçon, il avait bel et bien pris ma place. Loin de me faire envie ni d'éprouver le plus petit soupçon de regret ou de jalousie, la scène me confirma que je n'y retournerais pas, pour rien au monde ; j'avais beau avoir foiré, j'aimais mon statut d'indépendant. Je fis craquer mon cou, soupirai profondément et poussai enfin la porte.

— Bonjour, me contentai-je de dire sans quitter des yeux Luc, penché sur sa table à dessin.

Il arrêta de crayonner, resta stoïque quelques secondes, et leva au ralenti son visage vers moi pour planter son regard dans le mien.

— Bonjour ! claironna le petit nouveau. Que puis-je faire pour vous ?

— Jérome, laisse, ordonna Luc. C'est pour moi.

— Vous êtes sûr ? Parce que je peux m'en occuper.

Mon beau-frère se leva et s'approcha de moi, suivi à la trace par son *padawan*. Luc et moi, nous échangeâmes une poignée de main. Puis il leva les yeux au ciel en sentant son employé s'exciter derrière lui.

— Jérome, je te présente Yanis.

Le petit jeune ouvrit les yeux comme des billes.

— Vous êtes *le* Yanis ?

— Parce qu'il y en a plusieurs ? lui rétorquai-je.

— J'ai vu votre bâtiment, c'est extraordinaire, ce que vous avez fait.

— Ouais… merci, lui répondis-je plus sombrement que je ne l'aurais souhaité.

— Retourne bosser, lui dit Luc, qui avait remarqué mon changement d'attitude.

Dépité et certainement déçu de se faire briser les ailes – il allait falloir qu'il en prenne l'habitude –, Jérome repartit vers son bureau. Luc se tourna vers moi.

— En toute honnêteté, c'est une vraie surprise de te voir là, je ne pensais pas qu'un jour ça arriverait.

— Bonne ou mauvaise, la surprise ?

— À toi de me le dire.

— Ça risque d'être compliqué de se parler sans avoir des oreilles qui traînent ? lui fis-je remarquer.

Il jeta un coup d'œil vers Jérome.

— Je ne veux pas te déranger, enchaînai-je. On peut déjeuner ensemble si ça t'arrange.

— Donne-moi deux minutes, Yanis.

Il partit vers son bureau, récupéra son manteau et vint vers moi tout en s'adressant à Jérome :

— Tu tiens la boutique, je reviens plus tard.

Sans lui laisser le temps de répondre, il ouvrit la porte et me fit signe de le suivre. Il traversa la rue et entra dans le troquet d'en face. Il commanda deux cafés au comptoir et alla s'installer à une petite table à l'écart, près de la devanture, histoire de garder un œil sur le cabinet. On s'observa en silence. En quelques mois, Luc avait vieilli, mais ça lui allait bien, ses tempes grisonnaient de plus en plus, pourtant, son visage était plus ouvert qu'avant, impossible de ne pas le remarquer, il semblait plus détendu, serein. Que pouvait-il bien penser de moi ? Ça ne devait pas être brillant… Il fronçait les sourcils à certains moments, il se posait des questions ; il n'allait pas être déçu. Le serveur vint déposer nos tasses.

— Je sais que ça arrive un peu tard, commençai-je. Mais je tenais à m'excuser pour ma façon de faire au moment de mon départ. J'ai été d'une parfaite ingratitude avec toi et totalement dépourvu de conscience professionnelle, j'y pense souvent, et crois-moi, je regrette. Non, en fait, j'ai honte de mon comportement.

Il soupira et s'enfonça dans sa chaise.

— Merci, ça me touche que tu me dises ça. Mais je n'ai pas non plus été réglo avec toi, Yanis. Avec le recul, j'ai compris que j'avais mal agi, j'ai joué au petit patron avec toi...

Si je m'attendais à ça... Il jeta un coup d'œil vers l'extérieur, et soupira avant de me regarder de nouveau.

— Et puis, si je veux être honnête, j'ai mal vécu que tu t'attaches à Tristan, j'ai vécu ça comme une trahison. C'est mon ego qui en a pris un coup. Avec Véra, vous êtes devenus inaccessibles, vous ne parliez plus que de lui, je pense même que vous ne vous en rendiez pas compte. Charlotte a vécu la même chose que moi... Mais bon, c'est derrière nous maintenant, tu réussis, et...

— Stop, Luc ! J'apprécie à sa juste valeur ton mea-culpa, mais tu te trompes sur toute la ligne.

— Hein ? s'exclama-t-il en ouvrant grand les yeux.

J'inspirai profondément.

— J'ai été trop bon public, c'est toi qui avais raison depuis le début. Sous ses airs parfaits, sa présence soi-disant bienveillante, Tristan est un homme dangereux. Je ne sais pas comment, mais il m'a retourné le cerveau et celui de Véra avec.

Luc pâlit, et contrairement à ce que j'aurais pu imaginer, il ne semblait pas se réjouir d'avoir visé juste. Il paraissait de plus en plus inquiet.

— Et, pour couronner le tout, j'ai lamentablement foiré le projet du concept store.

Il fronça les sourcils, et son corps se tendit.

— Il y a des malfaçons ?

— Non, ça tient debout.

— Même ta verrière ? Parce qu'elle est vraiment impressionnante.

— Oui, même ça, ça tient. Non, le vrai problème, c'est l'argent que ça a coûté, j'ai trop dépensé. C'est toi qui avais raison depuis le début, c'était trop grand, trop cher, j'ai craqué, je me suis emballé, et j'ai été incapable de m'arrêter. J'ai été pris dans un engrenage, poussé par Tristan qui n'arrêtait pas de me dire de me lâcher, de ne pas me censurer, de voir toujours plus grand… Résultat des courses : j'ai des dettes colossales, équivalentes à la moitié du coût du chantier. Je suis dans une merde noire.

Il se rembrunit.

— Luc, ne t'inquiète pas, je ne suis pas venu pour t'emprunter de l'argent.

Il me regarda droit dans les yeux.

— Non, ce n'est pas ça qui m'inquiète. À qui dois-tu de l'argent ?

Je baissai la tête.

— À Tristan, c'est ça ? me demanda-t-il. Il fait pression sur toi ?

Je relevai le nez.

— On peut dire ça comme ça… Il me tient. Mais c'est plus que l'argent. C'est ma vie qu'il veut.

— Quoi ? gueula-t-il. C'est quoi, ces conneries ?

Forcément, pour un cartésien tel que Luc, ce que je lui racontai dans les minutes qui suivirent lui fit dresser les cheveux sur la tête ; ce genre de folie le dépassait totalement. Je remontai le fil de l'histoire depuis le début jusqu'à la veille, lorsque j'avais compris que Tristan surveillait mes faits et gestes. Il perdit toutes ses couleurs en apprenant que nous étions séparés avec Véra depuis plus d'un mois. Il devint carrément vert en entendant le récit de mon dernier passage au bureau de Tristan, je ne lui épargnai aucun détail, même les plus sordides de voyeurisme.

— Voilà où j'en suis, Luc. Coincé, étranglé, dans une impasse.

Il s'écroula dans le fond de sa chaise en soupirant et en regardant la rue à travers la vitrine.

— Je suis navré de t'emmerder avec ça, mais je n'ai plus personne à qui parler. Je prendrais trop de risques si je prévenais Véra de tout, je lui ai simplement demandé de se méfier, il ne faut pas qu'elle change trop d'attitude avec lui…

— Yanis ! m'interrompit-il en levant la main. Ça fait beaucoup d'informations d'un coup. J'ai besoin de réfléchir. Mais je ne vais laisser ni toi ni ma sœur dans cette situation tout seuls. Compte sur moi. Quoi qu'il ait pu se passer entre nous, vous êtes ma famille.

— Pourquoi tu fais ça, Luc ? Après mon attitude, j'étais prêt à ce que tu m'envoies chier.

— Yanis, on a été deux cons, égocentriques, incapables de se parler. Toute cette histoire aura le mérite de nous faire mûrir. Non ?

Je lui souris.

— J'ai le pressentiment qu'on a peu de temps pour réagir et trouver une solution pour vous extraire de son emprise, continua-t-il. Ça va mal finir, sinon.

Je me pris la tête entre les mains en m'accoudant à la table.

— J'ai toujours su que j'étais con, mais pas à ce point-là, franchement. Comment j'ai pu me faire avoir et descendre si bas ?

— N'importe qui aurait pu tomber dans son piège.

— Je ne crois pas, lui rétorquai-je en le regardant entre mes doigts. Pas toi, en tout cas.

— Mais si, on peut tous se faire avoir par de la poudre aux yeux. Et lui, dès notre premier rendez-vous, il a bloqué sur toi, je l'ai senti. Il n'écoutait que toi, il n'arrêtait pas de t'observer. J'ai toujours su que c'était un homme d'une extrême intelligence. C'est un prédateur, et il a trouvé ta faille.

Luc me scotchait par sa générosité à mon égard, sa compréhension et, en plus, il ne portait aucun jugement sur moi. Comment avais-je pu oublier l'homme droit qu'il était ?

— Bon, pour commencer, va bosser, Yanis.

— Tu as raison. Je ne dois pas changer mes habitudes. On ne sait jamais où il est.

— Tu vis à la garçonnière ?

— Oui.

— Je viens te voir ce soir, après le boulot.

— Merci… Sois discret quand tu arrives, il me surveille.

Il hocha la tête, affligé. Puis il paya les cafés et on sortit.

— Luc, avant de te laisser, j'ai quelque chose à te demander.

Il arqua un sourcil.

— Tu veux revenir bosser avec moi ?

— Non !

— Ça au moins, c'est un cri du cœur !

Il éclata de rire. Je le suivis, ça me fit du bien de retrouver un semblant de notre ancienne complicité. Je désignai ses bureaux.

— Ta recrue a une bonne tête de vainqueur, dis-moi !

— Ne m'en parle pas, il m'épuise !

— Plus que moi ?

— Impossible ! Au moins, lui, il ne bosse pas pieds nus ! Sérieusement, que veux-tu me demander ?

— J'irais bien voir Charlotte, mais j'ai peur de me prendre un coup de griffes.

Il eut un sourire amusé.

— C'était prévu, Yanis, je lui téléphone immédiatement pour lui dire d'essayer de joindre Véra. File, et attention à toi, jusqu'à ce soir.

En arrivant chez nous après avoir récupéré les enfants à la garderie, je fus accueilli par une Véra souriante, elle retrouvait de plus en plus ses couleurs et avait quitté ses tenues de convalescence, ressortant une de ses robes qui la mettaient si bien en valeur. Comme la veille, et le matin même, je restai en retrait.

— Tu entres un peu ? me proposa-t-elle.

Ce n'était pas raisonnable, pourtant, je craquai et décidai d'oublier le vautour qui rôdait au-dessus de nous, ne serait-ce que quelques minutes. Surtout que je ne les verrais pas durant deux jours, à cause du week-end. Elle me précéda dans le séjour, les enfants avaient disparu dans leur chambre, je les entendais se chamailler gentiment. Je me sentis assez idiot, debout au milieu du séjour, de mon séjour, à la regarder avec des yeux de merlan frit. C'était étrange, j'avais presque l'impression d'être un ado à son premier rencard. Ne sachant quoi faire de mes mains, je finis par les enfouir au fond de mes poches et me balançai d'avant en arrière sur mes pieds. Je crus voir l'ombre d'un sourire moqueur chez Véra pendant qu'elle s'asseyait sur le canapé.

— Si je t'ai proposé de rester un peu, ce n'est pas pour que tu restes debout. Assieds-toi ou sers-toi quelque chose. Il y a même des bières au frais.

Je ris légèrement en passant la main dans mes cheveux puis je filai vers le frigo.

— Je ne t'en propose pas une, si tu es sous antibios ?

— Yanis, les antibios m'ont-ils déjà empêchée de boire une bière, un vendredi soir à presque 19 heures ?

Je lui jetai un coup d'œil par-dessus mon épaule, elle se leva et vint me rejoindre à la cuisine, où elle grimpa sur un tabouret. Je la servis avant de m'asseoir en face d'elle.

— Comment te sens-tu ? lui demandai-je.

— Beaucoup mieux, je commence à m'ennuyer, enfermée ici. Je pense essayer de sortir un peu avec les enfants dimanche.

— Si tu as besoin de quelque chose…

— Je te dirai.

Le silence se glissa doucement entre nous, c'était loin d'être désagréable, bien au contraire, on s'observait, on se détaillait, on se réapprivoisait. Ça me rappelait le soir de notre rencontre. Elle avala une petite gorgée, puis elle me lança un regard à travers ses cils.

— Devine qui m'a appelée aujourd'hui ?

— Aucune idée.

— Charlotte.

— C'est vrai ?

Je faisais l'innocent, alors qu'au fond de moi c'était la fête. Enfin, elle n'était plus seule.

— Et alors ?

— On a été assez calmes l'une comme l'autre, je ne me suis ni braquée ni énervée après elle. De son côté, elle n'a pas cherché à me faire la leçon. On s'est plutôt accordées sur le fait que les torts étaient partagés. Et j'ai reconnu qu'à sa place j'aurais réagi pareil qu'elle.

— À propos de quoi ?

— Elle aime Luc, c'est normal qu'elle le défende, comme moi quand je t'ai défendu auprès d'eux.

Son regard s'illumina d'une étincelle de malice, comme avant. Je n'avais qu'une envie ; la prendre dans mes bras, la soulever et la faire tourner autour de moi, et elle s'accrocherait à mon cou… On n'en était pas encore là.

— Tu es contente ?

— Je crois bien… elle me manquait…

— C'est une bonne nouvelle.

Elle s'accouda au comptoir et posa le visage sur mes mains en plongeant ses yeux dans les miens.

— C'est à toi que je le dois ? J'en suis certaine.

Je haussai les épaules. Ça me trahit.

— Luc va bien ?

— Il a l'air.

Elle sourit franchement, je la sentais un peu heureuse. Pourtant, son regard s'attrista.

— Tu sais, depuis que je suis en arrêt maladie, j'ai le temps de penser. Et je n'arrête pas de me demander comment on a pu en arriver là ? Perdre Luc et Charlotte, que tu perdes les pédales avec ton boulot, alors que malgré tout je reste convaincue que tu pouvais réussir. Je ne comprends pas comment on a pu se séparer toi et moi. *Nous*, Yanis ? C'est comme si cette décision, ce n'était pas moi qui l'avais prise… Je repense à tous ces mots que je t'ai balancés, je t'ai accusé de choses monstrueuses, j'ai même cru que tu me trompais…

Ça, c'était la meilleure ! Comment avait-elle pu imaginer un truc pareil ?

— Quoi ?

— Tout m'est passé par la tête, Yanis. Parfois, quand je repense à cet été, et aux semaines qui ont suivi, j'ai l'impression qu'on n'était plus nous-mêmes, toi comme moi, et que c'est ce qui nous a conduits jusqu'ici. Et pourtant, là, quand je te regarde, c'est bien toi, celui que j'ai toujours connu, peut-être un peu plus sage, mais c'est toi.

Elle sourit légèrement avant de poursuivre :

— Tu crois qu'un jour tout ça sera derrière nous ? Qu'on s'en sortira ?

Je sautai de mon tabouret pour m'approcher d'elle, elle leva son visage vers moi. Sans réfléchir, je repoussai sa mèche de cheveux et caressai son front, elle ferma brièvement les yeux en souriant.

— Je me bats pour ça, Véra, chuchotai-je. Je n'ai pas encore trouvé de solution, mais je te jure que je vais nous débarrasser de…

— Ne dis rien de plus, je te fais confiance, c'est tout ce qui compte.

En rivant son regard au mien, elle appuya sa joue au creux de ma main. Je me penchai vers elle et effleurai sa bouche. Elle répondit à mon esquisse de baiser en posant délicatement, presque timidement, ses lèvres sur les miennes. Mes mains passèrent dans son dos pour la coller contre moi, la sentir, et toucher sa peau me fit oublier tout le reste, les soucis, les dettes, le diable qui nous menaçait. Et je cédai à mon envie contenue depuis des semaines, ce désir contenu avant même qu'elle ne découvre mes erreurs, ne me sentant plus digne de l'approcher à l'époque. Ce soir, je m'autorisai à l'embrasser avec toute la rage qui m'animait, je l'embrassai encore plus fort qu'avant parce qu'elle devait sentir à quel point je l'aimais, je l'embrassai pour lui dire qu'elle

338

me manquait atrocement, je l'embrassai pour lui dire que j'allais me battre. Elle se cramponna à moi, passa ses mains dans mes cheveux, se colla de plus en plus fort contre mon corps. Ce baiser me donna le tournis, le vertige. Je crois qu'on ne s'était jamais embrassés de cette façon. Puis elle arracha sa bouche de la mienne. Elle laissa son visage contre le mien, j'ouvris les yeux et découvris deux grosses larmes sur ses joues. Je les essuyai et frottai mon nez contre le sien.

— Ne te méprends pas, murmura-t-elle. Tout va bien, très bien, même.

Elle posa sa tête contre mon torse, et je mis ma main sur ses cheveux en la serrant encore quelques secondes. Par mesure de sécurité, il fallait que je m'en aille, c'était pourtant la dernière chose que je souhaitais.

— Je vais vous laisser, on va prendre notre temps, ça peut être drôle.

— Si tu veux, me répondit-elle, un petit rire dans la voix.

Elle se détacha de moi et appela les enfants sans me lâcher du regard.

— Papa s'en va, venez lui dire au revoir.

Ils déboulèrent comme des boulets de canon, j'eus tout juste le temps de m'accroupir pour les réceptionner.

— On te voit demain ? chercha à savoir Ernest. Je veux qu'on fasse un circuit.

— Euh… non, je ne pense pas, je…

— Bientôt, papa pourra jouer avec vous, nous interrompit Véra.

— C'est vrai ? demanda Joachim, la voix pleine d'espoir. Il sera là pour Noël ?

J'eus envie de remercier mon fils pour son approbation.

— J'espère, lui répondit-elle.

Je fis ma tournée de bisous et me relevai, plus déterminé que jamais à nous débarrasser de Tristan. Véra me raccompagna jusqu'à la porte d'entrée, sa main frôla la mienne, je serrai un bref instant ses doigts. Arrivé sur le palier, la trouille qu'il lui arrive quelque chose me saisit de nouveau, plus imposante que jamais.

— Véra… fais vraiment attention à toi.

Elle sourit.

— Vu le programme de la soirée, je ne risque pas grand-chose.

— Tu vas faire quoi ?

— Manger des pâtes avec les enfants et aller me coucher en même temps qu'eux.

— Ça devrait aller. Je file.

— D'accord.

Elle recula à l'intérieur de l'appartement et ferma la porte, un grand sourire aux lèvres. Malgré la joie ressentie, je me forçai à adopter une mine sombre en quittant l'immeuble. Durant le trajet pour rejoindre la garçonnière, je n'eus pas l'impression d'être suivi. Il fallait croire que j'avais la tête un peu ailleurs, car lorsque je descendis de la moto, arrivé à destination, la voiture de Tristan passa à côté de moi. Au moins, il me savait loin d'elle et des enfants, et Véra serait au lit d'ici une heure. Je pouvais être tranquille et attendre Luc sans trop m'inquiéter.

Vers 21 heures, on frappa à la porte de la garçonnière. En ouvrant, je découvris Luc, accompagné de Charlotte, qui nous bouscula tous les deux sans ménagement pour entrer. Luc leva les yeux au ciel et me tendit une bouteille de whisky accompagné d'un « Pour quand elle sera partie », murmuré. Je ricanai tout en me promettant d'être raisonnable, forcément Luc ne pouvait pas savoir que j'avais plus qu'abusé de la bouteille au plus fort de la crise. Puis je m'approchai de Charlotte qui faisait le tour des lieux.

— Bon, ça va, ça pue la piaule du mec largué ! déclara-t-elle.

Elle me fit face en mettant les mains sur les hanches.

— Tu n'as pas dû y aller avec le dos de la cuillère pour qu'elle te plaque ! En revanche, qu'elle ait cru que tu avais une maîtresse… Chapeau !

— Elle t'a dit ça ?

— Je parle, Yanis ! Le connard doit être vraiment doué en lavage de cerveau.

Elle fit les quelques pas qui nous séparaient et me scruta des pieds à la tête.

— En tout cas, les emmerdes te vont bien, dis-moi. Je ne sais pas, ça te donne une touche sexy, torturée, qui te rend encore plus beau.

— Charlotte ! gronda Luc.

— Eh, ça va, le p'tit vieux !

Elle me fit un clin d'œil, puis s'adressa à moi sur le ton de la confidence :

— Si tu savais comme il est possessif, j'adore !

J'éclatai de rire. À ma grande surprise, Charlotte me prit dans ses bras.

— On va vous sortir de là, Yanis. Si on avait su, jamais on ne se serait effacés. On pensait bien faire, tu sais… Quand je pense à ma sauterelle, ça me rend malade.

Mon moral s'effondra de nouveau.

— Tout est ma faute, lui crachai-je en m'éloignant d'elle.

Je fouillai sur mon bureau et récupérai mon paquet de clopes. J'en allumai une. Lorsque je leur fis de nouveau face, je les vis secouer la tête tous les deux, assez amusés, un vrai tandem.

— Bah oui, j'ai replongé.

— On s'en fout, déclara Charlotte. Mais Yanis, te flageller n'arrangera pas tes affaires. S'il y a un dingue dans l'histoire, on sait qui c'est. Bon, je vous laisse bosser entre mecs.

Je fronçai les sourcils en regardant Luc. Pourquoi bosser ?

— Je vais t'expliquer.

Charlotte s'approcha de nouveau de moi, et m'embrassa chaleureusement.

— Je voulais voir quelle gueule tu avais. C'est moins pire que ce que j'imaginais.

Elle me pinça la joue, je lui souris.

— Tu as vieilli, Yanis. Il te fallait peut-être en passer par là… Tu es plus dur, ça se voit. Je vais faire en sorte que Véra prenne l'air ce week-end, visite surprise demain. Et puis vos mioches me manquent trop.

— Merci, Charlotte, j'espère que tu me pardonneras un jour.

— Boucle-la, Yanis.

— OK, lui répondis-je en mettant mes mains devant moi pour me protéger d'une attaque.

Telle une diva, elle tourna les talons, lança un clin d'œil séducteur à Luc et ne put s'empêcher de lui caresser le torse en un geste suggestif. Elle quitta la garçonnière en claquant la porte.

— Elle ne s'est pas calmée, fis-je remarquer à mon beau-frère.

— Elle est incalmable, me rétorqua-t-il, visiblement très fier de lui. Et c'est très bien comme ça.

Incroyable, Luc aimait Charlotte. J'étais heureux pour eux, même si ça me semblait complètement hallucinant. Je ne voulais pas savoir depuis quand il se passait quelque chose entre eux, le principal était qu'ils se soient bien trouvés, je dirais enfin trouvés, aussi fou que ça puisse paraître.

— Bon, Yanis, on boit un verre et j'attaque.

— Tu attaques quoi ?

— Sors-moi tout le dossier du concept store, les factures, les devis. Ensuite, prépare-moi tout ce que tu as sur tes comptes, les relevés, les autorisations de prélèvement, bref, tout ce qui concerne la banque.

— Pourquoi ?

— Avant de réfléchir à une solution pour vous débarrasser de Tristan, j'ai besoin de savoir où tu en es niveau boulot et argent. Rassure-moi, il ne t'a pris aucun papier ?

— Non, pas que je sache. Il surveille tout, il vient chercher les chèques quand je me fais payer les honoraires, mais mon bureau est ici, pas chez lui. En revanche, tu me connais, je ne suis pas le champion du classement des papiers. J'ai commencé à remettre de l'ordre, mais je ne te garantis pas de tout retrouver.

Il éclata de rire. Direction le bar.

16

Yanis & Véra

Véra

À 21 heures, j'étais sur le lit de Violette, un livre à la main, entourée de mes trois enfants ; un garçon de chaque côté, ma fille sur les genoux, dont les cheveux entravaient ma lecture par moments. Ils avaient rarement été aussi calmes, aussi sages que ce soir, en comparaison des dernières semaines, aucun ne bronchait, ne cherchait à faire d'histoires ni à taquiner son frère ou sa sœur. Il fallait reconnaître que moi aussi j'étais plus apaisée, indéniablement je me sentais plus légère et surtout plus confiante en l'avenir.

— Maman… m'interrompit Violette.

— Oui.

— C'est bien quand papa est là.

— C'est vrai, confirma Ernest.

Je me tournai vers Joachim, son regard de nouveau doux parlait de lui-même, il retrouvait son père, et il redevenait le petit garçon qu'il avait toujours été et qui me manquait tant ces derniers temps. Il abandonna son visage contre mon bras.

— Je suis d'accord, mes trésors.

— Il nous manque.

— À moi aussi.

Ernest bâilla, je souris.

— Tout le monde au lit !

— Toi aussi ? me demanda Joachim.

— Moi aussi.

Je pris le temps de leur faire un câlin à chacun, profitant de ces instants de paix, je voulais faire durer le plaisir. Lorsque toutes les lumières furent éteintes, je regagnai le séjour. Ma tisane m'attendait. Je me pelotonnai sur le canapé pour la boire, en pensant à Yanis. Nos problèmes étaient loin d'être réglés, encore moins derrière nous, je me sentais pourtant heureuse pour la première fois depuis longtemps. Jamais je n'aurais cru ça possible, je retombais amoureuse de mon mari, avec des papillons dans le ventre, le cœur qui s'affole, le sourire incontrôlable. Si ce matin, en m'habillant, j'avais enfilé une robe et de la jolie lingerie, c'était pour lui, pour le moment où il ramènerait les enfants de l'école. J'aurais dû lui dire de rester avec nous, avec moi, ce soir, cette nuit. Je le redécouvrais depuis quelques jours, il revenait à lui, tout comme moi d'ailleurs. Nous avions été atteints par un mal vicieux, qui s'était insinué en nous et nous avait peu à peu séparés, mais aujourd'hui nous arrivions à le combattre. Il avait fallu que je tombe malade pour entamer le chemin de la guérison. Mon corps avait fini par cracher ce poison, ce mal qui *me* rongeait, qui *nous* rongeait, qui nous séparait.

Nous allions nous reconstruire, peu importaient les dettes, nous trouverions une solution. Yanis n'arrêtait pas de répéter qu'il allait se battre. Désormais, il ne bataillerait plus seul. Je me demandais en permanence pourquoi je l'avais laissé couler au pic de la crise, pourquoi je n'avais rien dit ; ce n'était pas moi, ça ne me ressemblait pas. Je ne reniais pas ma colère, elle était légitime, mais c'était ma réaction démesurée et radicale que je ne comprenais pas. Pourquoi lui avais-je fermé toutes les portes, l'empêchant toujours de m'expliquer ce qui s'était passé ? Pourquoi ne le croyais-je pas avant quand il me criait qu'il travaillait ? Ce qui comptait aujourd'hui, c'était que nous réussissions à nous parler de nouveau et que notre amour, loin d'être éteint, sorte grandi de cette épreuve. Et grâce à son travail acharné, tout en continuant à nous serrer la ceinture, nous rembourserions nos dettes, et nous le ferions ensemble.

Après avoir rangé ma tasse dans l'évier, portable en main, je pris le chemin de notre chambre. Au milieu de l'escalier, je m'arrêtai pour lui écrire un SMS : « Je vais me coucher, je pense à toi avec notre musique dans la tête, je t'embrasse. » Il ne fallut que le temps de mon ascension pour que Yanis me réponde : « Fais de beaux rêves, la musique n'a jamais arrêté de tourner dans ma tête, je t'embrasse comme tout à l'heure. » Je souris et, malgré ma fatigue, j'eus envie de danser avec lui. Bientôt. Je n'eus pas le temps de commencer à me démaquiller qu'un appel se fit entendre. Immédiatement, je pensai à Yanis, et à lui dire de venir, maintenant, de rentrer à la maison, de dormir avec moi cette nuit et toutes les suivantes. Aussi quelle ne fut pas ma déception en découvrant le prénom de Tristan. Par réflexe, je décrochai.

— Bonsoir, Tristan, dis-je d'une voix blanche.

— Bonsoir, Véra, ça n'a pas l'air d'aller ?

— Si, si, tout va très bien. Et toi ?

— Je suis en bas, je venais prendre de tes nouvelles.

Je n'avais aucune envie de le voir. Je voulais de l'air. Hier soir, j'avais déjà refusé qu'il passe, prétextant être couchée. Je ne pouvais pas recommencer, je risquais de le vexer. Pourtant, j'avais juste envie de me glisser bien au chaud sous la couette, de serrer l'oreiller de Yanis dans mes bras, en pensant que la nuit prochaine il serait avec moi.

— Les enfants dorment ? Je peux monter ?

— Bien sûr pour les deux.

Je raccrochai en soupirant, puis descendis pour lui ouvrir.

Yanis

Je devais avoir l'air totalement niais à fixer l'écran de mon téléphone, je relisais pour la millième fois le SMS de Véra, en l'imaginant endormie, roulée en boule sous notre couette.

— Yanis ! me rappela à l'ordre Luc. C'est très mignon, ça me remplit de bonheur de voir que vous vous rabibochez avec Véra, même si j'avais peu de doutes là-dessus. En attendant, je ne m'y retrouve pas dans ton merdier ! Trouve-moi les dernières factures et le bon de livraison de chantier.

— OK ! OK ! Tu as raison !

Il était assis à mon bureau face à une montagne de dossiers. Je le ravitaillai en whisky, ce qui n'était pas sans péril, son verre étant en équilibre sur une des piles de papiers qu'il classait les uns après les autres. Il était très appliqué, extrêmement sérieux, avec ce qu'avant j'aurais appelé sa mine des mauvais jours. Mais là, ça

347

me convenait. Je finis par exhumer ce qu'il me demandait et le lui tendis. Il cocha une nouvelle case sur la liste qu'il avait dressée de tous les postes de travail du concept store et sur laquelle il reportait chaque facture et chaque débit.

— Tu peux m'expliquer pourquoi tu fais ça ?

— C'est impératif de calculer de nouveau combien a coûté ce chantier !

— Tu veux une réponse, la voilà : beaucoup trop cher par ma faute. Je suis incapable de gérer un budget, tu me l'as toujours dit, c'est juste la preuve par A + B. C'est bon, maintenant, j'ai accepté que j'étais un crétin, pas la peine d'en remettre une couche.

— Tais-toi. Je dois me concentrer.

Il se leva de sa chaise pour aller fouiller dans la poche de son manteau, dont il ressortit une calculatrice. J'évitai de lui préciser que la mienne était très bien, et avec des piles comme neuves, vu le peu de fois que je l'utilisais. Il fit craquer ses doigts un à un, vida son verre d'un trait et replongea son nez dans la paperasse. En l'observant, j'avais l'impression d'avoir en face de moi un commando préparant un plan de bataille. Il fronçait régulièrement les sourcils en grognant. Son silence commençait à me faire flipper, il ne disait pas un mot. Je faisais les cent pas en grillant clope sur clope pour éviter de trop picoler. Lorsque j'avais le malheur de m'approcher de lui pour me pencher par-dessus son épaule, il levait la main en mode sergent-major pour stopper ma progression. Ce qui avait pour inévitable conséquence d'augmenter mon stress. Mais que cherchait-il, à la fin ? Après peut-être une heure et demie d'intense rumination, Luc finit par se lever de sa chaise en marmonnant. Il ouvrit la porte, histoire d'aérer un peu, enfin c'est ce que j'imaginai, jusqu'au moment où il sortit dans la cour pour y marcher de long en large pendant plus de cinq minutes. Je mourais d'envie de lui gueuler dessus… mais réveiller l'immeuble avec mes beuglements aurait été du plus mauvais effet. Il finit par revenir vers moi et rentrer.

— Bon sang ! Mais qu'est-ce qui se passe ? lui demandai-je, rongé par l'inquiétude.

Il me regarda, très sérieux, pourtant j'avais l'impression qu'il ne me voyait pas.

— C'est impossible.

— Bordel ! Qu'est-ce qui est impossible ? Parle-moi, je vais tourner dingue.

— Attends, laisse-moi revérifier une dernière fois. Je ne veux pas faire une boulette.

— Mais de quoi tu parles ? insistai-je en commençant à m'arracher les cheveux.

À ce rythme-là, j'allais finir chauve.

— Encore un peu de patience, Yanis. Je sais que c'est pénible, mais…

Il me contourna, se servit un nouveau verre, et reprit sa place au bureau. Et moi, j'allumai une nouvelle cigarette en recommençant à faire les cent pas. Je devais me retenir d'appeler Véra, j'avais envie d'entendre sa voix, de lui raconter qu'il était peut-être en train de se passer un truc, que son frère était de retour dans notre vie. Mais elle devait déjà dormir depuis un moment, je voulais qu'elle se repose. Nous n'étions plus à quelques heures près.

— Yanis, m'appela soudain Luc.

Je me tournai vers lui. À son visage, je sus que c'était grave.

— Assieds-toi, me dit-il. Et bois un coup. Ce que j'ai à t'expliquer est loin d'être facile.

Sans réfléchir, je lui obéis et m'écroulai sur le canapé.

Véra

Je fixai Tristan, debout, verre à la main, il regardait la nuit par la fenêtre. Après s'être enquis de ma santé, il s'était tu. Il émanait de lui quelque chose d'inhabituel, de déstabilisant. Il me rappelait le Tristan de l'époque de notre rencontre, en plus mystérieux, plus sombre encore. Dernièrement, je lui avais pourtant trouvé meilleure mine. Ce soir, c'était tout le contraire, il était cadavérique. Cependant, je ne le sentais pas hésitant, loin de là, il ne m'avait jamais semblé aussi puissant. À côté de lui, je me sentais minuscule, presque insignifiante. Sans doute cela venait-il du fait qu'il m'avait vue dans un bien sale état et qu'il ne s'était pas gêné pour pointer ma faiblesse. À travers le reflet de la vitre, je remarquai qu'il m'observait.

— Yanis s'occupe-t-il correctement des enfants pour l'école ? me demanda-t-il sans se retourner.

L'intonation de sa voix me glaça le sang, sans que je comprenne pourquoi. Penser à Yanis et à ses retrouvailles avec les enfants me fit du bien, j'esquissai un sourire.

— Oui, à merveille, je dirais même comme avant. C'est encourageant.

— Ah…

Je ressentais le besoin de le défendre, pourtant, mon esprit me dictait de faire attention à la teneur de mes paroles. Pourquoi cette méfiance subite ? Pourquoi ce froid qui me parcourait les os ?

— Il m'a parlé de son travail, il avance, continuai-je, prudemment. Tu l'as vu dernièrement ?

— Il y a quelques jours.

J'avais l'impression de marcher sur des œufs.

— Comment l'as-tu trouvé ?

— Nous avons eu un petit différend sur l'avenir.

— Et c'est grave ?

Il soupira de lassitude.

— Yanis était très énervé, incontrôlable, même.

Vu l'état de son poing, je n'étais pas surprise. Pourtant, Tristan venait de parler d'avenir, il ne pouvait être question que du travail et de l'argent. Et pas une conséquence de mes paroles malheureuses au sujet d'une pseudo-compétition entre eux.

— Il a du mal avec les conseils, poursuivit-il. J'ai réussi à le calmer et à lui faire entendre mon point de vue. J'espère qu'il tiendra…

Il était donc bien question des affaires. Pourtant le malaise continuait d'enfler en moi. Tristan finit son verre et l'abandonna sur l'îlot, sans faire de bruit, comme toujours. Puis, après avoir desserré sa cravate, il revint lentement vers moi. Son regard était noir, j'y lus une lueur malfaisante. J'eus soudain l'impression de remonter le fil de l'histoire en accéléré, je revécus tous les événements des derniers mois ; l'irruption de Tristan dans la vie de Yanis, puis la mienne, le malaise de Yanis au travail, l'engueulade avec Luc, puis avec Charlotte, notre isolement progressif, les vacances où nous avions été séparés, Yanis et moi, mes doutes sur mon mari, son effondrement à lui, les portes que je lui avais fermées, Yanis dérouté, perdu, ne comprenant pas ce qui lui arrivait, ma dépendance grandissante, mon incapacité à prendre des décisions seule. À chaque souvenir douloureux, un dénominateur commun : Tristan. Les mises en garde de Yanis me revinrent en mémoire ; ces derniers jours, il n'arrêtait pas de me dire de faire attention à moi, de me méfier, sans pour autant me dévoiler la nature de la menace que lui connaissait. J'avais saisi qu'il parlait de Tristan, mais je n'y avais vu que la possessivité légendaire de mon mari. Je n'en étais plus si sûre. Cela n'allait-il pas plus loin ? Et si Yanis, piégé pour une raison que j'ignorais, essayait d'une façon ou d'une autre de me faire passer le message de tenir Tristan à distance pour nous protéger ? Et moi, comme la dernière des idiotes, je l'avais laissé entrer chez nous, alors que Yanis me pensait endormie, sagement barricadée, et que j'avais laissé mon téléphone sur notre lit. La peur se distilla dans mon corps tout entier, j'eus subitement, violemment, envie d'aller chercher les enfants pour fuir, loin d'ici, loin de lui. Étais-je en train de devenir folle ?

Tristan arriva près de moi, son rictus infernal aux lèvres m'inquiéta pour la première fois, il s'assit sur la table basse en face de moi, ses genoux frôlant les miens.

— Véra, fais attention à toi et aux enfants.

Je déglutis, pour tenter de faire passer la boule qui enflait dans ma gorge.

— Souviens-toi que Yanis nous a déjà manipulés tous les deux, il n'y a pas si longtemps, tout en nous regardant droit dans les yeux pour nous assurer que tout se passait bien pour lui.

Il avait raison, je n'avais aucun argument pour le contredire.

— Que cherches-tu à me faire comprendre ? lui demandai-je d'une voix tremblante.

— J'ai bien peur qu'il ne continue à se saborder et qu'il n'essaie de t'entraîner dans sa chute. Ne te fais pas absorber par sa folie, ne lui ouvre pas la moindre porte, ce serait trop dangereux pour toi et les enfants.

Je secouai la tête de droite à gauche, refusant d'accepter ce qu'il me disait.

— Je suis navré de t'infliger ça, Véra. J'en suis le premier affecté. Mais Yanis n'est plus l'homme que tu as connu ni celui que j'ai rencontré au printemps dernier. Je ne t'ai jamais menti, je t'ai toujours dit la vérité, c'est encore une fois ce que je fais.

J'étais fatiguée de tout ça. Tous ces mots, toutes ces paroles, tous ces retournements m'ébranlaient, je ne savais plus où j'en étais. Qui manipulait qui, à la fin ? Je voulais que ça s'arrête. Je fermai les yeux, des larmes roulèrent sur mes joues.

Yanis

J'avais peur de ce qu'allait m'apprendre Luc. Était-ce la fin de tout ? N'avais-je vraiment aucune solution pour échapper à Tristan ? J'aurais donné n'importe quoi pour que Véra soit à mes côtés, elle m'aurait apaisé. Il finit par s'asseoir en face de moi, il passa une main lasse dans ses cheveux, et me lança un regard fatigué.

— Yanis… tu as réussi…

— Hein ?

— Tu as réussi.

— Ça veut dire quoi ?

Un énorme sourire se dessina sur ses lèvres jusqu'à ses oreilles, c'était plus que rare de voir Luc si expressif.

— Le concept store, tu étais dans les clous.

L'information mit de longues secondes à monter jusqu'à mon cerveau.

— Attends, attends, bafouillai-je. C'est impossible.

— Si, je t'assure, j'ai tout recompté une dizaine de fois. Alors oui, tu as un peu dépassé le budget, mais rien de bien alarmant au vu de l'ampleur du chantier. Ce sont d'ailleurs des frais que tes clients auraient pu absorber sans souci, ni pour toi ni pour eux. N'aie pas peur d'annoncer un surplus, tout le monde y a droit, tu devrais le savoir, pourtant ! Enfin, la prochaine fois, réclame l'argent, surtout pour si peu.

Je rêvais ou il était en train de me faire une leçon pour que j'apprenne à réclamer de l'argent à mes clients, comme si j'étais un professionnel lambda ?

— Tu te moques de moi ! Comment veux-tu qu'il y ait une prochaine fois ? Je suis endetté, Luc. Grillé !

Je bondis de ma place et arpentai la pièce de long en large.

— J'ai creusé mon lit de mort avec le concept store, et là, tu me dis que j'ai réussi à respecter le budget. Tu deviens aussi dingue que moi !

Je me plantai en face de lui, il arborait toujours ce même sourire de fou furieux. Le whisky lui cramait les neurones !

— Non, Yanis. Je te jure, je ne m'amuserais pas à te dire ça si ce n'était pas la vérité. Avant de t'annoncer le reste, je voulais que tu saches que tu avais remporté ton pari. C'est toi qui avais raison depuis le début. Tu es capable, même plus que ça, tu es sacrément doué. Je suis bluffé, Yanis, vraiment… J'ai épluché les devis, les factures, tu as réussi à tirer sur les prix pour retomber sur tes pattes chaque fois.

354

Le truc qui t'a mis un peu dedans, c'est ton foutu palmier qui va crever dans trois mois.

Il éclata de rire, un rire nerveux, presque hystérique, que j'aurais adoré en d'autres circonstances. Je ne pouvais pas croire ce qu'il me disait ; je n'étais peut-être pas un raté, je n'avais peut-être pas cravaché comme un malade pour rien. Pourtant, j'étais toujours paumé. Impossible d'oublier les appels de la banque, le trou géant sur mon compte, les dettes qui ne faisaient que gonfler de jour en jour. Je n'avais pas rêvé. La descente aux Enfers, je la vivais depuis des mois.

— Mais il est passé où, ce foutu pognon ? gueulai-je.

Luc se calma aussitôt. Il se leva, nous servit une nouvelle rasade d'alcool et me lança mon paquet de clopes.

— Tu picoles plus que moi, dis donc ! remarquai-je.

— Crois-moi, on en a besoin.

Il entrechoqua son verre avec le mien.

— À la tienne, Yanis. À ta réussite !

Ce fut plus fort que moi, je lâchai enfin un sourire. Un vrai.

— Bon, maintenant, passons au reste.

— Je t'écoute.

— J'ai une question à te poser. Tu n'as ouvert qu'un compte pour ta société ?

— Bah oui, je n'avais pas besoin de plus.

— Très bien. J'imagine que Tristan a procuration dessus ?

— Je pouvais difficilement faire autrement, il s'est porté caution pour moi. Quel est le rapport ?

— Eh bien, il en a usé et abusé. Tout simplement.

Je déglutis, effaré.

— C'est-à-dire ?

— Tu as eu le premier versement de tes clients mi-juillet, les factures commençaient logiquement déjà à tomber. À partir de là, l'argent s'est mis à entrer et sortir de ton compte sans que tu surveilles, j'imagine.

— Pas plus que ça, en effet. Ça se saurait si j'étais bon gestionnaire.

— Tristan ne t'a pas dit de prendre de comptable ?

— Je lui en avais parlé au début, en lui expliquant que je ne me sentais pas capable de le faire.

— Que t'a-t-il répondu ?

— Qu'il pensait tout le contraire, il t'a accusé d'avoir démoli toute ma confiance en moi. Je l'ai cru, pardon…

Il balaya mes excuses d'un revers de la main et m'encouragea à poursuivre.

— Il m'a conseillé d'attendre pour éviter que ça pompe trop dans mes honoraires, en m'assurant qu'il m'en trouverait un pour les clôtures de comptes de fin d'année.

— Il a utilisé ta faille, Yanis. Je pense qu'il a très vite compris que tu réussirais, et ça ne collait pas avec ses plans. Alors, comme il avait saisi que tu n'étais pas très organisé, que tu n'étais pas du genre à pointer les sommes payées aux artisans sur tes relevés de compte, il a attendu que les premières factures te tombent dessus, tu t'es mis à faire des chèques à droite à gauche, petit montant, gros montant, comme pour chaque chantier. Et au milieu, grâce à la procuration, sans que tu remarques rien de particulier, vu que tu t'embourbais de plus en plus, il prenait de l'argent régulièrement par virement et par chèque aussi. Il doit être faussaire en plus du reste. C'est lui qui t'a plombé, qui t'a ruiné.

Les bras m'en tombaient ; en plus du reste, Tristan était un fieffé escroc.

— L'enfoiré.

— Comme tu dis. En revanche, et c'est la mauvaise nouvelle : impossible de remonter jusqu'à lui, je n'ai aucune preuve, ce n'est qu'une supposition. Ça pourrait se retourner contre toi et qu'on te taxe de détournement de fonds.

— Je ne ferai jamais le poids face à lui. Il trouvera toujours le moyen de rejeter la faute sur moi, il a dû tout prévoir. À moins de réussir à rembourser mes dettes et de ne plus dépendre de lui auprès de la banque.

Il m'avait volé ma réussite, en plus de vouloir me voler ma vie. Comment stopper cette machine infernale et mettre Véra et les enfants en sécurité ?

Véra

Je pleurais toujours, en silence, les yeux clos. Dans le séjour, on n'entendait que le bruit de ma respiration et de celle de Tristan, il n'avait pas bougé de place. Même les sons de la rue ne me parvenaient plus aux oreilles. J'étais lasse de tout ; au fond de moi, je savais que c'était à Yanis que je devais faire confiance, à lui et à personne d'autre. Pourtant, l'intelligence et la constance de Tristan me troublaient, surtout quand je repensais à l'aide qu'il lui avait apportée, à celle qu'il m'avait offerte. Son arrivée dans notre vie avait beau coïncider avec le début de nos problèmes, il avait réussi à se rendre indispensable. Tout cela ne pouvait être totalement faux. Une phrase de Yanis à l'époque où je doutais des intentions de Tristan à notre

357

égard me revint en mémoire : « ça existe encore, des gens gentils ». J'avais concédé du bout des lèvres que oui, certainement. Quel intérêt aurait-il eu à nous faire du mal ? Je sentis la main de Tristan sur mon front, il repoussa ma mèche de cheveux, comme Yanis l'aurait fait. Je papillonnai des paupières, je distinguai son visage entre mes larmes, ses yeux toujours aussi noirs me fixaient. Il laissa sa main froide sur ma joue.

— Je veux que ça s'arrête, Tristan. Je veux retrouver ma vie.

— Je peux le faire, Véra. Je peux te la rendre, cette vie.

— Comment ?

Une lueur de victoire éclaira son regard. Puis il se pencha vers moi, je me sentis écrasée par sa stature. Je sus à l'instant ce qu'il allait faire, sans le comprendre, sans pouvoir réagir. Il posa ses lèvres sur les miennes, il recommença plusieurs fois sans que je bouge, sans que je lui rende ce qu'il me faisait, sans que je le repousse. Son contact me paralysait, me terrifiait. Il se releva, en me saisissant par la taille, il me fit glisser sur le canapé, et son poids m'emprisonna. Je me sentais comme une poupée de chiffons. Ses lèvres retrouvèrent les miennes, plus durement, sa langue se fraya un passage dans ma bouche. Son intrusion dans mon corps me coupa la respiration. Ce que je me refusais à considérer comme un baiser me parut sournois, vicieux. Rien à voir avec celui de Yanis, quelques heures plus tôt, vrai, franc, chargé de rage et d'amour. Ce souvenir me fit tressaillir de honte et de dégoût sous les assauts répugnants de Tristan. Impensable. Il interpréta ma réaction comme un encouragement, et redoubla d'ardeur. Ses mains conquérantes partirent à l'exploration de mon corps, il releva ma robe, sans cesser d'investir ma bouche, puis il m'empoigna fermement la cuisse, et chercha à retirer mon boxer en dentelles, en m'écrasant davantage. Son érection me révolta. Je réussis à reculer mon visage et à arracher enfin mes lèvres des siennes, sales, abjectes.

— Arrête, Tristan, s'il te plaît.

Je retrouvai l'usage de mes mains et tentai de le repousser.

— Je fais ce que tu m'as demandé, me répondit-il, indifférent.

On s'affrontait du regard, sa froideur me tétanisa.

— Mais non ! répondis-je, affolée. Ce n'est pas ça, tu as mal compris. Pousse-toi, s'il te plaît.

— Tu veux retrouver ta vie d'avant, je te la rends, en mieux, m'assura-t-il, sûr de lui.

Ses lèvres s'abattirent de nouveau sur ma bouche, me privant de la possibilité de lui répondre, encore moins de me dégager. Ses mains, de plus en plus agressives, entravèrent mes bras, m'arrachant un gémissement de douleur. Lorsqu'il chercha à dégager mes seins de ma robe, je me tordis de rage.

— Lâche-moi ! criai-je.

Sa main s'abattit sur ma bouche, pour me faire taire.

— Pense aux enfants, Véra. Tu ne voudrais pas qu'ils nous trouvent dans cette position, si vite. Ménageons-les pour commencer.

J'ouvris grand les yeux, horrifiée par la situation.

— Après, tout ira bien, ils comprendront que je suis un père bien plus crédible que Yanis. Tu vas être sage, maintenant.

Je secouai la tête énergiquement en guise de refus. De nouvelles larmes roulèrent sur mes joues. Il libéra ma bouche pour que je puisse respirer.

— Tu ne seras jamais Yanis. Je ne t'aime pas, Tristan.

— Qui te parle d'amour ? Il n'a jamais été question de ça, je veux juste sa vie. Le reste suivra.

Mon corps se rebella encore davantage. Tristan attrapa mes mains, qu'il bloqua de part et d'autre de mon visage. Son abominable rictus me narguait, me provoquait. Tristan venait de se métamorphoser en monstre. Je ne le reconnaissais plus. En réalité, je découvrais son véritable visage, horrible, effrayant, qui ne m'inspirait que révulsion. La haine m'habitait tout entière. Son emprise était totale.

Yanis

J'écrasai ma énième cigarette de la soirée, il avait beau être tard, la fatigue n'avait pas de prise sur moi, ni sur Luc, semblait-il. Il me montra toutes les preuves de la manigance de Tristan ; j'avais sous les yeux la confirmation de ma réussite au concept store et le pourquoi des sorties d'argent non expliquées. La détermination de Tristan à me nuire, me démolir n'avait pas de limites. Pendant qu'il mettait tout en place, il nous avait flattés, cajolés, il nous avait accueillis les bras ouverts, il s'était occupé de nos enfants, il nous avait hébergés sous son toit. Il avait passé des vacances avec Véra, restant toujours à la bonne distance, ne faisant jamais un pas de travers, il avait prodigué ses conseils, il s'était débrouillé pour que nous ayons toujours l'impression de prendre nos décisions seuls. Il avait une telle maîtrise de lui... Il était le maître du jeu dont nous étions les pions, il avait tout orchestré dans les moindres détails, persuadé que son plan était sans faille.

Mais il y avait une chose qu'il ignorait, dont je ne lui avais jamais véritablement parlé. Chose assez étrange, d'ailleurs. Je renversai la tête en arrière pour reprendre mon souffle. Je respirai mieux, d'un coup.

— Il faut que je puisse rembourser les dettes qui ne sont pas les miennes. Sans ça, je ne serai jamais libre auprès de la banque.

Accablé, Luc alla s'écrouler sur le canapé tandis que j'arpentais la pièce, en me demandant pourquoi je n'y avais pas pensé plus tôt. Peut-être avais-je moi-même oublié cette ressource-là ? À force de me répéter que je n'avais rien, que j'étais ruiné, j'y avais cru. Dans mon esprit, ça n'avait jamais été à moi. À moins qu'inconsciemment je l'aie toujours considérée comme notre assurance vie. Si nous voulions vivre nos vieux jours ensemble, Véra et moi, il fallait dégainer. Et tout de suite. Luc, ne calculant certainement pas le revirement de situation, enchaîna :

— C'est une évidence. Mais comment peux-tu combler tout ça alors qu'il vient récupérer tous tes honoraires, d'après ce que tu me dis ? Et tu ne peux pas lui faire croire que tu ne travailles plus, il saura que tu mens.

La sensation de victoire enflait, mais je prenais sur moi pour conserver mon calme. J'allais l'abattre, le piéger à mon tour, récupérer ma vie.

— Oui, et de toute manière je ne vais pas raconter des craques à Véra et lui dire que je ne branle rien, répondis-je mécaniquement à Luc. Je retrouve enfin sa confiance, elle ne me pardonnera pas si elle croit que je n'avance pas, et elle aurait raison.

— Yanis, arrête de faire les cent pas, tu vas me rendre malade.

Je stoppai et me tournai vers lui. À ma tête, il comprit qu'il me restait une carte à jouer.

— Tu as une idée ?

— Ouais, répondis-je, fier de moi.

Sensation étrange, cette fierté, j'avais oublié ce que ça faisait.

— Mais dis-moi ! s'impatienta Luc.

J'inspirai profondément, ma décision était prise, même si je renonçais à une chose à laquelle nous tenions par-dessus tout, Véra et moi. Cette chose, c'était nous, cette chose, c'était l'héritage de mes parents.

— Je vends la garçonnière.

— Quoi ?

— J'aurais dû y penser plus tôt. Ou pas d'ailleurs, Tristan aurait trouvé le moyen de me prendre ça aussi. Avec l'argent, je rembourse mes dettes, je n'aurai plus besoin de caution, j'annule la procuration qu'il a sur mon compte et je repars de zéro. Ça semble tellement simple, d'un coup… presque trop.

— Yanis, tu viens de trouver *la* solution, c'est certain, mais il reste un problème.

— Lequel ?

— Le délai. Je ne dis pas que tu ne vas pas vendre rapidement la garçonnière, un bien comme ça, ça ne court pas les rues. Mais tu ne toucheras l'argent de la vente que dans quelques mois. Comment vas-tu faire en attendant ?

Véra

Il était toujours sur moi, faisant peser le poids de son corps sur le mien, broyant mes poignets. Son visage se

362

baissa, je me préparai à subir une nouvelle attaque. Je luttai en vain pour me défaire de son emprise.

— Tu ne m'auras jamais, crachai-je à voix basse. Je ne serai jamais à toi, les enfants non plus.

Je me débattis de plus belle. Il m'emprisonna encore davantage, le contact de son corps, de son désir malsain me souillait. Il réinvestit ma bouche avec violence. Mon corps avait de plus en plus de mal à résister à sa force, la faiblesse me gagnait à mesure que la terreur enflait. Soudainement, il se fit moins lourd, sans pour autant me lâcher ni me libérer.

— Je suis prêt à te laisser quelques jours de réflexion. À choisir, je préfère avoir du plaisir à te prendre. Mais je suis navré de t'annoncer que, si tu veux sauver la peau de Yanis, tu devras céder.

— Que peux-tu lui faire de pire que ça ?

— C'est extrêmement facile. J'ai la possibilité de le surendetter encore plus, je peux sans aucune difficulté ruiner sa réputation, en faire un mauvais payeur, pas sérieux, sur qui on ne peut pas compter, qui n'assume pas jusqu'au bout ses contrats, ses projets, j'utiliserai même son départ de chez ton cher frère, ça donnera du crédit à mon histoire. Il perdra tous ses clients un à un, je ne serai plus son garant à la banque. Il me suffit de passer quelques coups de fil, et l'affaire est réglée.

— Non ! Tu ne peux pas faire ça !

Il posa ses lèvres sur les miennes.

— C'est toi qui décides, Véra, susurra-t-il. Tu viendras à moi de toi-même, ça sera encore meilleur.

Puis il desserra ses mains et se releva élégamment, comme si de rien n'était. Sa maîtrise, son contrôle, mais surtout ses derniers mots me pétrifièrent. La tête me tournait.

— Tristan, si un homme faisait ça à une de tes filles…

Il rit en rejetant le visage en arrière.

— Ma pauvre Véra, tu n'as donc pas compris ! Mes filles ! Je n'en ai pas.

— Comment ?

— Je savais que je gagnerais plus facilement ta confiance si tu pensais que j'étais père de famille, davantage encore si je jouais la carte du père divorcé, perdu, et éloigné de ses enfants. Je n'ai eu besoin que de ressortir des photos des enfants d'une femme avec qui j'ai eu une liaison il y a quelques années de ça. J'ai toujours su que ça me serait utile. Et si tu veux tout savoir, je n'ai jamais été marié…

Il était fier de lui, fier de ses mensonges, fier du mal qu'il faisait.

— Tu es le diable incarné.

— C'est mignon, Yanis m'a dit la même chose.

Je parvins péniblement à me rasseoir, recroquevillée à l'autre bout du canapé, le plus loin possible de *lui*. Je tremblais comme une feuille. Malgré tout, je continuai à le regarder, à affronter le mal en face.

— Pourquoi ? finis-je par lui demander, d'une voix que je ne reconnus pas.

— Pourquoi… ? Parce que Yanis est ce que j'ai toujours rêvé d'être.

— Si tu veux être comme lui, commence par être un homme bien.

— Tout de suite les grands mots ! Être un homme bien… Ça, je ne sais pas faire, Véra.

— Tu n'as pas dû beaucoup essayer.

— Peu importe ! me rétorqua-t-il, excédé.

— Mais, Tristan, ce qu'il faut que tu comprennes, c'est que, oui, pour Yanis, je vais céder, tu vas pouvoir me prendre, comme tu dis, je me laisserai faire, parce que rien n'est plus important pour moi que lui. Mais sache que je n'appartiens qu'à lui, jusqu'à la fin de mes jours.

Sa mâchoire se crispa.

— Si me sacrifier me permet de le sauver, de faire qu'il existe encore d'une façon ou d'une autre, je le ferai. Mais tu prendras un corps mort et tu ne seras jamais lui. Tu n'auras jamais sa vie. Parce que je ne serai plus jamais heureuse, les enfants non plus. Yanis est notre souffle, notre énergie, notre lumière, toi, tu seras notre enfer, nos ténèbres.

Son regard se troubla, il paraissait désarçonné. Était-il en train de perdre le contrôle ?

— Je vous rendrai heureux, comme lui. Je ferai comme lui, me dit-il d'une voix qui me sembla pathétique. Vous vous y ferez.

— Non, tu te trompes, tu ne pourras pas, le contrai-je durement. Quand je repense à ces dernières semaines, je vois bien que tu as essayé de faire comme lui, d'être lui, ça n'a pas marché. Nous as-tu vus heureux, les enfants et moi, être nous-mêmes depuis que nous sommes séparés avec Yanis ?

Son corps se pétrifia.

— Souviens-toi, poursuivis-je, la première fois que tu nous as vus en famille, ici, dans cette pièce.

Une expression de douleur traversa son visage.

— Je vous avais déjà vus avant, m'interrompit-il.

— Quand ?

Un instant, il partit loin, un sourire triste, que je ne lui connaissais pas, apparut sur ses lèvres.

— Quelques semaines plus tôt, le jour où ma vie a chaviré, le jour où j'ai rencontré Yanis. Je vous ai croisés, toi et les enfants sur le trottoir du cabinet de ton frère, vous ne m'avez même pas remarqué. J'étais sous le coup de la fascination que Yanis avait exercée sur moi, toi et les enfants, vous m'avez achevé. J'ai commencé à vous suivre, et très vite tu es entrée dans les locaux, je vous ai observés longuement, caché dans la pénombre. J'ai su que je ne pourrais plus me passer de lui. Yanis est devenu une obsession pour moi, vous êtes devenus une obsession, un cancer qui me ronge, qui tourne en boucle.

J'étais horrifiée par ce que je découvrais, par ses paroles qu'il accompagnait de coups de poing contre sa tête, yeux fermés. Puis il me regarda de nouveau.

— Un peu comme une musique dans la tête, lâcha-t-il d'une voix ironique.

Il salissait jusqu'à cette phrase de notre intimité la plus profonde.

— Laisse-nous tranquilles, s'il te plaît. Sors de notre vie.

— Et l'argent ?

— On vendra l'appartement, on te donnera tout, je préfère encore dormir sous les ponts, du moment que tu disparais, que tu nous oublies.

Je lui lançai mon regard le plus déterminé, ma décision était prise ; dès le lendemain, nous mettrions notre appartement en vente, le fruit du travail de Yanis nous sauverait de l'emprise de Tristan. Je crus le voir chanceler furtivement. Puis il marcha vers moi, sa grande silhouette fine et sombre se déplaçait en silence. Je n'avais pas le courage de lutter de nouveau contre lui, je n'en pouvais plus. Allait-il réclamer son dû maintenant ?

Lorsqu'il fut devant moi, je levai un visage suppliant vers lui, il plongea ses yeux dans les miens, son regard était trouble, sa main froide et agitée de spasmes repoussa ma mèche de cheveux, je me raidis.

— Je ne vous oublierai jamais, Véra.

Il recula de quelques pas, éteignit la lumière et partit. La porte d'entrée se ferma sans faire le moindre bruit. Je restai seule, dans la pénombre, sans bouger, ressassant sa dernière phrase.

Yanis

Nous n'allions pas tenir plusieurs mois, c'était une évidence. Ça me rendait dingue de ne pas avoir pensé à la garçonnière plus tôt.

— Je vais t'aider, m'annonça Luc, très sérieusement.

— Tu as déjà fait beaucoup en découvrant l'ampleur de la supercherie, je ne vois pas ce que tu pourrais faire de plus.

— Écoute, Yanis, si je n'avais pas été aussi braqué avec toi, tu n'en serais pas là, et tu travaillerais encore avec moi.

Il marqua un temps d'arrêt et me fixa avant de reprendre, sourire aux lèvres :

— Ou pas…

Je lui souris.

— J'ai sous les yeux la preuve qu'on peut te faire entière confiance pour le boulot, malgré ce que j'ai pu dire auparavant. Il te manque simplement quelqu'un qui gère ta compta. Je peux t'apprendre, si tu veux.

— Où veux-tu en venir ?

— Dès demain, on va aller ensemble à ta banque, on fera le pied de grue jusqu'à ce qu'un conseiller nous reçoive. Tu vas annuler la procuration de Tristan. Et je me porte garant pour toi en attendant que tu vendes la garçonnière, quitte à ce que je mette mes bureaux en hypothèque chez eux.

— Non, c'est hors de question ! Je ne peux pas te demander de faire ça.

— Tu ne me le demandes pas, je te le propose, c'est différent. Après, ça sera à toi de jouer et de poursuivre ce que tu as commencé.

— Mais…

— Je ne te laisse pas le choix.

Luc se leva du canapé et s'étira avant d'attraper son manteau.

— Tu pars ?

— Oui, je rentre, Charlotte doit se demander ce qu'on fabrique. Et avant de me coucher, je vais préparer mes dossiers pour demain, on se retrouve à 10 heures devant la banque, ça te va ?

— Ouais, lui répondis-je, sonné.

Il franchit la distance qui nous séparait et me tendit la main. Je la lui serrai. Mais on finit par tomber dans les bras l'un de l'autre en se donnant des bourrades dans le dos.

— C'est fini, Yanis. Tu es sorti d'affaire.

Il se détacha de moi et me regarda droit dans les yeux.

— Tu crois qu'il nous laissera tranquilles après ? demandai-je.

— Il ne pourra plus rien faire contre vous, plus rien ne vous reliera à lui.

— Je lui téléphone demain pour qu'il se joigne à la fête.

— Bonne idée, devant témoins, il aura la preuve que tu es devenu intouchable.

Il tourna les talons et disparut. Je restai sans réaction de longues minutes au milieu de la garçonnière. Puis je me décidai à faire ce que je mourais d'envie de faire depuis des heures, j'enfilai mon blouson, attrapai mon casque et mon téléphone. Je fermai la garçonnière et courus jusqu'à ma moto. Avant de démarrer, j'envoyai un message à Véra : « J'arrive. » À l'instant où le message partit, j'en reçus un : « Viens. »

Véra

J'envoyai un message à Yanis : « Viens. » À l'instant où il partit, j'en reçus un : « J'arrive. » Des larmes plein les yeux, je regardai notre lit où il me rejoindrait d'ici peu. Le cauchemar allait prendre fin. Je n'avais besoin que de lui et je voulais oublier les dernières heures, les dernières semaines, les derniers mois. Les effluves écœurants du parfum de Tristan ancrés sur ma peau me montèrent au nez, j'eus envie de hurler. J'arrachai ma robe et ma lingerie. Puis, je courus jusqu'à la douche, où je fis couler de longues minutes de l'eau chaude sur ma peau. Le parfum familier de notre gel douche fit disparaître l'odeur de Tristan sur moi. Et je me promis de ne jamais, sous aucun prétexte, raconter à Yanis ce qui venait de se passer. Ça lui ferait trop de mal, ça le rendrait fou et provoquerait une réaction en chaîne. Il était capable du pire. J'allais prendre sur moi pour oublier. Lui, Yanis, me ferait oublier les gestes de Tristan. Je voulais protéger mon mari de ça. Il y avait eu assez de souffrance, nous devions tourner la page, même si cela devait en passer par mon silence. Une fois mon pyjama enfilé, je changeai les draps, pour effacer le souvenir de la nuit que Tristan avait passée à mes côtés, refusant de penser à ce qu'il aurait pu faire durant ces quelques heures où j'avais été à sa merci. Je descendis quelques minutes dans la cuisine pour jeter le verre où il avait bu, puis remontai dans notre chambre. Toutes les traces de son passage avaient disparu. Je me glissai sous une couette propre pour attendre Yanis. Je ne voulais être qu'avec lui.

Yanis

Je ne voulais être qu'avec elle. Je voulais la libérer, tout lui expliquer, lui demander encore pardon pour tous ces derniers mois, je voulais lui dire qu'elle allait retrouver son frère, Charlotte, et sa vie d'avant. En parler avec elle m'aiderait à réaliser ce qui s'était passé. Je rentrais chez moi.

À peine la porte fermée, je balançai mes pompes et mes chaussettes, comme avant. L'appartement était plongé dans l'obscurité. Je fis le tour du séjour, de la cuisine, j'avais beau y être revenu un peu, j'eus l'impression de tout redécouvrir ; le bazar des enfants, les cartables abandonnés au milieu du passage, les coussins en vrac sur le canapé, les photos accrochées sur le frigo. Avant de monter, je passai dans les chambres des enfants. Dans celle des garçons, je m'assis par terre et je les regardai, mes deux petits gars, mon grand qui avait été si courageux, qui après m'en avoir voulu à mort était prêt à m'aider pour sortir sa mère des griffes de Tristan. Que lui avais-je fait subir ? Comment lui rendre l'innocence qu'il avait perdue ? Après de longues minutes, je rejoignis la chambre de Violette. La fragilité de ma fille me fit monter les larmes aux yeux, sa ressemblance avec sa mère aussi. J'embrassai son front, puis je la laissai au pays des rêves. J'inspirai profondément en bas de notre escalier.

Véra

En reconnaissant les pas de Yanis dans l'escalier, je ne pus retenir mes larmes de bonheur, il rentrait à la maison, nous étions en sécurité. Lorsqu'il arriva dans notre chambre, je fermai les yeux, je n'écoutais que ses bruits, la porte qu'il ne referma pas totalement, le bruissement de ses vêtements tombant sur le sol. Puis le matelas s'affaissa. Ses mains chaudes se glissèrent autour de ma taille et me collèrent à lui, à son torse nu et chaud lui aussi, je n'avais plus froid. Il cala son visage dans mon cou, ses lèvres embrassèrent délicatement ma peau, je serrai ses bras autour de moi. J'aurais aimé qu'on se fonde l'un en l'autre et n'être plus jamais séparés.

— Il faut que je te raconte quelque chose, Véra, murmura-t-il.

— Je t'écoute.

Je ne l'interrompis pas une seule fois durant tout son récit. Rien de ce qu'il m'apprit ne me surprit, j'avais vu la folie de Tristan ce soir, j'avais compris jusqu'à quel point il avait cherché à lui nuire, à nous détruire. Mon cœur se gonfla de fierté lorsque je compris que Yanis avait réussi, envers et contre tout.

— Il faut qu'on se libère de sa pression financière, finis-je par lui dire.

— Oui, et…

— On va vendre l'appartement, Yanis, on va louer quelque chose de petit, ce n'est pas grave du moment qu'il disparaît de notre vie.

— Non, c'est la garçonnière que nous allons vendre. On reste chez nous.

— Mon Dieu, j'avais oublié qu'on en était propriétaires ! lui avouai-je, la voix tremblante.

— Moi aussi. Véra, regarde-moi.

Je me tournai dans ses bras, nos jambes s'emmêlèrent. Dans la pénombre, il chercha à capter mon regard, puis il repoussa ma mèche de cheveux, un flash de ce qui s'était passé un peu plus tôt me glaça d'effroi. Yanis s'en rendit compte.

— Que se passe-t-il ? Dis-moi.

— Rien, ne t'inquiète pas.

— Tu n'as pas l'air très surprise par ce que je viens de t'apprendre.

— Je me posais de plus en plus de questions sur lui depuis quelque temps. Je n'arrivais plus à lui faire confiance. Sa présence me mettait mal à l'aise.

— C'est tout ? Tu me promets ? Il ne t'a pas fait de mal ? Je ne me le pardonnerais jamais s'il t'avait touchée.

J'inspirai profondément.

— Non. Rien du tout. Il était temps que tu rentres à la maison. Qui sait ce qu'il aurait été capable de faire dans les prochains jours ? Mais je ne veux plus en parler, je ne veux plus entendre son nom. Je veux qu'on l'oublie.

Ses lèvres chaudes, puissantes et franches retrouvèrent les miennes, je sus que nous allions guérir.

17

Véra

J'ouvris les yeux avec difficulté et rencontrai le regard de Yanis, nous avions passé la nuit, ou plutôt le peu d'heures qu'il en restait, blottis l'un contre l'autre, emmitouflés sous la couette qui nous recouvrait le visage. Il me sourit.

— Je crois qu'on a de la visite, chuchota-t-il.

Je lui rendis son sourire. Puis, d'un même mouvement, on sortit la tête de notre cachette. Nos trois enfants étaient piqués debout au pied du lit. L'expression de leur visage passa de la surprise au bonheur le plus intense en moins de deux secondes. Ils sautèrent sur nous en poussant des cris de joie : « Papa est revenu ! Papa est à la maison ! » Joachim vint contre moi.

— Ça va, maman ?

— Oui, mon grand, tout va bien maintenant.

On resta un long moment tous les cinq serrés les uns contre les autres. Puis Yanis lança le signal du petit déjeuner. Les enfants dévalèrent l'escalier à toute vitesse.

— Je retrouve Luc tout à l'heure à la banque, tu ne veux pas appeler Charlotte pour qu'elle vienne et que tu ne restes pas toute seule ?

— Non, je viens avec toi, nous venons avec toi. C'est important, je veux être à tes côtés. Même si je dois rester dans la voiture.

— Très bien.

Je l'attirai contre moi, et il m'embrassa, passionnément. Puis il s'arracha de mon étreinte.

— Je vais appeler Tristan.

Je me pétrifiai, gagnée par la panique.

— Pourquoi ?

— Je veux qu'il assiste à sa défaite.

C'était bien la première fois que j'entendais des accents de vengeance dans la voix de Yanis, il avait certainement perdu une partie de sa foi en l'être humain, moi aussi.

Une heure et demie plus tard, Yanis se garait à proximité de la banque. Les enfants ne comprenaient pas ce qu'on faisait là, un samedi matin. Qui plus est pour rester enfermés dans la voiture.

— C'est Luc ! cria Ernest.

— Et Charlotte ! s'égosilla Violette.

Je regardai dans la direction qu'ils indiquaient. Effectivement, mon frère et ma meilleure amie arrivaient sur le trottoir, ils marchaient l'un contre l'autre, un immense sourire aux lèvres, c'était bien la première fois que je voyais Luc si heureux. Ils repérèrent notre voiture. Je détachai ma ceinture à toute vitesse et sortis. Au début, je marchai lentement vers eux, puis mes pas s'accélérèrent pour les rejoindre plus vite. Arrivée devant eux, impossible de dire un mot. J'envoyai un sourire larmoyant à Charlotte, qui n'était pas loin de pleurer elle aussi. Elle se décala et réceptionna les enfants qui arrivaient en courant vers nous. Luc, lui, fit un pas vers moi et, là aussi, pour la première fois de notre vie, il me prit dans ses bras. Mon frère me broyait contre lui, je me sentis doublement protégée.

— Pardon pour toutes les horreurs que je t'ai balancées, lui dis-je.

— On est là, maintenant, me glissa-t-il à l'oreille avant de me lâcher.

Il se tourna ensuite vers les enfants et Charlotte qui les écrabouillait contre elle, pour participer au câlin. Un sourire démesuré s'étalait sur mon visage, je cherchai à capter le regard de Yanis, perdu au loin. Sa mâchoire se contracta, je n'eus pas le temps de jeter un coup d'œil dans cette direction qu'il m'attrapa par la main, et se mit devant moi. Pas assez pour que je ne voie pas Tristan arriver sur le trottoir d'en face. Son allure fantomatique me donna des sueurs froides. Même de loin, il faisait peur à voir, il ne ressemblait en rien à l'homme d'affaires puissant que nous avions connu. L'abattement semblait l'avoir terrassé. À se demander, en le voyant dans cet état pitoyable, comment il avait pu nous tenir sous son charme si longtemps… Luc et Charlotte remarquèrent notre changement d'attitude, elle essaya de faire diversion.

— Les trésors, que diriez-vous d'aller boire un chocolat chaud ? proposa-t-elle.

D'autorité, elle entraîna les enfants au café d'à côté en leur expliquant que je les rejoignais dans quelques minutes. Ernest et Violette, tout à la joie de leurs retrouvailles avec Charlotte, lui obéirent sans réfléchir. Joachim, en revanche, qui venait de repérer Tristan, me fixa, apeuré. Je lui fis un sourire encourageant. Il soupira, puis se concentra de nouveau sur son frère, sa sœur et Charlotte.

— Véra, va avec eux, s'il te plaît, me dit Yanis qui ne quittait pas des yeux Tristan, à quelques mètres de nous.

Je le regardai à mon tour, il nous observait, impassible.

— Je peux venir, si tu veux.

Il me prit contre lui, repoussa ma mèche de cheveux, je lui souris.

— Non, je préfère que tu restes éloignée de lui. C'est à moi de régler ça, tu en as déjà bien assez souffert.

— Allons-y, Yanis, nous interrompit Luc. Ne perdons pas plus de temps.

J'attrapai le visage de Yanis entre mes mains et l'embrassai.

— Ne t'énerve surtout pas, lui murmurai-je, ma bouche contre la sienne. C'est derrière nous.

— Ce n'est pas mon genre.

Il me lâcha, me fit un clin d'œil confiant et traversa la rue. Tristan ne les attendit pas et disparut dans l'agence. Une minute plus tard, Yanis et Luc disparurent à leur tour. J'avais peur, peur que ça se passe mal, peur que Tristan trouve une dernière parade pour coincer Yanis, j'avais peur aussi qu'il raconte ce qui s'était passé la veille entre nous, en omettant évidemment sa violence, et qu'il se débrouille pour que Yanis interprète de travers les choses. Quand bien même Yanis ne le croirait pas, sa réaction serait à la mesure de cette blessure. D'où j'étais, je ne pouvais rien faire. Maintenant tout se passait entre eux. Heureusement,

Luc était là. Tout n'avait-il pas commencé de cette façon ? Une rencontre entre Yanis et Tristan, avec Luc au milieu pour les séparer. Un soupir, mélange de crainte et de soulagement, s'échappa de ma bouche. Puis je rejoignis nos enfants et Charlotte.

Une heure plus tard, Charlotte attira mon attention en tapotant ma main, alors que je parlais avec Violette assise à côté de moi.

— Quoi ?

— Regarde, me dit-elle en fixant la rue.

Tristan venait de sortir de la banque. Il paraissait totalement perdu, abattu, désorienté, bras ballants sur le trottoir. Son visage se crispa de douleur, il serra les poings, ferma les yeux. Puis il se redressa, braqua son regard noir dans ma direction. J'eus peur, pourtant je savais qu'il ne pouvait pas nous voir, cachés derrière la vitre. Il leva la tête vers le ciel quelques secondes. Puis ses yeux revinrent vers le sol, et il se para de son rictus. Pour la première fois, ce sourire en coin me sembla triste, douloureux, dénué d'ironie. Il finit par faire un signe de tête, comme pour dire au revoir avant de partir dans la direction opposée. Je ne quittai pas des yeux sa silhouette sombre et fatiguée jusqu'à ce qu'il disparaisse au coin de la rue. Quelques minutes plus tard, Yanis sortit à son tour de la banque, Luc sur les talons. Un immense sourire de victoire éclairait son visage. Je quittai la table pour le rejoindre. Au fur et à mesure qu'il approchait de moi, je perçus à quel point, malgré sa joie, son soulagement aussi, il paraissait exténué.

— C'est fini.

Malgré tout, je me posai une question : quand la peur de voir Tristan réapparaître s'atténuerait-elle ? Ne m'avait-il pas promis qu'il ne nous oublierait jamais ? Yanis m'ouvrit les bras, je me blottis contre lui.

— Qu'a-t-il dit ? lui demandai-je tout bas.

— Rien. Il s'est laissé faire, comme s'il savait qu'il avait perdu. C'était étrange. Mais c'est fini.

Épilogue

Quelques mois plus tard

Il avait tout essayé, il ne les avait pas oubliés. Il ne l'avait pas oublié, *lui*. Il ne pouvait pas, il ne voulait pas. Sa défaite, il l'avait reconnue, il l'avait acceptée. Il n'avait pas eu d'autre choix. Ils avaient été plus forts que lui. Il avait cru pouvoir aspirer son essence et prendre sa place, mais il était tombé sur un adversaire trop fort. Il avait sous-estimé le pouvoir de leur couple. Pourtant il y avait cru. Il avait été tout près du but. *Eux* étaient devenus sa drogue, il avait encore besoin de sa dose. De *leur* bonheur, de *leur* sourire, de *leur* amour. Toutes ces choses que lui n'aurait jamais et qu'il ne serait jamais. Aujourd'hui, il se contentait des miettes de souvenirs qu'ils lui avaient laissées. Alors, quand il n'y tenait plus, il les traquait, il les cherchait, il devait les voir, les apercevoir. Ça lui faisait mal de voir qu'ils avaient repris leur vie comme avant lui. Finalement, il était toujours aussi transparent. Ces derniers mois, il avait utilisé sa transparence pour ne pas les quitter totalement. Il n'avait jamais cessé de les épier, tapi dans l'ombre, *lui*, *elle*, *leurs* enfants. L'aîné avait repris le trombone accompagné par son père, chaque semaine, il les suivait sur le chemin vers le cours de musique. Il s'était même glissé un soir au fond d'une salle où le garçon faisait un concert. À quelques reprises, il avait surpris des regards affolés de sa part à *elle* lorsqu'elle marchait seule dans la rue entre l'agence de voyages et le métro, elle jetait un coup d'œil par-dessus son épaule et accélérait le pas. Chez *lui*, il avait aussi noté qu'il était toujours sur le qui-vive lorsqu'il quittait un chantier ; il avait perdu de sa légèreté, ça ne le rendait que plus fort.

Comme il regrettait d'être entré dans ce cabinet dont il entendait de plus en plus parler. Ironie du sort, ce soir, c'était l'anniversaire de cette rencontre, il était le seul à s'en souvenir. Il faisait aussi bon qu'en mai, un an plus tôt jour pour jour, et il les regardait toujours à travers le prisme d'une vitre. Celle d'un restaurant où ils dînaient en compagnie de leurs enfants, du frère et de l'autre femme, dont il avait oublié le prénom. Ils célébraient la vente de la fameuse garçonnière, *lui* était enfin seul aux commandes, il n'avait plus besoin de personne, il avait réussi, comme il voulait, sa réputation était désormais établie, il était reconnu par ses pairs. Autour de la table, ils étaient gais et avaient presque retrouvé leur insouciance d'avant. Non, il se trompait, ils s'aimaient encore plus, *lui* et *elle* ne faisaient qu'un. Ils en étaient écœurants. Bien loin de les abattre, ce qu'il leur avait fait subir n'avait fait que les renforcer. Un comble, il les avait aidés à mûrir. Il ricana de dépit, seul dans son coin. Puis il tressaillit lorsque l'objet de sa fascination se leva. *Il* l'embrassa *elle*, puis alla payer la note. Pendant ce temps, *elle* aidait ses enfants à se rhabiller. *Lui* sortit sur le trottoir pour les attendre, où il alluma une cigarette. Il se demanda s'il n'allait pas sortir de l'ombre pour *lui* parler une dernière fois, *le* féliciter pour sa réussite. Mais il prit sur lui et resta à l'abri des regards. *Elle* sortit en tenant ses enfants contre elle tendrement, ses pas avaient retrouvé leur légèreté, elle sautillait, aérienne, vers l'homme qu'elle aimait, *lui* jeta son mégot dans le caniveau et accourut vers *elle*. *Elle* lâcha ses enfants pour qu'il puisse la prendre par la taille. *Il* la fit tournoyer autour de lui. *Elle* riait, aux anges. Il se laissa hypnotiser une dernière fois par la mélodie de *leurs* voix, de *leurs* rires, par l'harmonie des mouvements de *sa* robe colorée autour de *ses* jambes. Oui, une dernière fois, il venait *leur* dire adieu. Il allait disparaître, il recommencerait tout ailleurs, c'était la seule solution s'il voulait guérir d'*eux*, s'il voulait que *leur* musique cesse enfin dans sa tête.

Merci

Aux éditions Michel Lafon, particulièrement à Maïté et Florian, pour m'avoir dit « Vas-y », un matin de juillet dernier.

Aux lectrices et aux lecteurs, pour leur fidélité, leur affection, leurs encouragements. À chacune de nos rencontres, je ressors chamboulée, émerveillée par l'accueil que vous m'offrez. Je pense aussi à Anissa qui m'a accompagnée durant cette tournée de dédicaces, riche en rebondissements, aventures et fous rires !

À Cristina, petite fée toujours dans ma poche, pour avoir réceptionné mes joies et mes angoisses durant l'écriture.

À Guillaume, pour son amour, sa présence, son soutien. Tu as fait entrer la musique dans ma vie, pour qu'elle n'en parte jamais.

*Cet ouvrage a été composé et mis en page
par PCA, 44400 Rezé*

Imprimé en France par **CPI**
en avril 2018
N° d'impression : 3027311
S28288/01